Le mariage menacé

———————

Le château des brumes

LISA CHILDS

Le mariage menacé

BLACK ROSE

HARLEQUIN

Collection : BLACK ROSE

Titre original : GROOM UNDER FIRE

Traduction française de PIERRE VANDEPLANQUE

HARLEQUIN®
est une marque déposée par le Groupe Harlequin

BLACK ROSE®
est une marque déposée par Harlequin

HARLEQUIN
83-85, boulevard Vincent-Auriol, 75646 PARIS CEDEX 13.
Service Lectrices — Tél. : 01 45 82 47 47
www.harlequin.fr
ISBN 978-2-2803-3057-2 — ISSN 1950-2753

Prologue

Les roses qui arrivèrent le lendemain de la publication des bans dans les journaux étaient d'un noir d'encre et avaient les pétales desséchés. La boîte en contenait une douzaine, leurs tiges épineuses étaient emmêlées comme du barbelé.

En commettant la bêtise d'en saisir une, Tanya Chesterfield se piqua le doigt. Des gouttes écarlates tombèrent sur l'enveloppe blanche qui accompagnait le bouquet.

Elle l'ouvrit d'une main tremblante. Peut-être aurait-elle dû jeter le tout à la poubelle. Mais elle voulait savoir si le message qu'elle contenait était aussi menaçant que ceux qu'elle avait reçus chaque fois qu'elle avait noué une relation sérieuse avec un homme au cours de ces dix dernières années.

Aujourd'hui cependant, il ne s'agissait pas d'une simple relation. Elle était fiancée. Et c'est l'annonce de son mariage qu'elle retira avec appréhension de l'enveloppe.

La photo d'elle et de son futur époux était biffée d'une grande croix noire tracée au feutre et, à la mention « date de la cérémonie », le mot *MORT* couvrait celui de cérémonie.

1

— C'est une blague ? s'écria Cooper Payne, dardant sur son frère un regard accusateur.

Il n'avait pas été absent assez longtemps pour oublier comment, dans sa famille, on affrontait les situations délicates et compliquées : par l'humour et la dérision.

— Je te charge d'une mission, répondit Logan sans même lever le nez des documents étalés devant lui, comme s'il voulait éviter son regard. N'est-ce pas ce que tu voulais ?

Après sa démobilisation des marines avec les honneurs militaires, Cooper était revenu à River City, Michigan, pour rejoindre l'entreprise créée par son frère, une société de protection privée. Et non le business de mariages de sa mère.

— J'en veux une vraie, objecta-t-il en se mettant à arpenter le petit bureau aux boiseries sombres de son frère aîné. Pas une manigance concoctée par maman !

— Une manigance ? répliqua Logan, sa voix grave se teintant de feinte innocence. Qu'est-ce qui te fait penser cela ?

La contrariété lui nouait l'estomac.

— Ne me prends pas pour un idiot. Je n'étais pas encore dans l'avion qui me ramenait ici que déjà elle cherchait à me faire aller à ce maudit mariage.

— Ici, c'est chez toi, lui rappela Logan. Et Tanya Chesterfield et Stephen Wochholz sont tes amis. Pourquoi diable ne veux-tu pas assister à leur mariage ?

Parce que l'idée que Tanya en épouse un autre — Stephen, qui plus est ! — le rendait physiquement malade.

Il secoua la tête.

— D'accord, ils étaient mes amis au lycée, précisa-t-il, tant pour son frère que pour lui-même. Mais ça remonte à une éternité.

Et avec sa beauté, c'était un miracle que Tanya ne soit pas déjà mariée et mère de famille. Non qu'elle aurait dû se languir de lui. Ils n'avaient échangé que deux ou trois baisers à l'époque du lycée, avant de convenir qu'il valait mieux qu'ils soient amis, comme elle et Stephen. Sauf que maintenant c'était Stephen qu'elle épousait…

Cela dit, c'était logique. Plus que si ç'avait été lui. Elle était l'héritière d'un milliardaire, et il n'était qu'un ex-marine travaillant pour son frère.

Peut-être que…

Il se rendit compte que Logan l'observait à présent avec attention, les yeux plissés.

Doté des mêmes iris bleus et des mêmes cheveux bruns que ses deux aînés, Cooper ressemblait tant aux jumeaux que les gens leur demandaient souvent s'ils n'étaient pas des triplés. Mais il avait dix-huit mois de moins qu'eux, et Logan et Parker ne rataient jamais une occasion de le lui rappeler.

— Stephen te considère toujours comme un ami, dit Logan. Et il a demandé que tu sois son garçon d'honneur.

— Comment le sais-tu ? Oh ! Je vois, soupira-t-il aussitôt. Maman…

Autant il adorait sa mère, autant celle-ci pouvait parfois se montrer exaspérante.

— Elle est obsédée par ce fichu mariage.

— Les mariages, c'est son métier, répliqua Logan avec fierté.

Pendant des années, leur mère avait consacré toute son énergie et son amour à sa famille, assumant le double rôle de père et de mère après que son mari, inspecteur dans la police de River City, avait été tué dans l'exercice de ses fonctions, quinze ans plus tôt. Mais lorsque son dernier enfant — son unique fille — était entré à l'université, elle s'était trouvé une nouvelle vocation : sauver de la démolition la petite église où elle avait épousé leur père, et la transformer en une chapelle à mariages, dont elle était elle-même la grande ordonnatrice.

— Et la sécurité, le nôtre, rétorqua Cooper.

A la seconde où avait pris fin son engagement chez les marines, son frère lui avait promis un emploi à Payne Protection. Il était même allé le chercher à l'aéroport, mais cela, c'était deux jours plus tôt, et l'emploi s'était fait attendre.

Jusqu'à ce soir...

— C'est pourquoi il faut que tu sois présent à la chapelle, insista Logan.

— Pour la sécurité ? persifla-t-il. A un mariage !

— Tanya est la petite-fille d'un milliardaire, lui rappela inutilement son frère.

Comme si, à l'époque, Cooper n'avait pas eu une conscience aiguë de leur différence de classe, Benedict Bradford avait déclaré qu'un gosse sans père comme lui, sans perspective d'avenir, n'avait rien à offrir à une héritière telle que Tanya. Pour l'aînée de sa descendance, il voulait un avocat ou un médecin, bref, un homme digne d'elle. A ses yeux, un soldat qui ne survivrait peut-être pas à une mission de terrain ne l'était pas. Cooper s'était incliné. Le vieil homme était mort depuis des années, mais il aurait certainement approuvé le choix de Stephen, devenu entre-temps avocat d'affaires.

— Le fait d'être l'héritière d'un richard ne l'avait jamais mise en danger auparavant, dit Cooper.

Sinon sa mère n'aurait pas manqué de le lui dire. Et si ç'avait été le cas, il n'aurait pas attendu la fin de son engagement pour revenir.

Logan leva son téléphone portable et le tourna vers lui.

— Ceci raconte peut-être autre chose...

Cooper y jeta un coup d'œil. Une image sombre, un peu floue, s'affichait sur l'écran.

— Qu'est-ce que c'est ?

— Des roses noires, répondit Logan avec un frisson de dégoût. Elles ont été livrées aujourd'hui à la chapelle.

— Ça ne veut pas nécessairement dire danger. Il s'agit peut-être d'une erreur chez le fleuriste.

Logan secoua la tête.

— Le mariage est célébré demain, et la coutume veut que les vrais bouquets arrivent le matin même.

Cooper haussa un sourcil. Comment se faisait-il qu'il soit autant au courant de ces questions de protocole nuptial ?

— C'est à cause de maman, dit son frère, anticipant sa question. Nous l'aidons de temps à autre, bien sûr. Comme en ce moment. Il faut que tu ailles à la chapelle.

— Tu viens de me dire que le mariage était demain.

— Et donc la répétition est ce soir, répliqua Logan, la moue dédaigneuse devant son ignorance.

Ignorance compréhensible : lorsque leur mère avait racheté l'église désaffectée, il était déjà parti. D'abord au camp d'entraînement, puis à la base d'Okinawa. Il n'y connaissait rien en matière de mariage, et du reste n'y attachait aucun intérêt particulier.

— Si quelqu'un veut empêcher ce mariage, poursuivit Logan, il frappera ce soir ou cette nuit.

Quelqu'un voulait l'empêcher, OK. Mais Cooper n'avait nulle intention d'y prendre part. Rien n'avait changé depuis le lycée. Entre Tanya et lui, il n'y avait que de l'amitié. Et il ne restait plus grand-chose aujourd'hui. Cela faisait des années qu'ils n'avaient plus le moindre contact.

Mais si elle était en danger…

La main de Tanya tremblait tandis qu'elle hissait la housse contenant sa robe de mariée vers le crochet fixé au mur de la salle d'habillage. Ce n'était pas le poids des mètres de satin et de dentelle qui lui crispait les épaules. C'était celui de la culpabilité.

« Je ne peux pas faire ça ! Ce n'est pas bien… »

Mais la perfidie de son grand-père ne l'était pas non plus. Dix ans après sa mort, le vieil homme exerçait toujours la même manipulation sur sa famille. Deux décennies plus tôt, il avait soudoyé le père de Tanya pour qu'il divorce, les obligeant ainsi, sa mère, sa sœur et elle, à s'installer dans sa propre maison.

Celle-ci était aux antipodes de la pièce claire et lumineuse dans laquelle elle se tenait à présent. La pièce des futures mariées était toute lambrissée de blanc et de rose tendre, alors que la demeure de Benedict était sombre et froide. A la pensée du « mausolée », elle frissonna. Puis sourit en se rappelant qui avait ainsi surnommé cette maison pleine de courants d'air. Cooper Payne.

C'est là qu'il l'avait embrassée, après l'avoir poussée contre l'une des colonnes du perron de l'entrée. Ce baiser avait eu lieu plus de douze ans plus tôt, mais les battements de son cœur s'accéléraient encore à son souvenir. Aucun n'avait jamais été aussi intense après celui-là. Son premier baiser…

Peut-être était-ce la raison pour laquelle il comptait tant. Peut-être était-ce pourquoi, même si elle ne l'avait pas vu depuis des années, elle pensait si souvent à Cooper Payne. C'était sans doute une bonne chose qu'il ait décliné la demande de Stephen d'être son garçon d'honneur. Une bonne chose qu'il soit absent lorsqu'elle se livrerait à cette mascarade.

Elle serait incapable de prononcer les vœux, de *mentir*, sous son regard. Non qu'il ait jamais su discerner ses mensonges…

Il l'avait crue lorsqu'elle avait fait mine d'être d'accord avec lui quand il lui avait dit que leur baiser — et les quelques autres qui avaient suivi — avaient été une erreur, qu'ils étaient faits pour être amis, rien de plus. Elle avait opiné et souri alors même que son cœur d'adolescente se brisait en mille morceaux.

Qui sait ? Peut-être était-ce le souvenir de cette douleur qui l'avait empêchée de tomber de nouveau amoureuse. Et puis il y avait eu ces menaces. Stephen était convaincu qu'elles étaient sans fondement. Mais si elles ne l'étaient pas ?

Devait-elle agir comme si de rien n'était, comme il le lui avait conseillé ? Ou tirer un trait sur son héritage ?

Elle jeta un coup d'œil au miroir placé à côté de l'endroit où était suspendue sa robe de mariée, mais s'en détourna aussitôt.

Elle ne pouvait pas affronter sa propre image, ses cheveux blonds et ses yeux verts hantés. Si elle allait jusqu'au bout de cette comédie, elle ne pourrait plus jamais se regarder en face.

Elle inspira par à-coups. Elle ne tournerait pas le dos à cet argent. Il n'avait jamais été le sien, de toute façon. Mais elle avait des projets le concernant. Des projets de bienfaisance et de charité.

Son grand-père ignorait le sens de ces mots. Y compris avec ses proches. Benedict Bradford avait toujours été d'une avarice aussi sordide que mesquine. Distribuer son argent autour d'elle serait une excellente façon de venger sa mère, sa sœur et elle de la façon dont il les avait traitées.

Mais un mariage ne devait pas être une affaire de vengeance. Ni d'argent. Ni même de charité. Ce devait être une affaire d'amour. Et si Tanya avait une grande affection pour son futur époux, elle n'était pas amoureuse de lui.

— Je... Je ne peux pas faire ça...

Pas ce mariage. Pas même sa répétition. S'avançant d'un pas nerveux vers la porte donnant sur le vestibule, elle l'ouvrit et faillit se heurter à la mère de Cooper. Mince, de petite taille, les cheveux roux cuivré et les yeux marron pleins de bienveillance, Penny Payne était l'exacte antithèse de ses grands gaillards de fils. Seule sa fille, sa cadette, lui ressemblait.

— Qu'y a-t-il, ma chérie ? demanda la vaillante quinquagénaire en empoignant ses bras tremblants. Quelque chose ne va pas ?

Tanya secoua la tête.

— Non, rien ne va...

— Je sais que le reste des participants n'est pas encore là, mais il n'y a pas le feu, assura Mme Payne d'une voix aussi chaleureuse que son regard. Le révérend James et moi-même...

Tanya n'avait cure du reste des participants.

— Stephen... Stephen est là ?

Mme Payne hocha la tête.

— Je lui ai montré la pièce réservée au marié il y a quelques minutes, afin qu'il puisse essayer son smoking comme tu as toi-même essayé ta robe. Ainsi, vous n'aurez plus ni l'un ni l'autre à vous en soucier pour la cérémonie.

Il n'y aurait pas de cérémonie. Mais Tanya ne pouvait le dire à personne tant qu'elle n'en avait pas averti Stephen. C'est lui qui avait eu l'idée de ce projet insensé parce qu'il était son ami. Il avait toujours été là pour elle. Mais elle ne pouvait plus utiliser ainsi cette amitié, l'utiliser lui.

— Où se trouve cette pièce ? demanda-t-elle.

— Nous devons attendre l'arrivée des autres pour commencer la répétition générale, dit gentiment Mme Payne. C'est ainsi que les choses doivent se passer.

— Non, je… Je dois parler à Stephen, insista-t-elle. Tout de suite.

Avant que cette mascarade n'aille plus loin.

Les yeux marron de Mme Payne s'arrondirent. Mais, pour avoir travaillé avec tant de couples amoureux au fil des ans, elle devait bien se rendre compte qu'avec celui-ci quelque chose clochait, que Tanya ne vibrait pas d'excitation à l'idée de se marier.

— La pièce du marié est derrière l'autel.

Tanya ouvrit la lourde porte de chêne qui donnait sur la nef de la chapelle. Comme la nuit était déjà tombée, les vitraux étaient obscurs. La seule lumière provenait des appliques murales, et projetait l'ombre des bancs dans l'allée centrale. Ce qui fit qu'elle ne remarqua pas les plis que formait le tapis rouge. Elle s'y prit les pieds, mais réussit à se redresser avant de tomber sur les genoux. C'était bizarre. Mme Payne ne laissait jamais rien au hasard. D'habitude, aucun détail ne lui échappait.

La pauvre s'était tellement dépensée que Tanya éprouva une sourde culpabilité. Elle s'en voulait pour la grande déception qu'elle allait lui causer. Mais elle ne pouvait pas continuer à mentir.

Stephen comprendrait. Ce n'était pas comme si de son côté il la voyait comme autre chose qu'une amie. Il n'en serait pas blessé, et ne lui en tiendrait pas rigueur.

La porte de la pièce derrière l'autel était légèrement entre-bâillée. Elle la poussa. L'intérieur était plongé dans l'ombre.

— Stephen ?

Avait-il changé d'avis, lui aussi ? Elle n'aurait pu le lui reprocher, mais jamais il ne serait parti sans l'en aviser. Alors qu'elle cherchait l'interrupteur à tâtons, ses doigts glissèrent sur quelque chose d'humide. Là encore, ce n'était pas une chose que Mme Payne aurait laissé passer. Sa chapelle devait être impeccable, immaculée.

Tanya pressa l'interrupteur, baignant la pièce de lumière… pour la découvrir tout éclaboussée de sang. Il y en avait partout : sur le sol, le divan, les murs. Face à cette scène d'horreur, la panique monta en elle, lui coupant la respiration, et c'est à peine si elle put lâcher le cri qui lui brûlait la gorge.

Cooper l'entendit. Malgré sa faiblesse, il était chargé de pure terreur. Dans sa course, il dépassa sa mère qui se trouvait déjà au milieu de l'allée et se précipitait droit vers l'endroit d'où il venait. Cela faisait des années qu'il ne l'avait pas entendue, mais il avait immédiatement reconnu la voix de Tanya.

— Reste ici, ordonna-t-il à sa mère, tout en plongeant la main sous son blouson pour sortir son pistolet.

Du doigt, elle désigna la porte ouverte d'une pièce située derrière l'autel et d'où provenait de la lumière. Et il vit Tanya. Elle était figée comme une statue, une main plaquée sur sa bouche comme pour étouffer un nouveau cri. Alors qu'il arrivait sur elle, elle recula soudain et se cogna à lui. Elle hurla.

Il la fit pivoter.

— N'aie pas peur, dit-il. C'est moi. Tout va bien.

D'abord ses yeux verts mouillés de larmes s'élargirent, puis elle s'agrippa à lui, se serrant contre son torse.

— Cooper ! Dieu merci, c'est toi !

Son corps mince tremblait entre ses bras. D'instinct, il les referma sur elle. Leurs corps s'adaptaient si parfaitement l'un

à l'autre… Mais il ne faisait que la réconforter, n'est-ce pas ?
L'apaiser, veiller à ce qu'elle se sente bien.

— Que se passe-t-il ? demanda-t-il. Tu es blessée ?

Elle secoua la tête, balayant son cou de ses soyeux cheveux
blonds.

— Non, non…

Par-dessus sa tête, il scruta la pièce et le vit. Le sang.
Tellement de sang…

Désobéissant à son ordre, Penny Payne les rejoignit.

— Qu'y a-t-il, au nom du…

Elle s'étrangla en découvrant la scène à son tour.

— Appelle le 911, dit Cooper en lui fourrant son portable
entre les mains.

Puis il pénétra dans la pièce et chercha le corps.

Avec une telle quantité de sang, il devait forcément y en
avoir un.

2

— Il n'y a pas de corps.

Les mots de Cooper flottèrent jusqu'à Tanya dans une sorte de brume. Ce n'était pas à elle qu'il parlait, cependant. La dernière fois qu'il l'avait fait, c'était pour lui demander si elle était blessée. Bien sûr, il avait été occupé. A fouiller la chapelle et ses environs, à discuter avec sa famille, à répondre aux questions des policiers venus examiner la scène de crime.

Ils lui avaient parlé également. Un officier à la mine rébarbative lui avait posé d'innombrables questions, mais aucune pour s'informer de son état, savoir si elle n'avait rien. Mme Payne l'avait chassé en apportant à Tanya une tasse de thé. Celle-ci commençait à refroidir entre ses mains. Ce qu'elle avait dit à l'officier était vrai : elle n'avait aucune idée de ce qui s'était passé. Elle n'avait fait qu'allumer la lumière, et découvrir le sang. Tout ce sang…

La tache qu'elle avait touchée près de l'interrupteur lui maculait les doigts. C'est pourquoi elle n'avait pas porté la tasse à ses lèvres. La chaleur de son thé ne la réchaufferait jamais. Le sang était jusque sur ses mains.

— Nous ne savons donc pas si nous sommes face à un homicide ou à un enlèvement, poursuivit Cooper, la tête proche de celle de son frère.

S'adressait-il à Logan ou à Parker ? Les jumeaux étaient parfaitement identiques.

— Pourquoi serait-ce l'un ou l'autre ? demanda celui à qui il parlait.

Cooper haussa des épaules si larges qu'elles tendirent les

coutures de son blouson de cuir noir. Malgré le sang et la peur, pendant la minute où elle s'était accrochée à lui, ses bras solides refermés sur elle, elle s'était sentie en sécurité. Mais depuis lors il ne lui avait plus parlé, ne l'avait plus touchée non plus, et c'était peut-être pour cela qu'elle avait si froid et qu'elle tremblait.

— C'est de Stephen que nous parlons, insista le frère de Cooper. Tout le monde l'aimait au lycée. Aurait-il tant changé ?

— Non, répondit Tanya. Il est toujours l'ami de tous.

Son meilleur ami. Où était-il ? Et que lui était-il arrivé ?

— Alors peut-être les apparences sont-elles trompeuses, suggéra le jumeau.

— Les apparences sont celles d'une scène de crime, déclara Cooper.

Une bande jaune interdisait l'accès à la pièce réservée au futur mari. L'équipe de techniciens de la police l'avait photographiée, avait relevé les empreintes et prélevé tous les indices potentiels.

— Il y a beaucoup de sang. Cela veut dire qu'il y a eu lutte. Il semble clair que la victime a été traînée le long de l'allée centrale.

C'est ce qui expliquait pourquoi le tapis rouge formait des plis par endroits, et présentait des traces de sang. Pendant qu'elle se trouvait dans sa pièce d'habillage, on avait attaqué l'homme qu'elle devait épouser, avant de l'extraire de la chapelle, sans doute inconscient. Comment elle-même et Mme Payne avaient-elles pu ne rien entendre ? Coupée du reste de la chapelle, elle se débattait avec sa conscience, incapable de décider si elle devait ou non annuler le mariage, tandis que Mme Payne s'entretenait avec le père James dans son bureau du sous-sol.

Ne pouvant procéder à la répétition en l'absence du fiancé, le révérend était parti après avoir répondu aux questions des policiers.

— Qu'as-tu fait, bon sang ? cria sa sœur et première demoiselle d'honneur depuis l'entrée de la chapelle.

Rochelle se rua vers l'avant de la nef, où Tanya était assise sur le premier banc, devant les frères Payne. Dans sa précipitation, elle se prit les pieds dans les plis du tapis et trébucha.

La seconde demoiselle d'honneur, qui se trouvait être la petite sœur de Cooper, se précipita derrière elle pour l'aider à se relever.

— Rochelle, je vais t'apporter une autre tasse de café.

— Je n'ai pas besoin de café ! rétorqua-t-elle d'une voix pâteuse. Je veux savoir ce qu'elle a fait à Stephen !

— Ce que je lui ai fait ? s'étonna Tanya.

Posant sa tasse de thé sur le banc, elle se leva pour accueillir sa sœur, enfin parvenue au bout de l'allée.

— Tu n'en as rien à cirer de lui, accusa Rochelle. Tu l'utilises juste pour avoir le fric de grand-père. C'est tout ce qui t'intéresse !

Elle bondit sur Tanya, la gifla et tomba avec elle.

Ecrasée par le poids de sa sœur, le dos meurtri, Tanya vit trente-six chandelles. Bien que plus jeune de plusieurs années, Rochelle était plus grande et plus lourde qu'elle. C'est à peine si elle pouvait encore respirer. Sa joue lui brûlait de la gifle reçue, mais elle n'avait pas le droit de riposter. Pas quand ce qu'avait dit Rochelle contenait une bonne part de vérité.

Cela étant, ce n'était ni le moment ni le lieu pour l'une de ses crises d'hystérie. Après avoir lutté autant qu'elle le put pour conserver sa maîtrise de soi, Tanya finit par craquer sous la pression tant émotionnelle que physique.

— Grandis un peu, petite morveuse ! s'écria-t-elle.

Avec plus de force qu'il n'était nécessaire, elle repoussa sa sœur.

Rochelle ne se calma pas pour autant. Alors que Tanya se relevait, elle se jeta de nouveau sur elle. Mais cette fois des mains solides retinrent Tanya avant qu'elle ne se retrouve de nouveau par terre. D'un bras glissé autour de sa taille, Cooper la souleva presque du sol.

Nikki, sa petite sœur, ceintura Rochelle et tenta de contrôler ses sauvages battements de bras et de jambes, ce qui ne l'empêcha pas de se prendre un coup en pleine figure.

— Ce qui est arrivé à Stephen est ta faute ! aboya Rochelle. Tout est ta faute !

Une nouvelle gifle fit venir les larmes aux yeux de Tanya. Mais ces larmes n'étaient pas dues à la douleur physique. Les mots de sa sœur étaient bien plus cuisants que ses gifles. Parce qu'elle avait raison.

Ce qui était arrivé à Stephen était entièrement sa faute. Elle avait — au sens propre du terme — son sang sur les mains.

— Tu vois comme c'est bien d'avoir des frères, dit Cooper à sa sœur, tandis que, du bout des doigts, elle tâtait l'écorchure sur sa joue en grimaçant.

Quoi qu'il en soit, Nikki était parvenue à apaiser son amie pendant qu'il emmenait Tanya hors de sa portée. Lorsque Rochelle avait lancé sa main vers sa joue, elle n'avait rien fait pour l'éviter. Peut-être était-elle encore sous le choc de la découverte du sang de Stephen sur les murs de la pièce du marié.

— Ouaip, agréa-t-elle. Vous vous contentez de vous taper mutuellement dessus. C'est plus civilisé.

— Mais aucun de nous ne t'a jamais frappée, souligna-t-il.

— C'est vrai, admit-elle en soupirant, comme si elle le regrettait.

En tant que plus jeune et seule fille de la fratrie, ils l'avaient souvent écartée de leurs explications viriles pour lui éviter les coups perdus.

Tanya et sa sœur n'avaient pas ce genre de relation. Rochelle avait clairement cherché à lui faire du mal.

Dans une certaine mesure, Cooper pouvait comprendre son animosité envers son aînée : elle était beaucoup plus jolie, avait les traits plus délicats, les cheveux plus blonds, et une silhouette plus svelte qu'elle. Mais jusqu'où allait cette jalousie ?

— Pourquoi l'as-tu amenée ici ? demanda Cooper.

Au moins espérait-il que c'était Nikki qui avait conduit.

— Elle est première demoiselle d'honneur, répondit-elle.

Je l'ai cherchée partout pour être sûre qu'elle soit présente pour la répétition.

— Maman t'a recrutée, toi aussi ?

Nikki soupira.

— Comme membre du premier cercle. Elle a dû pressentir qu'il y aurait un problème avec Rochelle, et comme elle sait que nous nous connaissons depuis le lycée…

— Tu l'as calmée.

L'intéressée se tenait à présent coite sur un banc, les larmes inondant son visage rougi. Elle semblait beaucoup plus affectée par la disparition de Stephen que sa future épouse.

— S'il te plaît, le pria Nikki. Dis-le à Logan.

Leur frère aîné se trouvait dans le vestibule, téléphonant sur son portable. Elle lui jeta un regard à travers la vitre de la porte.

— Il me colle à un bureau. Il refuse de me confier un vrai travail de protection.

Cooper se mordit la langue pour ne pas lui dire qu'il était d'accord avec Logan. Nikki était si petite, d'allure si frêle. La copie de leur mère, avec ses cheveux roux cuivré et ses grands yeux marron. Mais elle avait assuré comme une pro avec la grande et solide sœur Chesterfield. Il toucha la griffure sur sa joue, la faisant de nouveau grimacer.

— Hé, je ne voulais pas lui faire mal, expliqua-t-elle. Sinon je l'aurais maîtrisée plus vite. C'est une amie, après tout…

Elle lui saisit le bras et le serra.

— Je suis navrée pour Stephen. Tu as une idée de ce qui s'est passé ?

— Nous n'avons aucune certitude, répondit-il. Il y a énormément de sang dans la pièce, mais jusqu'à ce que nous ayons les résultats de l'analyse d'ADN, rien ne permet d'affirmer que c'est le sien.

Mais si ce n'était pas le sien, de qui était-il ? S'il n'y en avait pas eu autant, Cooper aurait pu croire que son ami s'était dégonflé au dernier moment. Du moins, il aurait pu le croire si Stephen avait dû épouser une autre femme que Tanya.

— Maman a confirmé qu'il était seul dans la pièce du marié, dit Nikki.

— Où était son garçon d'honneur ?

Nikki haussa un sourcil brun-roux.

— En effet, où était-il ? demanda-t-elle avec perfidie.

— J'ai dit à Stephen que je ne pouvais pas accepter, lui rappela Cooper, un rien agacé.

— Pourquoi ?

— Pourquoi ? Je ne sais même pas pour quelle raison il me l'a demandé ? Nous nous sommes perdus de vue pendant si longtemps.

— A chacune de tes permissions, il est venu à la maison pour te voir, observa Nikki. Il n'a pas rompu le contact.

Mais ils avaient été très occupés chacun de leur côté. Les lettres étaient rares, de plus en plus espacées, et les retours de Cooper de moins en moins fréquents.

Il haussa les épaules.

— J'ai trouvé bizarre qu'il n'ait pas un ami plus proche qu'il aurait pu vouloir à ses côtés en une telle circonstance.

Et plus bizarre encore qu'il l'ait voulu, lui. Au lycée, ils étaient comme trois doigts de la main, avec Tanya. Et Stephen n'avait pas pu ignorer les sentiments que Cooper nourrissait pour elle. Avait-il voulu lui mettre sous le nez le fait qu'il avait eu la fille dont Cooper était amoureux ? Si tel était le cas, cela signifiait que leur amitié n'était peut-être pas aussi solide qu'il y paraissait…

Mais Cooper avait toujours autant d'affection pour lui, et espérait qu'il était sain et sauf quelque part. Cela étant, il ne serait sans doute rien arrivé à Stephen s'il avait été son garçon d'honneur, parce qu'il n'aurait pas été seul dans cette maudite pièce.

— Deux gars se sont proposés, dit Nikki. Un collègue de travail et un cousin, mais je les ai réquisitionnés pour mettre la main sur Rochelle. Nous l'avons cherchée dans tous les bars de River City.

— Comment savais-tu qu'elle y serait ?

Il sous-estimait peut-être le potentiel de sa petite sœur en matière de sécurité.

— Elle a laissé un message sur ma boîte vocale. Elle était ivre, et ça s'entendait.

Cooper jeta un regard à Rochelle en larmes, et soupira.

— Donc, en attendant que maman lui ait fait ingurgiter une bonne dose de café, l'interroger sera certainement une perte de temps.

— Tu n'as pas besoin de l'interroger, intervint Tanya en les rejoignant, un sac de glace pressé sur sa joue.

Apparemment, sa mère était préparée à tous les aléas d'un mariage, y compris un crêpage de chignons entre la future épouse et sa demoiselle d'honneur. Qu'avait-elle prévu pour une disparition de futur époux ?

— Ce que pourrait vous dire Rochelle, je le peux aussi, poursuivit Tanya.

Mais pouvait-il compter sur sa sincérité ?

— Peux-tu me dire pourquoi elle pense que tu te sers de Stephen dans le seul but de recevoir ton héritage ?

Nikki lui pinça le bras.

— Doucement. Elle n'est pas suspecte.

Peut-être aurait-elle dû l'être. Comme il l'avait déjà noté, elle était loin de sembler aussi bouleversée par la tragique disparition de son futur conjoint que ne le serait une fiancée follement éprise. Lorsque Cooper avait, en aparté, questionné sa mère et son frère sur la réaction de Tanya, tous deux avaient prétendu qu'elle était juste en état de choc.

Mais son regard était maintenant clair et franc.

— Je ne me sers pas de Stephen, déclara-t-elle.

— Et l'héritage ? Ton grand-père est décédé il y a dix ans. N'as-tu donc pas reçu ta part ?

Mais si c'était le cas, pourquoi choisir la modeste chapelle de sa mère pour se marier ? Elle était petite, et la salle de réception en sous-sol n'était pas du standing auquel pouvait prétendre une milliardaire.

Elle secoua la tête.

— Pas encore, précisa une voix masculine derrière eux.

Un homme massif aux cheveux gris venait de faire son apparition dans la chapelle. Avec ses épaules larges et sa coupe de cheveux militaire, il faisait penser à un flic, mais Cooper reconnut Arthur Gregory, l'avocat qui avait passé d'innombrables coups de fil au « mausolée ».

— Ni elle ni sa sœur n'hériteront du moindre cent tant qu'elles ne seront pas mariées.

Si Rochelle disait vrai et que Tanya n'avait qu'une idée en tête, à savoir toucher sa part, pourquoi ne s'était-elle pas mariée dix ans plus tôt ? Et Rochelle également ?

— Il veut nous contrôler même après sa mort, murmura Rochelle. Maudit fils de…

— Mademoiselle Chesterfield, la tança l'avocat. Votre grand-père n'a toujours eu à cœur que vos intérêts.

— Il n'avait pas de cœur ! répliqua Rochelle du tac au tac. La seule raison pour laquelle il voulait nous voir mariées, c'est parce qu'il jugeait qu'une femme n'avait pas assez de cervelle pour gérer la fortune qu'il nous léguait.

Elle renifla, l'air méprisant.

— Comme si notre père avait été un grand gestionnaire ! Il a dilapidé tout l'argent que lui a donné le vieux pour divorcer de maman et mettre les voiles.

Cooper n'avait jamais su ce qui était arrivé au père de Tanya. Elle avait toujours évité d'en parler. Il avait d'autant plus respecté cela que lui-même n'avait jamais souhaité évoquer la façon dont lui aussi avait perdu son père.

— Monsieur Gregory, demanda Tanya, existe-t-il un moyen de contourner le testament ?

Sa sœur émit un bruit étranglé.

— Nous ne savons même pas ce qui est arrivé à Stephen, et toi, tout ce dont tu te soucies c'est de l'argent ?

— Je me soucie de lui, rétorqua Tanya. C'est pourquoi j'ai besoin de cet argent. Au cas où il s'agirait d'un enlèvement, il y aura une rançon à payer pour le libérer.

Gregory soupira.

— Il n'y a aucun moyen de toucher votre part d'héritage si vous n'êtes pas mariée, mademoiselle Chesterfield. Et vous savez qu'il ne vous reste que quelques jours.

Tanya tressaillit, comme si l'avocat l'avait giflée à son tour.

— Pourquoi seulement quelques jours ? s'enquit Cooper.

— Parce que si elle ne se marie pas avant le jour de ses trente ans, répondit Rochelle, elle perd sa part de l'héritage… Qui me reviendra en totalité lorsque moi je me marierai.

Elle devait être encore trop ivre pour se rendre compte qu'elle venait de révéler à tous un mobile évident pour se débarrasser du fiancé de sa sœur. Mais si c'était elle qui était derrière la disparition de Stephen, pourquoi en était-elle autant affectée ?

— J'ai besoin de cet argent, répéta Tanya. Au cas où il y aurait une demande de rançon…

Si Stephen était vivant. Mais s'il ne l'était pas, pourquoi n'avait-on pas laissé son corps dans la pièce ? Son agresseur l'avait emmené pour une raison particulière. En existait-il de meilleures que l'argent ?

— La seule façon d'entrer dans vos fonds est de vous marier, insista l'avocat.

— Alors elle se mariera, déclara Penny Payne en les rejoignant dans la chapelle.

Elle transportait un plateau chargé de tasses fumantes — de café, à en juger par le riche arôme qui en provenait.

Rochelle semblait avoir dessoûlé, mais Cooper était tenté de prendre une tasse. La nuit, pressentait-il, allait être longue.

— Mais si Stephen a été kidnappé, nous ne pourrons le revoir qu'une fois que j'aurai payé la somme exigée par le ravisseur, observa Tanya.

— Eh bien, tu en épouseras un autre, répondit Penny d'un ton tranquille, comme si changer de marié au dernier moment n'était qu'une formalité.

— Et à qui penses-tu ? demanda Cooper.

Sa mère se tourna vers lui, les yeux écarquillés de surprise.

— Mais à toi, bien sûr !

Cooper n'avait eu aucune intention d'assister à ce mariage, et encore moins d'y participer. Il n'avait pas voulu être le garçon d'honneur… Et il était hors de question qu'il se retrouve dans les chaussures du marié.

3

Tanya eut l'impression qu'on lui plantait une aiguille dans le cœur. Elle n'avait pas besoin de l'entendre de sa bouche pour savoir que Cooper n'avait nulle intention de devenir son mari. Lorsque sa mère avait fait cette suggestion, il avait paru plus horrifié qu'en découvrant le sang dans la pièce du fiancé.

En cet instant, elle l'entendait à son insu. Sa famille et lui s'étaient retirés dans la salle de la mariée pour une discussion en privé, et elle se tenait derrière la porte. Elle avait voulu les laisser seuls, mais son sac était resté dans la pièce, de même que sa robe, et elle voulait vraiment s'en aller.

Elle ne pouvait pas rester plus longtemps ici. Pas avec cette bande jaune interdisant l'accès à la scène du crime. Pas avec le sang de Stephen sur ses mains.

Et pas avec les mots de Cooper résonnant à ses oreilles.

Le diable m'emporte si je me marie avec Tanya Chesterfield !

— Cooper ! le gronda sa mère, comme s'il était un petit garçon ayant dit un gros mot à l'église.

— Maman ! rétorqua-t-il. Tu as tout fait pour me faire assister à ce mariage depuis l'instant où Tanya et toi avez décidé de son organisation. Comme invité, ou comme garçon d'honneur. Tu ne me feras pas remonter l'allée centrale en tant qu'époux.

Elle aurait pu ouvrir la porte. C'était sa pièce, après tout. Mais elle n'était plus une future mariée. Son fiancé avait disparu, et le seul autre homme avec qui elle aurait consenti à échanger ses vœux y opposait un refus catégorique. Non qu'elle veuille vraiment épouser Cooper ou qui que ce soit d'autre…

Elle s'écarta de deux pas. Plutôt que de révéler qu'elle écoutait aux portes, elle préférait laisser là son sac et rentrer à pied chez elle. Son appartement se trouvait au second étage d'une maison située dans le même quartier, à un jet de pierres de la petite chapelle blanche de Mme Payne. Et le concierge avait un double de sa clé.

Mais dès qu'elle eut franchi les lourdes portes, l'air nocturne lui glaça le sang et elle frissonna. Stephen était là, quelque part. Avec la personne qui l'avait violenté.

Pourquoi faire du mal à Stephen ? Pourquoi ne pas s'en prendre à elle, comme le lui promettaient les menaces qu'elle recevait depuis dix ans ?

Alors qu'elle descendait les marches du perron, un nouveau frisson la traversa et elle regretta d'avoir décliné l'offre de Nikki et Rochelle de la reconduire chez elle. Mais elle ne voulait pas être dans la même pièce, et encore moins dans la même voiture, que sa sœur.

Rochelle étant sa cadette de six ans, elles n'avaient jamais été très proches, mais dans l'ensemble elles s'entendaient bien. Jusqu'à ses fiançailles avec Stephen.

Elle aurait dû demander à quelqu'un d'autre d'être sa demoiselle d'honneur, mais elle s'était dit que cette proposition ramènerait peut-être Rochelle à de meilleurs sentiments à son égard. Qu'elle les rapprocherait… Au lieu de cela, leur relation était à présent plus tendue qu'elle ne l'avait jamais été.

Au moins l'air froid atténuait-il la douleur piquante sur sa joue. Elle leva le visage pour faire face au vent, le laisser caresser sa peau. Finalement, songea-t-elle, cette petite marche jusque chez elle n'était pas si désagréable.

Il faisait sombre, mais les lampadaires — du moins ceux qui n'étaient pas couverts par les branches des arbres — éclairaient le trottoir. Malgré cela, elle trébucha sur une aspérité du sol et se souvint des plis du tapis rouge de la chapelle. On avait sorti Stephen en le traînant le long de l'allée centrale pour l'empêcher de l'épouser.

Cooper Payne devrait être traîné dans l'autre sens pour devenir son mari. Mais cela n'arriverait pas. Elle allait perdre sa part d'héritage. Et le pire était qu'elle allait aussi perdre son ami.

Une voiture passa lentement à sa hauteur. Ses vitres fumées ne permettaient pas de voir à l'intérieur. Son chauffeur roulait bien en deçà de la limitation de vitesse, presque à l'allure de Tanya. Elle frissonna. Cette fois, ce n'était pas à cause du froid, mais d'un mauvais pressentiment.

Elle se rappela les menaces reçues depuis dix ans. Toutes lui promettaient un sort fatal avant qu'elle ne puisse toucher son héritage. Etait-il possible que la disparition de Stephen n'ait été qu'une diversion ?

Non seulement ses clés étaient dans son sac, mais elle y avait aussi laissé son portable, son sifflet antiviol, son inhalateur et sa bombe à gaz poivré.

— Allons, dit Cooper à son frère d'un ton pressant. Dis-lui que c'est une idée aberrante.

Mais Logan ne se tourna même pas vers leur mère. Il se contenta de le fixer, le front plissé.

— C'est complètement dingue, insista Cooper.

Sa mère darda sur lui un regard sévère.

— Je pensais que les marines t'avaient appris le respect !

— Je n'ai pas dit que *tu* étais dingue, précisa-t-il. C'est l'idée qui l'est.

C'était ridicule. A l'évidence, Tanya avait pensé la même chose car elle était demeurée muette, gommant toute émotion de son visage comme si elle était retombée en état de choc. Ils l'avaient donc laissée sur son banc… Seule, comme l'avait été Stephen dans la pièce éclaboussée de sang.

Un frisson lui parcourut l'échine.

Un peu plus tôt, elle avait été seule dans la pièce où ils se trouvaient maintenant, mais personne ne l'avait attaquée. Sans doute pour qu'elle puisse payer la rançon. Elle était en sécurité dans la chapelle, d'autant qu'il restait encore un ou deux policiers occupés à examiner la scène de crime.

— Elle est brillante, au contraire, dit Logan.

— Brillante ?

Cooper faillit s'étrangler en répétant le mot.

— Bien sûr qu'elle l'est, agréa sa mère en lui assénant une tape presque virile sur l'épaule.

Elle semblait toutefois surprise, elle aussi, que son fils aîné abonde dans son sens. Elle disait souvent, que bien qu'ayant un jumeau, Logan avait ses idées bien à lui.

— Tu ne le vois donc pas ? demanda-t-il d'un air grave, comme si son petit frère était plus bête encore que dans son souvenir.

Comme il le faisait lors des missions de terrain, Cooper se plaça mentalement en position de repli et évalua la situation.

— Stephen a disparu. Peut-être s'est-il simplement dégonflé.

Mais il n'y croyait pas lui-même. Le Stephen qu'il connaissait avait le sens de l'honneur. Il n'aurait pas fui... A fortiori une femme telle que Tanya.

A sa connaissance, il était le seul homme qui se soit jamais enfui devant elle. Mais à l'époque ils n'étaient encore que des adolescents, et les sentiments qu'il éprouvait pour elle étaient excessifs, comme ils le sont généralement à cet âge. Du reste, son grand-père lui avait fait comprendre que ça ne pouvait pas marcher entre eux. Peu importait que Benedict Bradford ne soit plus de ce monde. Il avait toujours raison.

— Dans ce cas, comment expliques-tu tout ce sang ? demanda Logan.

Cooper se représenta la scène de crime, qui n'était peut-être pas une scène de crime du tout. Dans un coin de la pièce, il y avait un petit lavabo en laiton, surmonté d'un miroir. Stephen avait peut-être voulu se raser, puis il avait glissé et s'était malencontreusement tranché le cou avec sa lame.

— Il a pu se blesser lui-même par accident.

Mais aucun rasoir à main ni aucun autre outil tranchant n'avaient été découverts sur les lieux.

— Il serait allé chercher de l'aide, objecta son frère. Maman,

Tanya, et même le révérend James se trouvaient tous dans la chapelle.

— Et nous n'avons rien entendu, lui rappela sa mère.

Voulant croire à tout prix que Stephen allait revenir, Cooper insista.

— Justement. Comme aucun de vous ne l'a entendu, peut-être est-il allé chercher de l'aide ailleurs.

— Sa voiture est toujours sur le parking, dit Penny.

— Il a pu appeler un taxi.

— Mais dans ce cas il se serait fait conduire à un établissement médical, observa Logan. Or, Parker et plusieurs de nos employés sont en train de vérifier partout, et pour l'instant Stephen n'a été signalé nulle part.

— D'accord, admit Cooper de mauvaise grâce. Alors, il a peut-être été enlevé.

— La question est de savoir pourquoi, dit Logan.

N'était-ce pas évident ?

— Pour l'argent de Tanya, maugréa-t-il d'un ton las.

— Qu'elle ne pourra toucher que si elle se marie, rappela sa mère. Et quand arrivera la demande de rançon, elle sera dans l'incapacité de la payer.

Elle avait raison, hélas.

Mais il restait une autre possibilité, qu'il lui coûtait d'énoncer à haute voix. Il s'y força néanmoins.

— Il est peut-être mort.

Le sentiment de culpabilité qui le saisit à cette horrible pensée lui noua les tripes. Que n'avait-il accepté d'être son garçon d'honneur ! Bon sang, il aurait pu le protéger. S'il n'avait pas traîné les pieds pour venir à la chapelle…

Comme s'il avait lu dans ses pensées, Logan lui serra l'épaule en un geste de réconfort.

— Tu n'en sais rien, Coop.

Non, il ne savait pas si Stephen était mort, mais il savait que s'il avait été là à temps il aurait pu faire quelque chose.

— Toi non plus, répliqua-t-il.

Ce qui agaça son frère, qui croyait toujours tout savoir.

— Dans ce cas, où est son corps ? Pourquoi son assassin l'aurait-il emporté ? Pourquoi ne pas le laisser dans la pièce ?

C'était l'ex-flic qui parlait. Cooper, lui, n'avait jamais servi dans les forces de l'ordre. Logan était un ancien inspecteur respecté et plusieurs fois décoré, comme l'avait été leur père avant lui.

— C'est toi le professionnel. Tu sais qu'il est très difficile d'établir un dossier à charge pour meurtre, et plus encore une accusation, s'il n'y a pas de corps.

— Les techniciens ont déclaré qu'il y avait certes beaucoup de sang sur les murs, mais pas assez pour que la victime ait pu succomber à l'hémorragie.

Mais s'il était blessé et n'avait pas trouvé d'aide…, s'interrogea Cooper.

— Sur le moment…, précisa-t-il. Et nous devrions être en train de le chercher, au lieu de perdre notre temps avec cette conversation qui ne mène nulle part.

— Parker et son équipe ne font pas que se renseigner auprès des hôpitaux et des centres médicaux, dit Logan. Ils ont cherché partout : chez lui, sur son lieu de travail, dans les endroits qu'il fréquente habituellement.

— Et toujours sans résultat. Il faut approfondir les recherches, même si nous ne devons pas le retrouver vivant.

Ou le retrouver du tout. Combien de personnes portées disparues n'avaient-elles plus jamais donné signe de vie ? Pour sa part, il en avait connu quelques-unes… En Afghanistan.

— Il nous reste encore du temps, intervint sa mère.

Malgré tout ce qu'elle avait vécu avec la perte de son mari, elle restait d'un optimisme inaltérable.

— Mais au cas où il y aurait une demande de rançon, reprit-elle, Tanya aura besoin de son héritage pour la payer.

— Donc, quelqu'un doit l'épouser, conclut Logan.

Sa mère tapota le bras de Cooper, mais plus gentiment cette fois.

— C'est très bien, dit-elle, du ton qu'elle aurait utilisé envers un enfant craignant d'aller chez le dentiste. Si tu ne veux pas le faire, Parker le fera.

Son frère Parker, cet incorrigible don Juan, épouser Tanya ? L'estomac de Cooper le brûla à cette pensée. C'était encore plus dingue que de s'imaginer, lui, en train de l'épouser. Pour être honnête, cette option était encore la plus sensée, vu qu'ils se connaissaient bien. Il avait même déjà embrassé Tanya. Et puis c'était sa faute si Stephen avait disparu. Si seulement il avait été dans la pièce réservée au futur marié lorsque…

Il secoua la tête.

— Non. Je vais l'épouser.

Penny joignit les mains.

— Formidable. Je vais appeler un juge de mes relations pour établir en urgence un nouveau certificat de mariage, et nous procéderons à la cérémonie demain, comme prévu.

Il allait se marier le lendemain ? La panique qui l'envahit lui oppressa si fort la poitrine qu'il eut du mal à respirer normalement.

— Quelqu'un devrait peut-être avertir la fiancée, dit Logan, un mince sourire sur les lèvres.

Leur mère désigna du doigt le sac en cuir posé par terre, au-dessous d'une housse à vêtements accrochée au mur.

— Tanya ne serait pas partie sans son sac. Elle doit encore être là, dit-elle.

Mais elle n'y était pas. Comme pour Stephen, ils fouillèrent toute la chapelle, sans la trouver.

Il n'y avait que du sang…

Du sang séché. Ce n'était donc pas le sien.

Il n'y avait pas de sang frais, aucun signe d'une nouvelle lutte. Mais pas de Tanya.

— Où a-t-elle pu aller ? demanda Cooper.

A présent il paniquait pour une autre raison. Il paniquait de se retrouver peut-être le lendemain dans l'impossibilité de se marier parce que sa future épouse avait disparu. Comme son premier fiancé.

— Peut-être a-t-elle décidé de rentrer chez elle, suggéra sa mère.

Le policier qui surveillait le parking affirma l'avoir vue quitter la chapelle.

— Elle aurait marché jusqu'à la vieille baraque ? demanda Cooper en secouant la tête. J'en doute fort.

Le mausolée se trouvait de l'autre côté de la ville. La distance qui le séparait de la chapelle tenait plus du marathon que de la promenade vespérale. Mais le policier n'avait remarqué aucun taxi.

— Elle habite à deux pas d'ici, dit sa mère. Elle loue un appartement au deuxième étage d'un immeuble.

— Un appartement ? s'étonna Cooper, encore plus dérouté. Elle était l'héritière d'un milliardaire, et elle *louait* son logement ?

— Elle n'a pas encore hérité, lui rappela-t-elle. Et avec son salaire de travailleuse sociale, elle n'est pas assez riche pour s'acheter une maison.

Dans ce cas, pourquoi ne s'était-elle pas mariée plus tôt ? Pourquoi attendre les derniers jours avant l'échéance du délai ? Il avait beau connaître Tania depuis des années, il ne savait pas qui elle était vraiment. Mais il avait été au loin si longtemps…

Aujourd'hui, il ne savait plus rien d'elle.

Otant le sac des mains de sa mère, il l'ouvrit. Il contenait son portable, un inhalateur, une bombe de gaz poivré, et un sifflet. Vu les multiples dangers auxquels étaient confrontés les travailleurs sociaux, elle aurait dû aussi transporter une arme. Il ouvrit son portefeuille et lut son adresse sur son permis de conduire. La photo l'arrêta un moment. Même sur un cliché de ce format, elle était très belle. Ses cheveux blonds brillaient comme de l'or, ses yeux verts pétillaient et son sourire était lumineux.

Voilà ce qu'il avait vu de si différent ce soir : la peur, l'angoisse… Tanya n'était plus l'adolescente insouciante dont il se souvenait. Aujourd'hui, elle était une femme.

— Regardez-moi ça, ironisa Logan. Il n'est pas encore marié que déjà il fouille dans son sac.

C'était la façon dont on abordait toutes les dissensions dans la famille. Par les taquineries.

Mais avec Tanya disparue Cooper n'avait guère de temps pour ça. Il allait suivre le chemin qu'elle avait emprunté pour rentrer chez elle et la retrouver. Vivante, espérait-il.

— Tais-toi, répliqua-t-il. Et garde un œil sur maman.

Leur mère ne devait pas rester seule dans un endroit où une personne avait déjà été kidnappée. Tout comme Tanya ne l'aurait pas dû. Dès qu'il serait marié avec elle, il veillerait à ce qu'elle soit toujours en sécurité. Mais pour le moment il se demandait juste si elle serait là le lendemain pour s'avancer sur le tapis rouge jusqu'à l'autel de la chapelle.

La voiture aux vitres fumées fit de nouveau le tour de l'îlot comme un chat à l'affût d'une souris. Son chauffeur attendait-il que Tanya descende du trottoir ? Pour regagner son domicile, elle devait traverser la rue.

Mais si elle rentrait chez elle, n'allait-elle pas mener son suiveur jusqu'à sa porte ? Quoique. Etant donné le nombre de menaces qu'elle avait reçues, il devait déjà connaître son adresse. Autrement dit, si le chauffeur en était l'auteur, il savait où elle allait.

Elle devait faire demi-tour et repartir vers la chapelle. Mais si les autres étaient partis ?

Mme Payne avait dû tout verrouillé, enfermant dans la pièce son sac avec son téléphone. Non, songea-t-elle. Cela ne faisait pas si longtemps qu'elle avait quitté la chapelle. Il devait encore y avoir quelqu'un.

Cooper ?

Vu ses réticences à devenir son mari pour quelques jours, c'est-à-dire jusqu'à ce qu'elle hérite, elle n'était pas sûre d'avoir envie de le voir. Une fois l'argent en sa possession, elle pourrait divorcer. Peut-être l'ignorait-il. Peut-être aurait-elle dû le lui expliquer. Quoi qu'il en soit, elle n'avait pas voulu le forcer à faire une chose à laquelle, manifestement, il était opposé.

Jadis ils étaient très amis, avec Stephen. Aussi inséparables au lycée qu'en dehors. Mais aujourd'hui Cooper se comportait presque comme un étranger. Ses missions en zones de conflits l'avaient-elles tant changé ?

Ou était-ce elle qui avait changé ? Alors que jusqu'ici elle ne voulait pas entendre parler de l'argent de son grand-père, voilà qu'elle décidait soudain de se marier pour en hériter, allant jusqu'à choisir d'épouser un homme pour qui elle avait une grande tendresse, mais dont elle n'était pas amoureuse…

Elle frissonna sous la fraîcheur du vent, et eut l'impression déplaisante que quelqu'un l'observait dans l'obscurité, prêt à fondre sur elle.

L'impression se mua en certitude.

Elle haleta de peur lorsque la voiture fit de nouveau le tour du pâté de maisons et revint vers elle, roulant maintenant au pas. En se tenant aussi près que possible des maisons, peut-être serait-elle en sécurité.

Les pneus du véhicule crissèrent soudain tandis que son chauffeur braquait son volant et grimpait sur le trottoir. Des étincelles jaillirent du pare-chocs au contact avec la bordure, puis il fonça sur elle.

Tanya hurla et se mit à courir. Les muscles de ses jambes lui faisaient mal. Mais, aussi rapide soit-elle, elle ne pouvait distancer un individu au volant d'une voiture.

Elle n'avait pas été capable de sauver Stephen, et à présent elle n'allait pas être capable de se sauver elle-même.

4

Pour la deuxième fois cette nuit, le cri de Tanya transperça le cœur de Cooper. Les phares de la voiture l'éblouissaient. Les yeux dilatés, le visage décomposé, elle était visiblement terrorisée. Il se précipita pour la rejoindre, mais elle était loin devant lui et le véhicule se trouvait entre eux.

— Cours ! cria-t-il.

La voiture roulait vers elle tandis qu'elle longeait les jardins qui bordaient une rangée de maisons. Enfant, elle ne pouvait effectuer d'efforts prolongés à cause de son asthme. Cooper croisa les doigts pour que ce ne soit plus le cas.

Il avait déjà sorti son arme. Mais s'il tirait sur le chauffeur, la balle pourrait traverser le pare-brise et toucher Tanya avant que le pare-chocs ne le fasse. Il visa donc les pneus et pressa la détente.

Une roue arrière creva, se dégonflant si vite que le pneu se déchira et que le véhicule roula bientôt sur la jante. Malgré cela, il continua sa course... droit sur Tanya.

Sans cesser de courir, celle-ci bifurqua entre deux maisons. Malheureusement, l'espace qui les séparait n'était pas assez étroit pour stopper son poursuivant.

Cooper tira sur la seconde roue arrière. La voiture chassa en travers d'une pelouse, son flanc racla un arbre, mais elle parvint à redescendre sur la chaussée, coupant la route à un autre véhicule dont le chauffeur klaxonna furieusement. Des gerbes d'étincelles fusèrent du train arrière au contact de l'asphalte, mais la voiture ne s'arrêta pas. Elle le ferait tôt ou tard, songea Cooper, et il pourrait la rattraper à pied...

Mais il y avait plus urgent.

— Tanya !

Il s'élança à travers les jardins, manquant trébucher dans les ornières laissées par la voiture, puis tourna là où avait bifurqué Tanya, entre les deux maisons. Des lumières s'allumèrent dans l'une d'elles, éclairant deux, trois fenêtres. Ses occupants avaient dû entendre soit la voiture, soit ses appels. Il avait crié si fort que sa gorge était en feu.

— Tanya !

Il s'en fallut d'un rien qu'il ne la heurte. Elle était étalée par terre, les bras en croix. La lumière des maisons n'éclairait que faiblement les jardins à l'arrière, et il la distinguait mal dans la pénombre. Rangeant son arme dans son holster, il s'agenouilla et avança une main tremblante.

La voiture l'avait-elle renversée ? Il ne pouvait dire si elle était consciente ou non. Ses cheveux, tout emmêlés, lui recouvraient le visage. Il les écarta, puis descendit la main vers sa gorge pour tâter son pouls. Dieu merci, elle se remit à respirer, mais avec peine, ses poumons produisant un bruit sifflant.

A l'évidence, elle avait toujours de l'asthme, et sa fuite éperdue avait déclenché une crise. Ses yeux brillèrent dans la maigre lumière lorsqu'elle les ouvrit.

— Est-ce que ça va ? s'enquit-il. As-tu besoin de ton inhalateur ?

Mais il se rappela l'avoir laissé dans son sac, à la chapelle.

Elle inspira par à-coups, s'étrangla et ouvrit grand la bouche pour chercher de l'air.

Cooper voulut la soulever dans ses bras mais, craignant qu'elle ne soit blessée, il n'osa pas la bouger.

— La voiture t'a touchée ?

S'appuyant des deux mains sur le sol, elle s'apprêtait à redresser le dos, mais il l'en empêcha avec douceur.

— Ne bouge pas. Si tu es blessée…

— Non, tout va bien, répondit-elle, luttant pour contrôler sa respiration. Je… je suis juste tombée.

Elle avait dû être à bout de souffle, après son sprint effréné pour ne pas se faire renverser.

— Tu es sûre ?

— Tout va bien, répéta-t-elle. Grâce à toi…

Sans prévenir, elle lança les bras autour de son cou et s'accrocha à lui comme elle l'avait fait à son arrivée à la chapelle.

— Merci !

Mais Cooper ne pouvait accepter sa gratitude. Pas avec cette culpabilité qui le tenaillait. Mais ce n'était pas elle qui faisait battre son cœur aussi fort, c'était la peur. Et sans doute le fait qu'elle soit collée contre lui. Chaque fois que sa poitrine se soulevait pour respirer, il humait une bouffée de son parfum. Un parfum de fleurs et d'herbe. Ce qui lui rappela qu'elle aurait pu être tuée. Posant les mains sur ses épaules, il l'écarta de lui.

— A quoi pensais-tu pour quitter ainsi la chapelle toute seule ?

— Je pensais que je voulais m'en aller de ce fichu endroit.

Etait-ce parce qu'il n'avait pas été pressé d'accepter la suggestion de sa mère ? L'avait-il vexée en refusant de l'épouser ?

— Dans ce cas, pourquoi ne pas être montée avec Nikki, lorsqu'elle a reconduit ta sœur ?

Elle laissa échapper un petit rire sans joie.

— Tu crois vraiment que j'aurais été plus en sécurité avec Rochelle ?

— Elle n'aurait pas essayé de te rouler dessus, rétorqua-t-il tout en l'aidant à se remettre sur ses pieds.

Elle vacilla comme si ses jambes étaient encore fragiles. Mais, au lieu de prendre encore appui sur lui, elle se redressa.

— Non, répondit-elle. Elle aurait juste tenté de m'éjecter du véhicule.

Il n'avait rien à objecter, vu la façon dont Rochelle l'avait agressée à la chapelle.

— Cooper ! appela Logan, courant vers eux entre les deux maisons. Je n'ai pas pu rattraper la voiture.

Cooper avait oublié que son frère était juste derrière lui quand il avait quitté la chapelle. Leur mère avait refusé qu'il reste auprès d'elle, prétendant qu'un policier était toujours sur le parking, et que même s'il n'y était pas elle pouvait se défendre seule. De plus elle était armée, et son défunt mari lui avait donné d'excellentes leçons de tir.

Logan haletait, cherchant son souffle.

— Bon sang, tu cours vite.

En entendant le cri de Tanya, Cooper était parti comme une flèche. Il sortit son portable de sa poche.

— Tu as appelé la police ?

— Oui, répondit Logan, ce que confirma le hululement des sirènes au loin. Tu as sans doute vu cette voiture mieux que moi. Comment était-elle ?

— C'était une berline. De couleur sombre, bleu foncé ou noire. Avec des vitres fumées, donc impossible de voir son chauffeur.

— Et l'immatriculation ?

— Elle n'avait pas de plaques.

Donc, ce n'était pas le fait d'un chauffard roulant dans les jardins sous l'emprise de l'alcool. Il s'agissait d'un attentat prémédité et planifié.

Pour simplement l'effrayer… Ou pour la tuer ?

Tanya retint son souffle, ravalant la peur qui menaçait de l'étouffer. Elle leva les yeux vers les vitres de son appartement, se demandant ce qui s'y passait. Mais elle était dans la rue, deux étages plus bas. Une lumière brilla derrière la fenêtre arrondie de son logement en mansarde.

Celle d'une lampe torche ? Ou celle d'une arme à feu ? Elle déglutit, la gorge serrée par l'angoisse.

— Tu n'aurais pas dû le laisser monter seul, reprocha-t-elle à Logan. Le chauffeur de cette voiture l'attend peut-être en haut…

Et Cooper mettrait le pied dans le piège tendu pour elle.

Elle aurait dû demander à l'un des policiers venus faire leur rapport de la conduire chez elle. Mais les frères Payne avaient déclaré qu'ils assuraient sa sécurité.

Comment ? En se mettant eux-mêmes en danger ?

Logan eut un petit rire.

— Cooper est assez grand pour affronter n'importe qui, répondit-il, avant de se rembrunir. Sinon il n'aurait pas survécu à trois missions en Afghanistan.

Mais combien de soldats avaient survécu à une guerre pour périr une fois chez eux dans un accident de la route ? Ou sous les balles d'un voyou ? Alors qu'elle fixait toujours les fenêtres du deuxième étage, Tanya vit un autre éclat lumineux.

— J'ai vu une lumière ! s'écria-t-elle en agrippant le bras de Logan. Il se passe quelque chose chez moi !

Logan leva les yeux.

— Je ne vois rien…

Pourtant, lui aussi devait s'inquiéter, comprit-elle en le voyant sortir son portable. Il tapa la touche de ce qui devait être un numéro préenregistré et porta l'appareil à son oreille.

— Cooper ?

Aucune réponse. Pas même un crépitement d'électricité statique.

A l'idée que Cooper était peut-être mort, elle sentit les poils de ses bras se hérisser. Elle n'avait pas entendu de tirs, mais certaines armes étaient munies de silencieux, elle l'avait vu dans des films à la télévision. La personne qui attendait dans son appartement pouvait en avoir une.

Elle tira sur la manche du pardessus de Logan.

— Il faut monter là-haut voir ce qui se passe !

— Non, il doit rester avec toi, dit la voix grave de Cooper quelque part dans l'obscurité. De même, quelqu'un aurait dû rester avec toi dans la chapelle, comme ça, tu n'aurais pas filé à l'anglaise.

C'est seulement lorsque la voiture avait grimpé sur le trottoir pour la prendre en chasse qu'elle s'était mise à courir. Mais elle préféra garder cela pour elle. Au ton de sa voix, elle comprit qu'il était fâché.

— Tu as tout vérifié ? s'enquit Logan. La voie est libre ?

— Non.

Son frère renifla, l'air moqueur.

— Pourquoi ? Il n'a pas l'air si grand, cet appart.

Le studio où elle logeait était en fait une ancienne salle de danse. Il était donc plus vaste qu'il n'y paraissait. S'il n'avait eu l'inconvénient d'être trop froid en hiver et trop chaud en été, le loyer n'aurait pas été à portée de sa bourse.

— J'ai vérifié qu'il n'y avait personne, mais il y a d'autres menaces, expliqua Cooper.

Logan se raidit, les doigts suspendus au-dessus du clavier de son portable.

— Il nous faut quoi ? Une équipe de démineurs ?

— Si c'était une bombe, je m'en serais occupé. Non, ces menaces sont d'un autre genre.

Il tendit à son frère l'annonce de mariage corrigée au feutre noir, qui accompagnait le bouquet de roses flétries.

Pendant que Tanya s'insurgeait en silence du fait que Cooper ait fouillé dans ses affaires, Logan soupira de soulagement.

Son frère, lui, ne semblait pas du tout détendu. Un nerf battait dans sa mâchoire crispée, et il fixait Tanya d'un œil furieux.

Elle soutint son regard sans ciller. Il devait juste s'assurer que son appartement était sûr, et non fourrer son nez dans ses cartons, tiroirs et placards. Elle fit la liste de ce qu'il avait dû y découvrir. Son goût immodéré pour la soie, d'abord. Et pour les sous-vêtements sexy en dentelle.

— Il y en a d'autres du même genre, expliqua-t-il à Logan. Tu étais au courant, pour ces menaces ?

— Non.

— Maintenant tu l'es. Renseigne-toi sur ses ex, sur les cas qu'elle a eu à traiter dans son boulot…

Logan se fendit d'un large sourire.

— Tu sembles oublier que l'un de nous est le chef, p'tit frère. Je fais ça depuis des lustres. Je dois d'abord parler à notre cliente pour avoir le nom de ses anciens petits amis et la liste des cas difficiles sur lesquels elle a travaillé.

Cooper secoua la tête.

— Ça, je m'en charge.

Si on la considérait comme une « cliente », Tanya préférait parler à Logan. Elle serait plus honnête avec lui parce qu'elle devinait qu'il serait plus neutre, qu'il ne la jugerait pas.

Mais elle n'était pas une cliente, et elle devait le rappeler aux surprotecteurs frères Payne…

Elle se tourna vers l'aîné.

— Je n'ai pas engagé de…

— Tanya et moi avons à parler, la coupa le plus jeune.

Logan hocha la tête, comme si lui aussi avait oublié qu'il était le chef.

— Il faut que je passe un coup de fil à Parker, annonça-t-il.

Sans doute voulait-il savoir s'il avait retrouvé Stephen. Mais, si c'était le cas, Parker aurait appelé. Même s'il l'avait retrouvé mort. Un frisson traversa Tanya, si violent qu'elle crut ne pas pouvoir s'arrêter de trembler.

— Si tu as vraiment jeté un œil partout, accompagne-la là-haut, ordonna Logan, reprenant ses prérogatives. Elle est frigorifiée. Ou en état de choc.

— Ou bien elle en a marre qu'on fasse comme si elle n'était pas là, répliqua Tanya en les ignorant comme ils l'avaient ignorée.

Logan tapota l'épaule de son frère, puis se dirigea vers sa voiture, garée le long du trottoir.

— Bonne chance. C'est peut-être toi qui auras besoin de protection maintenant.

Comme si elle pouvait casser la figure à un marine, aussi fâchée soit-elle. A la vérité, elle était moins fâchée qu'effrayée. Pour Stephen. Pour elle-même. Pour lui…

— Sois tranquille, je ne te ferai aucun mal, assura-t-elle.

Il émit un reniflement de dédain copié sur ceux de son frère, comme s'il ne la croyait pas.

— A Stephen aussi tu as dit cela ?

Sa main le démangeait de lui asséner la même gifle que celle dont l'avait gratifiée sa sœur. Sa joue la piquait encore à ce souvenir. Ou peut-être était-ce parce qu'elle en avait réveillé la douleur en plongeant pour échapper à la voiture. Bouillonnant de colère, et de culpabilité à cause de la disparition de Stephen, elle garda le silence en montant l'escalier vers son appartement.

Disposant du double des clés remis par le concierge, Cooper ouvrit la porte et entra le premier, comme pour vérifier une seconde fois qu'il n'y avait pas d'intrus, puis il alluma la lumière.

Un carton de rangement était renversé, son contenu éparpillé sur la table qui servait également de bureau. Tanya déglutit.

— Quelqu'un est venu ici ?

Il secoua la tête.

— Pas que je sache.

— C'est toi qui as fait ça ?

Il avait dû effectuer son inspection à la hâte. Qui sait ? Peut-être n'avait-il pas eu le temps d'explorer ses placards et ses tiroirs. Elle jeta un coup d'œil autour d'elle. Rien d'autre ne semblait avoir été dérangé, aussi reporta-t-elle son attention sur le contenu du carton. Il contenait les menaces qu'elle recevait depuis dix ans.

Elle les avait remisées dans un coin, espérant les oublier, mais elle n'était pas allée jusqu'à les jeter.

— Tu n'as pas été franchement généreuse question infos, lui dit Cooper d'un ton amer. Si nous voulons retrouver Stephen, nous devons tout savoir.

Si.

Elle n'était pas naïve. Il était peu probable qu'ils le retrouvent jamais, vivant ou mort. Pourtant elle n'était pas prête à regarder en face cette possibilité. Elle aurait préféré que Cooper lui offre des assurances, des promesses. Mais elle le connaissait. Jamais il ne lui donnerait ce qu'elle voulait de lui… Du moins, c'était le cas lorsqu'ils étaient adolescents.

— Il n'y a pas grand-chose à dire, répondit-elle.

Surtout en ce qui concernait ses ex.

— J'ai eu très peu de petits amis…

A cause des menaces. Et peut-être à cause de lui, mais elle ne voulait pas qu'il la soupçonne de s'être accrochée à une passion d'adolescence.

— J'ai été trop prise par mon travail.

— Depuis combien de temps es-tu travailleuse sociale ?
Depuis la fac ? Tu as dû avoir un grand nombre de dossiers
à traiter.

Elle soupira, tandis qu'une farandole de visages dansait
devant ses yeux.

— Un grand nombre, en effet. Mais plus maintenant. Du
moins, pas personnellement. Depuis quatre ans, je suis directrice de centre, donc je supervise.

Ce qui signifiait donner beaucoup de travail à trop peu
d'employés.

— D'accord. Mais avant ces quatre ans, il a dû y avoir des
affaires qui n'ont pas tourné comme tu l'aurais voulu.

Elle tressaillit au souvenir de ses échecs. Elle n'avait pas
toujours rempli sa mission. Si elle avait l'argent de l'héritage,
elle pourrait faire tellement plus que ce qu'elle était en mesure
de faire aujourd'hui.

— Certaines n'ont pas eu une issue heureuse, en effet.
J'ai dû retirer des gosses de la garde de parents négligents ou
violents… Mais c'était il y a des années.

Sa gorge se serra à ces douloureux souvenirs.

— Certaines personnes ne parviennent pas à pardonner à
des gens qui, à leurs yeux, ont brisé leur famille, dit Cooper
en contemplant la rue par la fenêtre. Ma mère m'a appris que
Logan n'avait jamais manqué une seule audience de conditionnelle de l'assassin de notre père. Il est déterminé à veiller à ce
que ce type ne sorte jamais de prison… Vivant, tout au moins.

— Et toi ?

Il n'avait jamais parlé de la mort de son père auparavant.
Mais à l'époque c'était trop frais, et probablement trop dur à
vivre et à exprimer pour un adolescent.

— Moi ? répéta-t-il, comme si ses sentiments personnels
ne comptaient pas. Je n'étais pas ici lors de ces audiences.

Il avait été loin si longtemps. Il s'était coupé de sa famille.

Et d'elle, ajouta-t-elle en son for intérieur. Mais ils n'étaient
qu'amis, et les amis de lycée se séparent souvent après le

bac. Elle n'avait pas une si grande importance à ses yeux. En revanche, sa famille était tout pour lui, elle le savait.

— Si tu avais été ici, y serais-tu allé ?

Il haussa les épaules.

— Je crois qu'il faut savoir laisser le passé où il est.

Et elle et Stephen étaient son passé…

— Beaucoup de gens voient les choses autrement, ajouta-t-il.

Il lui passa un bloc et un stylo.

— Tiens, écris-moi les noms de ces hommes avec qui tu es sortie. Et de tous les gens qui ont pu nourrir une quelconque rancœur envers toi dans ton travail.

— Je ne peux pas, protesta-t-elle. Il existe des lois sur la protection de la vie privée.

— Et Stephen ?

Son meilleur ami. Et il avait disparu. S'il existait une chance de le retrouver, même minime, alors au diable la morale et les lois !

Elle se plia à sa demande et inscrivit quelques noms sur le bloc.

— Il est au courant, dit-elle enfin. Stephen est au courant de ces menaces.

Cooper haussa un sourcil.

— Et il veut quand même t'épouser ? Il doit vraiment t'aimer beaucoup.

Oui, comme une amie. Mais si elle le lui disait il penserait la même chose que Rochelle. Qu'elle se servait de Stephen dans le seul but de toucher l'héritage.

— Moi aussi je l'aime beaucoup, répondit-elle.

Comme un ami, également. Rien de plus.

La mâchoire de Cooper se crispa.

— Stephen est quelqu'un de bien, dit-il en hochant la tête. Et il est avocat d'affaires. Ton grand-père aurait approuvé ce mariage.

Sans doute. Mais seulement jusqu'au jour où elle aurait commencé à distribuer à droite et à gauche cette fortune amassée sans pitié ni humanité.

— Il faut le retrouver.

Mais elle ne pouvait pas compter sur une police municipale débordée.

— Pour le moment, reprit-elle, tant que je n'ai pas reçu ma part de l'héritage je n'ai pas les moyens de m'offrir les services de Payne Protection. Mais je veux vous engager.

Non seulement ils étaient experts en sécurité des personnes, mais Logan et Parker étaient tous deux anciens officiers de police. Et Cooper était… Cooper. Le genre d'homme capable de stopper une voiture fonçant vers une femme pour la renverser.

L'en avait-elle remercié ? Elle ne s'en souvenait pas. Tout s'était passé dans un grand flou : la terreur, l'incrédulité, le soulagement…

Il fronça les sourcils d'un air confus.

— Nous sommes déjà sur le coup. Pourquoi penses-tu que je suis venu à la chapelle ce soir ?

Elle avait été si bouleversée en découvrant la pièce du marié maculée de sang qu'elle n'y avait pas vraiment réfléchi.

— Je ne sais pas… Peut-être as-tu finalement changé d'avis et décidé d'être le garçon d'honneur de Stephen ?

Mais ce n'était pas ça. Elle avait entendu la conversation qui se tenait dans la pièce de la mariée : il ne voulait en aucune façon s'impliquer dans les manipulations de sa mère. Pourquoi Mme Payne tenait-elle tant à ce qu'il soit présent à la cérémonie ?

En tout cas, il ne risquait pas de s'opposer à son union avec Stephen. Encore moins de revendiquer Tanya comme son épouse. Non, certainement pas pour la revendiquer comme son épouse…

— Je regrette de ne pas avoir accepté, avoua-t-il. Si je l'avais fait, j'aurais été présent quand…

Le cœur de Tanya se serra.

— Et tu te serais fait attaquer, toi aussi.

— Je suis habitué aux situations dangereuses, répliqua-t-il, lui rappelant ainsi ce qu'avait dit Logan pendant qu'ils attendaient au bas de son immeuble.

Cooper n'aurait été nulle part sans l'avoir personnellement décidé. Cela dit, Stephen non plus. Pauvre Stephen...

— Je peux aussi veiller à ta sécurité, ajouta-t-il. Et c'est ma ferme intention.

Il l'avait déjà prouvé en la sauvant de cette voiture.

— La voilà, la raison pour laquelle je me suis rendu à la chapelle, dit-il en ramassant plusieurs des pétales tombés des roses noires. C'est maman qui a réceptionné la boîte contenant ce bouquet. Elle a tout de suite compris que quelque chose n'allait pas.

— Je suis désolée de l'avoir mouillée dans cette histoire, répondit-elle, présumant que c'était la raison de sa colère. J'ai pensé qu'il s'agissait de menaces en l'air. Je n'imaginais pas que leur auteur passerait à l'acte.

Sinon elle aurait refusé d'épouser son meilleur ami.

— Cela fait des années que j'en reçois.

— Combien ?

Elle soupira.

— Dix.

— Donc, depuis l'époque de la mort de ton grand-père ?

Il s'en souvenait ? Il était alors sur le terrain en zone de conflit, et devait avoir bien d'autres préoccupations en tête que son deuil... Si tant est que cela en ait représenté un pour elle. Benedict Bradford n'était pas un homme très tendre ni très chaleureux.

— Oui, répondit-elle. Mais je n'en ai pas reçu beaucoup. Uniquement quand que je commençais à voir quelqu'un de façon un peu sérieuse.

— Manifestement, leur auteur ne veut pas que tu touches cet héritage, dit-il en contemplant le carton renversé.

Elle soupira de nouveau.

— Il est arrivé à ses fins.

Et il avait kidnappé Stephen. Le lui rendrait-il, si elle ne payait pas ?

Son estomac se noua de terreur. Peut-être n'allait-elle jamais revoir cet ami qui lui était si cher. Les larmes qu'elle refoulait depuis si longtemps remontèrent avec une telle force qu'elles rompirent leurs digues. Des sanglots la secouèrent tandis qu'elles dégoulinaient sur ses joues.

Les bras solides de Cooper l'entourèrent, la serrèrent avec tendresse contre lui, et sa large main lui caressa les cheveux.

— Non, il n'est pas arrivé à ses fins.

Ses doigts quittèrent ses cheveux pour dériver vers son cou, et une douce sensation de chaleur stoppa ses pleurs.

— Il ne reste que peu de temps avant mon trentième anniversaire. J'espère de toutes mes forces que nous retrouverons Stephen avant cela.

Mais elle n'y croyait pas vraiment.

— Mais même si nous le retrouvons, poursuivit-elle, je ne peux pas le mettre de nouveau en danger. Je… je ne peux pas l'épouser.

— Tu ne l'épouseras pas, dit Cooper.

Nul ne savait ce qu'il était advenu de leur ami commun. Et s'il était déjà mort ? Le cœur de Tanya se mit à battre à grands coups contre ses côtes, et ses larmes se remirent à couler, inondant ses joues.

Cooper les essuya de ses pouces.

— C'est moi que tu épouseras.

Son cœur s'emballa aussitôt. Elle leva les yeux vers lui, se demandant si elle avait bien entendu.

— Quoi ? Mais… Je croyais que tu ne voulais pas.

— J'ai changé d'avis, dit-il. Considère-moi comme ton fiancé. Tu te maries toujours demain.

La gifle de Rochelle avait dû lui mettre les neurones à l'envers. Elle n'arrivait pas à comprendre ce qu'il disait, à saisir le sens de ses mots…

Peut-être était-ce parce qu'il était trop près, à cause de ses bras autour d'elle, de son cœur battant contre le sien.

Et il se penchait sur elle, si près qu'elle pouvait voir les taches noires minuscules dans le bleu vif de ses yeux. Voir l'ombre de ses cils sur ses joues, et le poil qui commençait à ombrer son menton.

Elle voulait lever la main, glisser ses doigts dessus, toucher ses lèvres. Après toutes ces années, elle se rappelait encore leur fermeté et leur douceur. Mais elle ne voulait pas simplement les toucher. Elle voulait les embrasser. L'urgence qu'elle ressentait était telle qu'elle se hissa sur la pointe des pieds.

Mais, à une demi-seconde d'abolir la courte distance qui séparait leurs bouches, elle se libéra brusquement de ses bras. Non. Elle ne pouvait pas avoir ces pensées-là, éprouver ce désir pour Cooper.

Comme elle avait besoin d'air pour se clarifier les idées, elle s'avança vers la fenêtre qui donnait sur la rue. Mais, avant qu'elle ne puisse soulever le châssis du bas, la vitre explosa.

Et des coups de feu claquèrent.

Elle se sentit plaquée brutalement sur le sol tandis que la fusillade continuait. Une vive douleur irradia dans tout son corps, et elle se demanda s'il n'était pas déjà trop tard.

Vivrait-elle assez longtemps pour se marier ?

5

Une pluie de verre s'abattit sur eux, piquant le visage et la nuque de Cooper. Dommage qu'il ait toujours sa coupe militaire, songea-t-il en sentant un filet de sang lui couler dans le cou.

Il fallait qu'il se relève et contre-attaque. Mais cela voulait dire laisser Tanya sans protection, et il ne pouvait pas lui refaire ça. Il couvrait son corps du sien, l'écrasant contre le plancher.

Malgré la distance qui les séparait du tireur, il approcha sa bouche de son oreille et murmura :

— Est-ce que ça va ?

Elle frissonna, trembla sous lui, mais ne répondit pas. Peut-être craignait-elle que l'autre puisse les entendre.

Mais les tirs avaient cessé. L'assaillant était-il en train de recharger son arme ? Se pouvait-il qu'il soit parti ?

— Tanya, ça va ? s'enquit-il de nouveau.

Elle laissa échapper un soupir nerveux. Elle devait avoir retenu sa respiration.

— Je… je crois, répondit-elle.

Mais il percevait le doute dans sa voix. Il se redressa, de sorte qu'elle puisse se retourner et lui faire face.

— Tu as été touchée ?

Il fit courir ses mains sur ses flancs, à la recherche d'une éventuelle blessure. Seulement d'une blessure.

Au lieu de cela, il trouva des courbes douces et des muscles souples… Une sensation de chaleur inopinée lui chatouilla les doigts et d'autres parties de son corps. Deux minutes plus tôt, il avait cru qu'elle allait l'embrasser. Leurs bouches n'avaient été qu'à un souffle l'une de l'autre, mais ce devait être parce qu'il s'était penché sur elle, parce qu'il avait voulu si fort l'embrasser que son ventre s'était crispé.

Cette femme lui troublait les sens comme aucune autre ne l'avait fait auparavant. Et cela la rendait dangereuse. Presque autant que le tireur.

Elle se tortilla sous lui. Apparemment, elle était toujours aussi chatouilleuse que lorsqu'ils étaient adolescents. Il aimait alors la chatouiller… mais c'était une excuse pour la toucher.

Cette fois, il avait une bonne raison de la toucher.

— Es-tu blessée quelque part ?

Elle ravala son souffle tandis qu'il glissait la main sur sa cage thoracique.

— Juste contusionnée, répondit-elle. A cause de ma chute.

Elle était déjà tombée deux fois. Une première dans la chapelle lorsque sa sœur s'était jetée sur elle, et une seconde quand la voiture avait tenté de la renverser. Et voilà qu'il la faisait tomber une troisième fois, sur un plancher.

Comme protecteur, il se posait là. Peut-être Logan avait-il raison d'estimer qu'il n'était pas encore prêt pour un travail de terrain. Mais il ne pouvait imaginer qu'un autre que lui protège Tanya.

Ou l'épouse, en l'occurrence.

Elle leva la main et lui toucha le cou du bout des doigts. Le pouls de Cooper s'accéléra. Elle le regardait d'un air horrifié, les yeux écarquillés.

— Mais tu saignes ! Tu es blessé ! Il faut appeler une ambulance.

Il effaça le filet de sang du revers de la main.

— Ce n'est rien, juste une petite coupure due à un éclat de verre.

Il en profita pour en ôter quelques-uns de ses cheveux blonds, et des fourmis lui coururent dans les doigts. Il n'avait même pas senti la coupure. Tout ce qu'il avait remarqué, c'était son parfum frais et fleuri, et la douceur de son contact. Elle était si près. Il n'avait besoin de se pencher que de quelques centimètres pour annihiler la distance entre eux et couvrir ses lèvres des siennes.

— Tout va bien, assura-t-il.

Faux. Il avait une envie folle d'embrasser la fiancée de son meilleur ami alors que celui-ci avait disparu. Mais nom d'un chien, c'était lui qui allait épouser Tanya ! Le lendemain. Il inspira à fond pour calmer les battements erratiques de son cœur.

— Nous devrions appeler la police, dit-il.

— Il est parti, tu crois ?

Il n'en était pas tout à fait certain, même s'il avait entendu le crissement des pneus d'une voiture s'éloignant à toute allure.

— Je pense. Mais nous devons quand même signaler ces coups de feu.

On pouvait retrouver les douilles, interroger d'éventuels témoins…

Alors qu'il plongeait la main vers son portable, il entendit craquer les marches de l'escalier. Quelqu'un montait vers l'appartement de Tanya. La voiture qui s'était éloignée n'était peut-être pas celle du tireur, et peut-être ce denier venait-il s'assurer qu'il avait bien descendu sa cible.

Cooper sortit son arme. La braquant sur la porte, il se releva sans bruit et aida Tanya à en faire autant. Puis il la poussa vers la porte de l'unique autre pièce de l'appartement : la salle de bains.

— Couche-toi dans la baignoire, souffla-t-il d'une voix tendue.

Là où il avait été, il était courant que des grenades soient jetées à l'intérieur des maisons. Ou que des tirs de mitrailleuses coupent des murs en deux, comme des ciseaux coupent du papier.

— Et ne bouge pas un orteil.

Il ignora si elle suivit son ordre, car elle referma la porte derrière elle.

Une autre s'ouvrit, lentement en grinçant. L'index de Cooper se cala sur la détente. La première chose qui apparut dans l'entrebâillement fut le canon d'une arme.

Il attendit de voir sa cible avant de tirer. Mais juste au moment où il allait le faire l'intrus sortit de l'ombre.

— Grands dieux, Logan ! s'écria-t-il. J'ai failli te tuer !

Son frère rangea son arme et désigna la fenêtre brisée.

— On dirait que tu viens de jouer à celui-qui-tire-le-premier-a-gagné, ironisa-t-il.

— Je n'ai pas pu riposter, maugréa Cooper.

Il désigna du doigt les trous dans le plafond.

— Le tireur était en bas, dans la rue.

Ce qui leur avait probablement sauvé la vie, à Tanya et lui. La trajectoire oblique des projectiles n'avait pu les toucher.

Des sirènes retentirent, et des lumières bleues et rouges éclairèrent la pièce, se reflétant de façon kaléidoscopique sur les débris de verre.

— Voilà la police, soupira Logan, visiblement soulagé.

Le concierge de l'immeuble ou un voisin devait avoir appelé le 911. Cooper n'avait pas eu l'occasion de le faire. Il avait des soucis plus importants en tête. Tanya.

— Que fais-tu ici ? demanda-t-il à son frère et patron. Tu me surveilles ?

Si c'était le cas, il ne pouvait l'en blâmer. C'était sa première mission chez Payne Protection, et il l'avait foirée. Il avait perdu Stephen, et à deux reprises avait également failli perdre Tanya.

— Tu m'as dit que tu allais me fournir certaines informations, tu te souviens ? répondit Logan. La liste de ses ex et des cas difficiles sur lesquels elle a travaillé.

— Quoi ? Dois-je comprendre que tu attendais là dans ta voiture ?

Cooper eut un soupçon d'espoir. Si son frère se trouvait en bas, dans la rue, il avait dû voir quelque chose.

Logan secoua la tête.

— Non. Je suis retourné à la chapelle voir si tout allait bien pour maman, et elle m'a ordonné de venir ici.

— Ordonné ? le taquina Cooper. Je croyais que c'était toi le chef.

— Le nom inscrit sur les papiers ne compte pas, ricana Logan. Maman sera toujours le *big boss*.

— Elle t'a envoyé ici chercher ces listes ?

Peut-être Penny dirigeait-elle Payne Protection à présent…

— Elle m'a envoyé ici chercher Tanya.

Des bruits de pas se firent entendre dans l'escalier.

— La cavalerie arrive, dit Cooper.

— Dès que vous aurez répondu à leurs questions, j'emmène Tanya avec moi, dit Logan.

— Maman pense que je ne suis pas à la hauteur pour la protéger, c'est ça ?

Elle avait toujours eu plus confiance en ses aînés qu'en son cadet.

Logan ricana de nouveau.

— Non, c'est juste une question de tradition, de vieilles superstitions.

— Pardon ?

L'épuisement et la confusion commençaient à lui donner une sévère migraine. Dans le passé il avait connu des périodes de service éprouvantes et dangereuses. Mais elles l'étaient moins que ce qu'il avait connu ce soir.

— De quoi diable me parles-tu ?

— Maman ne veut pas que tu passes la nuit précédant ton mariage avec ta future épouse.

D'habitude, Tanya se glissait dans son bain avec un profond soupir de satisfaction, tandis que l'eau chaude apaisait toutes les tensions de son corps.

Cette fois-ci, recroquevillée au fond de la baignoire, elle se dit qu'il y avait peu de chances qu'elle y évacue son stress. Elle n'avait jamais été aussi effrayée de toute sa vie.

De toute évidence, quelqu'un était résolu à faire en sorte qu'elle ne voie pas le jour de son mariage. Cooper ayant accepté de prendre la place de Stephen, la cérémonie pouvait se tenir comme prévu, le lendemain.

Elle devait donc mourir cette nuit.

Cooper mourrait-il avec elle ? Etait-il déjà mort ? Elle n'avait entendu aucun coup de feu.

La porte de la salle de bains s'ouvrit soudain sur des hommes armés… Des policiers en uniforme, constata-t-elle avec soulagement. Mais pourquoi Cooper n'était-il pas avec eux ? Elle n'avait pas entendu de tirs. Etait-il plus mal en point qu'elle ne le croyait ? Le sang qu'elle avait vu sur lui provenait-il seulement d'une petite égratignure à la tête ?

Ses joues devinrent brûlantes. Elle était gênée que des inconnus la découvrent se cachant dans sa baignoire, même si elle était habillée.

— Est-ce que ça va, madame ? demanda le jeune flic qui l'aida à enjamber le rebord.

Ses jambes tremblaient un peu. D'épuisement, et en réaction à tout ce qu'elle avait vécu dans la journée.

— Oui, je vais bien, répondit-elle. M. Payne n'a rien ?

— Quel M. Payne ? s'enquit-il.

En sortant de la salle de bains, elle trouva les deux frères en conversation avec un officier.

— C'est le troisième rapport que nous devons rédiger pour vous ce soir, les gars, souligna le gradé avec une grimace. Que se passe-t-il au juste ?

— Si seulement nous le savions, soupira Logan.

— Vous avez un fiancé disparu et des tentatives de meurtre sur la personne de sa future épouse, répondit le policier comme s'il lui avait posé la question.

Tanya n'allait pas se marier. Elle ouvrit la bouche pour l'exprimer à haute voix, mais elle se rappela Stephen et le sang dans la pièce réservée au futur marié. Son sang…

Et s'il avait bien été enlevé pour obtenir une rançon ? Elle n'aurait alors pas le premier dollar pour la constituer…

Ces questions continuèrent à tourner dans sa tête alors qu'elle répondait aux questions de l'officier.

Non, elle n'avait rien vu. Elle n'avait pas été assez près de la fenêtre pour regarder dehors avant que la vitre n'explose. Non, elle n'avait aucune idée de qui pouvait être derrière ces attentats…

Levant les yeux, elle s'aperçut que Cooper la regardait avec circonspection, les yeux plissés, comme s'il doutait de ses paroles. Que pensait-il ? Avait-il des soupçons sur l'identité de la personne qui avait enlevé Stephen ? Qui venait de tenter de la tuer ?

Elle attendit qu'il informe les policiers de ses suspicions, mais il ne dit rien.

Une fois la police repartie, Logan se tourna vers elle et lui demanda de préparer un sac, parce qu'il l'emmenait en lieu sûr.

— Mais si le ravisseur de Stephen cherche à me contacter ? objecta-t-elle.

— Mieux vaut que tu sois vivante pour prendre l'appel, répliqua-t-il. Ah, et j'ai récupéré ton sac à main à la chapelle. Il est dans ma voiture.

Elle rougit de nouveau.

— Merci, car il contient mon portable, et c'est le seul téléphone que j'ai.

N'ayant pas de ligne fixe, elle n'avait donc pas à s'inquiéter que l'on tente de l'appeler chez elle. De fait, elle n'avait aucune raison de rester dans son appartement, surtout après les dégâts occasionnés par les tirs. La fenêtre était éventrée, et de la poussière de plâtre était tombée des trous dans le plafond, recouvrant le plancher et le mobilier.

— Alors prends ton chargeur, l'avisa Logan. Et tout ce dont tu pourrais avoir besoin.

— C'est déjà prêt.

Elle sortit une valise de son placard. Elle y avait fourré le nécessaire pour sa lune de miel. Une lune de miel tout sauf exotique : deux chambres séparées dans une auberge au bord du lac Michigan, à l'extérieur de la ville. Elle avait laissé la plus grande partie de sa lingerie dans ses tiroirs. Elle seule était censée la voir, et ça n'allait pas changer parce que son futur mari n'était plus le même.

— Je la prends, dit Logan en se saisissant de la valise.

— Où l'emmènes-tu ? demanda finalement Cooper.

— Dans un endroit sécurisé, répondit son frère.

Il arqua un sourcil.

— Je peux savoir où ?

— Pour quoi faire ? Tu n'y iras pas. Parker t'emmène dans un autre endroit sécurisé.

— Pourquoi ne puis-je pas simplement rentrer à la maison ? maugréa-t-il.

— Parce que maman m'a donné des ordres pour s'assurer que les futurs époux restent en vie et soient présents demain à la chapelle.

— Je n'ai pas besoin de Parker pour me garder en vie.

A l'évidence, il était blessé dans sa fierté de mâle.

Tanya se rappela combien il s'était battu pour se forger lui-même, et ne pas être l'ombre de ses frères. Sans doute était-ce pour cela qu'il s'était engagé chez les marines plutôt que d'intégrer l'Académie de police.

— Je sais, soupira Logan. Mais je veux qu'il te tienne éloigné de Tanya.

Le pouls de Tanya grimpa en flèche. Son frère croyait-il que Cooper en pinçait pour elle ? Peut-être n'était-elle pas la seule à avoir voulu ce baiser, après tout. Ce baiser qui n'était jamais arrivé…

— Maman m'a donné un tas d'ordres basés sur des superstitions relatives au mariage, expliqua-t-il. Les futurs époux doivent rester séparés la nuit précédant la cérémonie, faute de quoi cela leur portera la poisse toute leur vie.

Tonya éclata de rire, puis tressaillit à la sonorité cassante de ce rire. Elle devait être au bord de l'hystérie à cause des événements de cette affreuse journée et de son état d'épuisement.

— La poisse ? répéta-t-elle. Mme Payne s'inquiète que nous ayons la poisse ?

Un autre rire nerveux lui échappa.

— Comme si nous ne l'avions pas déjà ! Mon fiancé a été kidnappé, il s'en est fallu de peu que je ne sois écrasée par une voiture, et on m'a tiré dessus ! leur rappela-t-elle, comme si les trous dans son plafond et la fenêtre éclatée n'y suffisaient pas. Que peut-il encore m'arriver ?

— Cooper ou toi pourriez être tués, répondit Logan, énonçant une évidence.

Son suiveur voulait manifestement empêcher son mariage. Elle ne doutait donc pas qu'il y aurait d'autres attentats à sa vie avant le lever du jour. Et si cet assassin avait compris que Cooper était son nouveau fiancé, celui-ci était en danger de mort, lui aussi.

Soit cette nuit allait être interminable. Soit elle se terminerait brusquement, pour toujours.

— On n'était pas censés venir ici, protesta Parker, tandis que Cooper déverrouillait la porte et pénétrait dans l'appartement. Ce n'est pas l'endroit prévu.

Cooper pressa un interrupteur et s'avança à l'intérieur.

— Je n'ai pas besoin d'un endroit sécurisé.

— Ces balles t'étaient peut-être destinées, observa son frère.

Il secoua la tête.

— Après que cette voiture a tenté de renverser Tanya ? Non, c'est à elle qu'elles étaient destinées.

Avaient-elles été tirées juste pour l'effrayer ? Ou avait-on réellement voulu la tuer ? L'angoisse et la peur à son sujet lui nouaient les tripes.

— Tu es sûr qu'elle est en sécurité avec Logan ?

Parker se mit à rire.

— Es-tu parti si longtemps que tu as oublié qui est mon jumeau ? Logan Payne a toujours honoré sa parole. S'il a promis qu'il veillerait à sa sécurité, il veillera à sa sécurité. C'est pour toi que je me fais du mauvais sang.

— Moi ? s'étonna Cooper. Je viens de te dire que ces balles ne m'étaient pas destinées.

— Si le tireur a découvert, Dieu sait comment, que tu prenais la place du premier fiancé, alors peut-être que si. Regarde ce qui est arrivé à Stephen.

— Nous ignorons ce qui est arrivé à Stephen. C'est pourquoi nous sommes ici.

Au domicile de l'intéressé.

— J'y suis déjà venu, dit Parker.

L'appartement était situé dans un luxueux immeuble bénéficiant d'une protection high-tech. Le séjour était immense, et son mobilier un modèle de confort et de raffinement. Quant à la cuisine, avec ses plans de travail en granit et ses placards de bois sombre, elle était équipée d'un matériel culinaire dernier cri. Même si Tanya n'héritait pas de la fortune de son grand-père, Stephen était en mesure de lui offrir une bien meilleure vie que lui, Cooper, ne le pourrait jamais.

Si on le retrouvait.

— Tu y es venu pour chercher Stephen, précisa-t-il.

— Et tout ce qui peut nous conduire à lui, ajouta Parker. Mais nous n'avons rien trouvé.

Cooper saisit l'ordinateur posé sur la table basse et le lui tendit.

— Tu as jeté un œil là-dedans ?

— Il est protégé par un mot de passe, répondit son frère en le prenant. Nikki pourrait peut-être le casser. Mais qu'y trouvera-t-elle ? Le ravisseur n'aurait pas envoyé un e-mail à Stephen, mais à Tanya.

— Nous ne savons pas s'il s'agit d'un kidnapping.

A chaque minute qui passait sans que ne leur parvienne une demande de rançon, il doutait un peu plus que c'en soit un.

— Bon Dieu, nous n'avons aucune idée de ce que c'est.

Et l'exploration de l'appartement de Stephen ne révéla aucun indice, aucune piste. Il n'y avait pas de sang. Aucun signe de bataille.

Une valise était ouverte sur le lit de Stephen. Celle de sa lune de miel, devina Cooper. Mais à la différence de celle de Tanya elle était vide. Avait-il changé d'avis ? S'était-il dégonflé au dernier moment ?

Il n'y avait aucune photo d'elle dans la chambre. La seule et unique se trouvait dans la seconde chambre, qui devait faire office de bureau. Ce n'était même pas une photo de fiançailles. C'était un cliché de tous les trois — Tanya, Stephen et lui — lors de la remise des diplômes au lycée, en toge et bonnet carré. Marron pour les garçons, blancs pour Tanya. Elle faisait penser à une vierge entre deux moines.

Etait-elle alors partagée entre eux ? Peut-être était-ce la simple jalousie qui instillait ces doutes chez Cooper…

— Jolie photo, dit Parker. Je l'avais vue en venant, tout à l'heure.

— Elle ne date pas d'hier.

Et en la regardant Cooper se sentit vieux.

— Où sont les photos récentes du couple ? De Tanya ?

— Sur son portable ? suggéra Parker. Je fais la même chose, et je ne me soucie pas d'effectuer des tirages papier.

Cooper hocha la tête. Lui aussi, quand un sujet l'intéressait assez pour qu'il le prenne en photo. Comme les membres de son unité. Ou des enfants afghans. Ou le paysage, qui était spectaculaire…

— Mais personne ne l'a trouvé, dit Parker.

— Il doit être sur lui.

Ou sur son cadavre.

— Nikki a essayé de le localiser par son système GPS, mais sans résultat. La batterie a peut-être été enlevée.

— Ou l'appareil détruit.

— Tu ne crois pas à la thèse de l'enlèvement, n'est-ce pas ?

Cooper haussa les épaules.

— Je ne sais que croire.

Peut-être avait-il peur d'y croire. Mais il s'était écoulé de nombreuses années depuis cette photo de lycée, et il n'était plus la même personne.

Cela valait sans doute aussi pour Tanya et Stephen.

— Tu ne trouveras rien ici, dit Parker en calant l'ordinateur sous son bras. Il faut nous rendre à cette maison sécurisée, avant que Logan ne pète un plomb.

La mélodie d'appel de son portable se déclencha.

— Quand on parle du loup…

Cooper éclata de rire. La mélodie en question était : *Qui a peur du grand méchant loup ?* Il referma la porte derrière eux et suivit Parker vers l'ascenseur.

— Nous arrivons dans quelques minutes, assura ce dernier

à son frère. Nous nous sommes arrêtés chez Stephen… Non, nous n'avons pas vraiment pensé qu'il s'y pointerait…

Il roula des yeux à l'adresse de Cooper tandis que la querelle se poursuivait par portables interposés.

Apparemment, les années n'avaient pas changé Logan et Parker. Ils se chamaillaient toujours comme les écolières que Cooper les avait un jour accusés d'être. Il souriait encore à ce souvenir lorsqu'ils sortirent de l'ascenseur, puis traversèrent le hall pour se diriger vers l'entrée de l'immeuble.

Un chatouillement significatif lui parcourut le dos, et il hésita avant de pousser les portes. Occupé par son appel, Parker ne s'en aperçut pas. Il les franchit sans s'arrêter et s'engagea dans le parking faiblement éclairé.

Ayant appris depuis longtemps à se fier à son instinct, Cooper lança la main vers son arme.

Il n'eut pas le temps de la sortir de son holster que les coups de feu éclatèrent.

6

Tanya se réveilla en sursaut dans l'obscurité.

Mais elle n'était pas seule.

Elle entendit une voix grave, qui murmurait tout bas comme si celui qui parlait ne voulait pas la réveiller.

Puis le murmure se mua en grognement paniqué.

— Bon sang, que se passe-t-il ? Parker ! Cooper !

Elle bondit hors du lit et se dirigea au jugé vers la porte. Ne la trouvant pas dans le noir, elle glissa les mains le long du mur, jusqu'à ce qu'elle touche enfin le bouton et le tourne.

— Que se passe-t-il ? demanda-t-elle en déboulant dans le salon de leur suite.

Logan marchait de long en large et hurlait le nom de ses frères dans son portable.

Il pivota vers elle, l'air surpris, comme s'il avait oublié qu'elle occupait l'une des deux chambres. Ses yeux étaient dilatés par la peur et la frustration. Alors que ses frères avaient besoin de lui, il était bloqué ici pour sa protection. Elle vit tout cela sur son visage — ce beau visage qui ressemblait tant à celui de Cooper.

— Que se passe-t-il ? répéta-t-elle d'une voix tendue.

Il haussa ses larges épaules.

— Je n'en sais rien.

Et visiblement, cela le tuait.

— Qu'est-ce qui t'inquiète à ce point ?

Il hésita, la mâchoire crispée, comme elle le voyait souvent chez Cooper, avant de lui répondre :

— J'ai entendu des coups de feu.

Encore. Quelqu'un avait de nouveau tiré sur Cooper.

— Je croyais que lui aussi était dans un endroit sécurisé.

A l'évidence, il ne l'était pas autant que l'hôtel où l'avait emmenée Logan.

— Ils n'y sont pas encore, expliqua-t-il. Ils se sont arrêtés à l'appartement de Stephen.

Si celui-ci était revenu chez lui, il l'aurait appelé depuis longtemps. Et même s'il avait décidé qu'il ne voulait plus l'épouser, il l'aurait fait. Là où il se trouvait il n'avait pas accès à un téléphone.

— Pourquoi y sont-ils allés ?

— Cooper voulait l'inspecter de ses propres yeux.

Une lueur de colère brilla dans ceux de Logan.

— Ça ne fait pas vingt-quatre heures qu'il travaille pour Payne Protection, et déjà il se prend pour un détective.

— Il faut que nous allions voir, déclara-t-elle.

Elle se félicitait de s'être couchée dans ses vêtements de la journée, plutôt que d'avoir puisé quelque chose dans sa valise. En temps normal c'est ce qu'elle aurait fait, mais elle était trop épuisée pour se changer lorsque Logan l'avait amenée dans ce curieux « endroit sécurisé », qui était en fait une petite suite dans un hôtel des plus obscurs.

Logan secoua la tête.

— Pas nous, *je*. Tu restes ici.

— Cooper s'est fait tirer dessus à cause de moi, lui rappela-t-elle.

— Qu'en sais-tu ?

— Il n'est revenu que depuis deux jours, après des années à l'étranger, répondit-elle. Pour quelle autre raison voudrait-on lui tirer dessus ?

— Rien ne permet de dire que les coups de feu que j'ai entendus lui étaient destinés.

— L'appartement de Stephen ne se trouve pas exactement dans le secteur le plus dangereux de la ville, observa-t-elle. C'est un quartier sûr.

— Nous ignorons ce qui s'est passé, dit Logan. Tu resteras donc ici jusqu'à ce que j'en sache davantage.

— Tu me laisses seule dans cet hôtel ? demanda-t-elle, doutant que sa mère ou Cooper l'approuveraient.

— Je sais que tu as peur, répondit-il.

Oui elle avait peur. Mais pour Cooper et Parker, plus que pour elle-même.

— Alors emmène-moi avec toi, dit-elle, rongée d'inquiétude pour Cooper. Elle n'allait pas perdre un autre potentiel futur époux.

— Non, répliqua Logan. Tu restes ici. Mais je ne te laisse pas démunie.

Sortant son pistolet de son holster d'épaule, il le lui tendit.

Tanya contempla l'arme et secoua la tête.

— Tu vas en avoir besoin.

— J'en ai un autre dans la voiture, dit-il. Mais ne t'inquiète pas. Lorsque je serai arrivé à l'immeuble de Stephen, je suis sûr que la fusillade sera terminée depuis longtemps.

Et Cooper peut-être mort. Après plus d'une décennie loin de sa famille, il aura été tué dans les premiers jours suivant son retour. Cette idée lui serra le cœur. Un tragique caprice du destin, voilà ce que l'on dirait. Maintenant elle regrettait qu'il ne l'ait pas embrassée… Ne serait-ce que pour savoir si ses baisers étaient aussi magiques et sensuels que dans son souvenir.

— Allez, prends-le, ordonna Logan en lui collant le pistolet dans les mains.

L'objet était froid, lourd, peu commode à empoigner. Elle ne s'était pas battue dans des zones de conflit comme Cooper, mais en tant que travailleuse sociale elle avait vu son lot de drames… Et beaucoup d'entre eux étaient causés par des armes à feu.

Elle voulait rendre le pistolet à Logan, mais en même temps ne voulait pas l'empêcher de partir à la rescousse de Cooper et Parker. Elle le conserva donc, malgré le profond dégoût qu'il lui inspirait.

— Et enferme-toi à double tour dans ta chambre. Si quelqu'un tente d'y pénétrer sans s'identifier, presse la détente et vide le chargeur.

Et ensuite quoi ?

Elle lui aurait posé la question si elle ne connaissait pas déjà la réponse. Si elle vidait son chargeur mais qu'aucune des balles ne touche sa cible, et même si elle avait fait tout son possible pour respecter les superstitions de Mme Payne, elle serait toujours dans la poisse.

— Qu'est-ce que c'était que ça ? maugréa Parker, étalé à plat ventre sur l'asphalte du parking. Tu m'as fait sauter mon portable de la main, et je ne te parle pas de l'ordinateur de Stephen ! Il doit être foutu, maintenant.

— De rien, persifla Cooper.

Parker jura tout bas en allongeant le bras sous une voiture pour récupérer le téléphone. Il pesta de nouveau lorsque ses doigts touchèrent l'appareil mais ne réussirent qu'à le pousser plus loin.

— Qu'est-ce que c'est qu'un téléphone, quand je viens de te sauver la vie ? demanda Cooper.

— C'est ça, grommela Parker. Tu m'as sauvé la vie.

— Quelqu'un a tiré de vraies balles sur nous !

Et ce quelqu'un pouvait fort bien en tirer d'autres s'ils levaient la tête au-dessus du toit du véhicule derrière lequel ils se planquaient.

— Si tu penses qu'elles étaient à blanc, peut-être aurais-je dû en laisser une te toucher, ajouta Cooper.

— Tu espères vraiment que je vais te remercier ? demanda son frère, la mine ébahie.

— C'est la coutume lorsque quelqu'un te sauve la vie, non ?

Peut-être n'était-il pas resté parti si longtemps, vu la facilité avec laquelle il retombait dans la vieille habitude familiale de se charrier mutuellement.

— Dans certains pays, cela ferait de toi mon obligé. Tu devrais me servir corps et âme pour le prix de mon héroïsme.

Tout en taquinant Parker, il tendait l'oreille à l'affût d'autres coups de feu, d'un bruit de voiture qui démarre, des bruits de pas d'une personne s'approchant…

— Toutes tes médailles et citations te sont montées à la tête, p'tit frère, rétorqua Parker. Tu n'aurais pas dû me sauver si pour commencer tu ne m'avais pas mis en danger.

— Ah bon ? C'est ma faute, maintenant !

L'épaule enfoncée sous le bas de caisse, Parker gagna quelques centimètres en direction du portable.

— Tu as voulu venir ici…

— Tu es venu avant moi, le coupa Cooper, et personne ne t'a tiré dessus, que je sache.

— Ouais, parce que moi je ne me marie pas demain.

Il frissonna, comme si la seule idée de se marier l'horrifiait, et par inadvertance poussa un peu le téléphone de l'autre côté de la voiture.

S'ils avaient été sûrs que le truand était parti, ils n'auraient eu qu'à se lever et à contourner le véhicule. Mais peut-être était-ce justement ce qu'il attendait… Une cible claire.

Cooper avait plaqué Parker si rapidement au sol, avant de se laisser tomber dans le même mouvement, que le tireur n'avait pu faire feu que deux fois.

Se pouvait-il que personne n'ait rien entendu ? Aucune sirène, même lointaine, ne retentissait. Parker avait absolument besoin de son téléphone pour appeler le 911, vu que Cooper avait laissé le sien dans la voiture, batterie enlevée pour ne pas pouvoir être localisé. Et leur voiture était garée de l'autre côté du parking.

— Et si ces coups de feu t'étaient destinés ? suggéra-t-il, tâchant au mieux de conserver un visage impassible.

— Moi ?

Une fois encore, Parker semblait interloqué.

— Ben, oui. C'est toi le play-boy.

Il l'était au lycée et, d'après les lettres que Nikki lui envoyait quand il était à l'étranger, les choses n'avaient pas changé depuis.

— Tu dois t'être mis à dos un mari ou un petit ami, récemment.

Parker eut un léger sursaut, et hésita un instant.

— Non, je ne vois pas… Pas récemment, en tout cas.

Il gratifia Cooper d'un petit coup à l'épaule.

— C'est à toi qu'ils étaient destinés. C'est toi qui épouses la fiancée de Frankenstein.

— Hé ! s'insurgea Cooper en frappant son aîné sur le dessus de la tête, comme Logan avait coutume de le faire avec eux. Ne l'appelle pas comme ça !

Parker lui rendit son coup.

— Je sais qu'elle est canon et que tu en as toujours pincé pour elle, mais tu dois te souvenir que tu ne l'épouses pas pour de vrai. Et si je ne m'abuse sur les intentions du tireur, tu ne l'épouseras pas du tout.

Ils observèrent une trêve soudaine pour tendre l'oreille. Une portière ne s'était-elle pas ouverte puis refermée ? Y avait-il quelqu'un ?

— Et moi qui étais censé t'emmener directement à cet endroit sécurisé, grommela Parker. Si ce type ne nous tue pas, Logan le fera…

Des semelles crissèrent sur l'asphalte. Cooper jeta un œil sous la voiture, pour voir une paire de chaussures noires s'avancer vers eux. Leur propriétaire s'arrêta de l'autre côté, se pencha et ramassa le portable de Parker.

— Hé, Paula, Cathy, cessez de vous chamailler et montrez-vous, mes chéries ! lança Logan. Vous n'avez plus besoin d'avoir peur.

Outre l'ironie, il y avait du soulagement dans sa voix.

— Nous n'avions pas peur, répliqua Cooper.

Mais le fait qu'il les ait surpris se querellant derrière le véhicule le piquait dans son orgueil. Cela étant, son grand frère avait dû s'assurer que l'endroit était sûr. Il se dressa donc de toute sa hauteur.

— Nous nous tenions à couvert.

— Pendant que je discutais avec Parker au téléphone, j'ai entendu des coups de feu, dit Logan. Mais on dirait que tout va bien.

Il fronça les sourcils, étudia un instant Cooper, puis baissa les yeux sur son jumeau.

— Aucun de vous deux n'est blessé ?

Se levant à son tour, Parker se frotta l'oreille.

— Je ne dirais pas ça. Je me suis fait sauter dessus par notre petit frère.

— Où est Tanya ? demanda Cooper.

Ils n'avaient pas de temps à perdre à plaisanter. Il fouilla le parking des yeux à la recherche de la voiture de Logan.

— Elle n'est pas avec toi ?

Logan secoua la tête.

— Je l'ai laissée en lieu sûr.

Son pouls s'accéléra.

— Seule ? Tu l'as laissée seule ?

— Il y a un garde dans le périmètre de sécurité.

— Tranquillement installé dans sa voiture, je parie.

Son estomac se vrilla à l'idée qui lui vint soudain à l'esprit.

— Et si ces tirs n'étaient qu'une diversion ? Un moyen de t'éloigner d'elle ?

Logan secoua la tête.

— Comment le tireur aurait-il pu prévoir que je serais en conversation avec Parker ? Il ne savait sans doute même pas que Tanya était avec moi.

— Il a pu planquer près de chez elle, voir avec qui elle est partie et te suivre.

Au vu des menaces que Cooper avait découvertes dans ce carton, le type devait la pister depuis des années.

Cette fois, c'est l'orgueil de Logan qui sembla piqué au vif. Il haussa le menton.

— Je n'ai pas été suivi.

— Même toi tu ne peux pas en être certain, rétorqua Cooper.

Une furtive lueur de doute brilla dans les yeux de Logan.

— Maudit soit-il. Maudit sois-tu…

— Dis-moi où elle est ! exigea-t-il.

Une pâle traînée de lumière apparut dans le ciel, signe de l'imminence de l'aube. L'aube du jour de son mariage. Au diable les superstitions de sa mère ! Il devait retrouver sa fiancée, s'assurer qu'il ne l'avait pas déjà perdue.

Le silence de tombe qui régnait dans la suite d'hôtel durait depuis si longtemps que Tanya prenait conscience de bruits qu'elle n'avait jamais perçus jusque-là. Le bourdonnement de son sang dans ses veines, par exemple. Le martèlement de son cœur dans sa cage thoracique. Le chuintement de l'air dans son larynx à chaque inspiration.

Depuis combien de temps Logan était-il parti ? Trop longtemps pour qu'il ne soit rien arrivé à Parker et Cooper. S'ils étaient sains et saufs, il serait déjà revenu.

A moins que ces coups de feu n'aient été qu'un piège, un subterfuge pour l'éloigner d'elle…

Elle avait deviné qu'on attenterait de nouveau à sa vie, dans le seul but de l'empêcher de se marier et de toucher son héritage. Elle aurait dû savoir qu'aucun endroit ne serait assez sûr pour elle.

Ni pour Cooper.

Jamais elle n'aurait dû accepter qu'il prenne la place de son fiancé. Mais c'était la seule solution pour qu'elle dispose de l'argent nécessaire pour payer la rançon de Stephen. Le hic, c'est qu'il n'y avait eu aucun appel, aucune demande. Elle regarda son portable, et vit que l'écran s'était éteint. S'était-il simplement mis en veille ?

Elle tapota l'écran, mais il ne s'alluma pas. Elle avait connecté l'appareil au chargeur, mais celui-ci était-il branché sur une prise de courant ? Elle savait que d'autres étaient en charge, mais dans le noir elle ne pouvait rien voir.

Et si elle ratait la demande de rançon parce que sa batterie était à plat ?

Elle pouvait presser l'interrupteur près de la porte, mais la chambre s'éclairerait, et elle voulait éviter ça. Si quelqu'un entrait dans la suite, aucune lumière ne devait filtrer sous la porte, trahissant sa présence. Mieux valait faire croire qu'elle était partie avec Logan.

C'était d'ailleurs ce qu'elle aurait dû faire. Elle ne serait alors pas recluse ici, à attendre désespérément des nouvelles de Cooper. Elle ne pouvait pas perdre Stephen et lui la même nuit.

Son cœur battait de plus en plus fort. Si fort qu'il assourdissait tous les autres bruits qu'elle aurait dû entendre. Comme celui de l'ouverture de la porte de la suite, celui des pas qui auraient pu l'avertir qu'elle n'était plus seule.

Ce n'est que lorsque quelqu'un chercha à tourner le bouton de porte qu'elle le sut. Elle l'avait verrouillé, mais il ne devait pas être d'une solidité à toute épreuve. Bon sang, la porte non plus. Les forcer devait être un jeu d'enfant…

Ou faire sauter le verrou d'une balle.

Sauf que maintenant elle était armée. Elle resserra ses mains moites, engourdies, sur le lourd pistolet qu'elle n'avait pas lâché. Lui restait-il assez de souplesse dans l'index pour presser la détente ?

En était-elle seulement capable ? Tirer de vraies balles sur un autre être humain ?

La porte s'ouvrit.

Elle tira.

7

— Nom de Dieu !

Ce fut le moins grossier des jurons que poussa Cooper en se baissant. La balle se logea dans le bâti de bois, près de son épaule.

Tanya hurla et laissa tomber l'arme.

Cooper se précipita sur elle et la renversa sur le lit au cas où le pistolet ferait feu en heurtant le sol. Mais l'arme tournoya comme une bouteille vide sur la moquette élimée, avant de s'immobiliser, le canon pointé vers eux.

Cooper grogna un nouveau juron, pris d'une furieuse envie d'embrasser Tanya. D'autant plus qu'elle avait plaqué les mains sur ses joues et le regardait comme si elle aussi avait envie de l'embrasser.

— Tu es vivant, murmura-t-elle.

— Pas grâce à toi en tout cas, lui fit-il remarquer. Logan avait raison en disant que je devais me protéger de toi !

Il savait qu'elle mentait lorsqu'elle lui avait dit qu'elle ne lui ferait aucun mal. Elle lui en ferait, cela ne faisait pas l'ombre d'un doute. Comme lorsqu'ils étaient plus jeunes, et qu'elle avait accepté sans hésitation sa proposition selon laquelle il valait mieux qu'ils soient amis.

— Cela dit, ajouta-t-il avec un sourire forcé, je n'ai pas pensé que *tu* me descendrais.

Les yeux de Tanya s'emplirent de larmes, qui firent briller davantage ses beaux yeux verts. Elle ôta ses mains de ses joues et empoigna les draps.

— Je suis désolée ! Tellement désolée ! J'ai cru que c'était quelqu'un d'autre…

— Mon frère ? Je me suis retenu de l'étrangler quand je me suis rendu compte qu'il t'avait laissée seule.

Etant donné que le garde qu'il avait posté dehors s'était endormi dans sa voiture, il l'avait bel et bien laissée seule.

— Je ne devais pas faire feu tant que je ne voyais pas qui c'était, expliqua-t-elle. Mais ton frère m'a dit de tirer sur quiconque tentait d'entrer sans s'annoncer d'abord.

— En Afghanistan, répliqua Cooper, m'annoncer était la mort assurée. Mais je commence à croire que j'y étais plus en sécurité qu'ici. Il s'en est fallu de peu que je ne prenne une balle dans la peau.

Elle frissonna.

— C'est vrai ce qu'a dit Logan ? Qu'il a entendu des coups de feu en te téléphonant ?

Il hocha la tête.

— Devant le domicile de Stephen ?

Il acquiesça de nouveau.

— Juste quand nous sortions de l'immeuble quelqu'un s'est mis à tirer. Ni Parker ni moi n'avons été touchés. Peut-être était-ce juste pour nous faire peur.

— Pour *te* faire peur, rectifia-t-elle. Afin que tu ne m'épouses pas.

— Sois tranquille. Je ne m'effraie pas facilement.

— Eh bien c'est dommage, répliqua-t-elle. Parce que, s'il n'a pas réussi à t'effrayer, il tentera de te tuer.

Comme il avait tenté de la tuer, elle.

— C'est pourquoi il faut que j'annule ce mariage, conclut-elle. Pour que tu restes en vie.

— Et la rançon de Stephen, qu'en fais-tu ? Tu ne pourras pas la payer si tu ne te maries pas.

Arquant son bassin contre le sien, elle gigota pour se libérer de son grand corps. Puis elle récupéra son téléphone et son chargeur, et brancha celui-ci sur une autre prise.

— Pas d'appels manqués, nota-t-elle avec un soupir de soulagement.

Elle fronça aussitôt les sourcils.

— Pas de demande de rançon…

— Ce qui ne veut pas dire qu'il n'y en aura pas, fit observer Cooper.

Elle se tourna vers lui, la mine anxieuse.

— Le ravisseur ne se serait-il pas déjà manifesté ? Pourquoi attendre ainsi ?

Il haussa les épaules.

— Pour voir si tu peux réunir la somme ?

— Mais si ce n'est pas de l'argent qu'il veut, nous nous serons mariés pour rien.

Il se sentit blessé dans sa fierté — du moins espérait-il que ce n'était que cela — du fait qu'à l'évidence elle ne tenait pas plus que cela à l'épouser. D'un autre côté, il n'avait pas voulu l'épouser non plus.

— Nous pourrons régler cette question ensuite.

— Une annulation ?

Elle poussa un soupir soulagé.

— J'allais justement te dire que tu n'as pas à t'inquiéter. Dès que j'aurai touché mon héritage, nous divorcerons. Mais une invalidation, c'est mieux…

Avec cette formule, ce serait comme s'ils ne s'étaient jamais mariés. Mais pour garantir une invalidation rapide il fallait que le mariage ne soit pas consommé. Il éprouva une pointe de déception, qu'il refoula aussitôt. Il savait que ce ne serait pas un vrai mariage, n'est-ce pas ?

Le vrai fiancé, c'était Stephen. Il n'était que l'acteur de remplacement, la doublure. Stephen était l'homme qu'elle aimait, elle le lui avait dit elle-même. Tandis que lui… Eh bien, il était juste l'homme qu'elle avait failli tuer.

— Parfait, dit-il sans tergiverser, comme elle avait jadis accepté qu'ils ne soient que des amis. Va pour une invalidation. Mais il faut d'abord nous marier.

Elle frissonna comme si cette perspective la terrifiait.

— Je ne veux pas te mettre en danger, dit-elle.

Et il se rendit compte qu'elle était terrifiée *pour lui*. Saisissant sa main, il l'attira à côté de lui sur le lit.

— Tu ne me mets pas en danger, assura-t-il.

Elle hocha la tête.

— En t'épousant, si.

— Ce n'est pas toi qui as essayé de me descendre, objecta-t-il. Enfin, pas jusqu'à il y a deux minutes.

— Je suis vraiment navrée, s'excusa-t-elle de nouveau, son beau visage tendu par le remords et la peur. Je n'aurais jamais dû accepter le pistolet de ton frère.

Une nouvelle bouffée de colère envahit Cooper.

— Il n'aurait jamais dû te laisser seule.

Logan avait beau être le chef, Cooper n'était pas disposé à lui passer de telles erreurs.

— Lorsqu'il a entendu les tirs, il a été très inquiet pour Parker et toi, objecta-t-elle, prenant la défense de son frère. Moi aussi j'ai été très inquiète, ajouta-t-elle en glissant sa main dans la sienne. Je ne veux pas qu'il t'arrive quelque chose.

Elle avait sans doute dit cela à cause de leur ancienne amitié, parce qu'ils avaient été très proches… Mais ça n'avait pas duré. Après son départ elle lui avait écrit, mais il n'avait pas répondu à ses lettres. Il n'avait pas voulu penser à ce qu'elle allait faire de sa vie quand lui-même venait de prendre un tournant radical.

— J'ai survécu à trois missions, lui rappela-t-il. Il n'y a rien à craindre.

Et il avait l'intention de faire en sorte qu'il n'y ait rien à craindre non plus pour elle.

Elle leva sa main libre vers son visage, et caressa la ligne de son menton. Ses doigts tremblaient.

— Je ne veux pas que tu sois blessé.

Son cœur se serra. Etait-il possible qu'elle éprouve quelque chose pour lui ?

— Ta famille s'est fait tellement de mauvais sang quand tu es parti. S'il devait t'arriver quelque chose maintenant…

— Il ne m'arrivera rien, assura-t-il.

Il ne lui arriverait rien parce qu'il ne mettrait pas son cœur en danger de nouveau à cause d'elle. En réalité, elle s'inquiétait davantage de sa famille que de lui.

Elle hocha la tête.

— Très bien. Puisque tu en es aussi sûr, je t'épouserai.

Il ne serait pas en sécurité — même avec sa résolution de ne pas mettre son cœur en danger. Bon sang, elle était si belle, si ensorcelante, qu'il doutait pouvoir contrôler ses pulsions. Même à présent, il mourait d'envie de se pencher vers elle, de combler la distance entre eux et de s'emparer de sa bouche.

Mais c'est elle qui s'arc-bouta et combla cette distance.

— Merci, murmura-t-elle.

Peut-être avait-elle voulu l'embrasser sur la joue.

Oui, sans doute était-ce ce qu'elle avait voulu.

Mais Cooper tourna la tête, et leurs bouches se rencontrèrent. Ç'aurait pu être une simple bise. Mais elle retint son souffle et le baiser s'intensifia. Ce fut plus fort que lui : il plongea la langue entre ses lèvres et la goûta.

Elle était plus suave encore que dans son souvenir.

Prenant son visage entre ses deux mains, elle lui rendit son baiser. Sa langue joua avec la sienne, s'enroula sur elle, la taquina…

Ils n'étaient plus des adolescents. Un baiser n'était pas simplement un baiser. Ils savaient tous deux à quoi il pouvait conduire, et ils étaient sur un lit. Cooper se fit violence et s'écarta, tandis que Tanya faisait de même.

Elle avait les joues rouges, les yeux arrondis, et haletait. Elle bougea les lèvres, mais aucun mot n'en sortit. Apparemment, elle ne savait pas non plus quoi dire.

Cooper baissa les yeux sur le pistolet. Il y avait quelque chose d'accusateur dans la façon dont le canon les regardait. Pourtant, elle avait juste voulu l'embrasser sur la joue… Par gratitude, supposa-t-il.

Mais Cooper était moins préoccupé par la raison pour laquelle elle l'avait embrassé que par la raison pour laquelle lui l'avait fait. Il savait qu'elle aimait un autre homme. Même s'il avait laissé s'instaurer entre eux une distance autant géographique qu'émotionnelle, cet homme était resté un grand ami, un ami de cœur. Embrasser sa fiancée était un acte de trahison.

A moins que…

Non, il n'avait pas de preuves. Pas encore. Il n'avait aucune raison d'avoir de tels soupçons. Sauf que, peut-être, il voulait croire le pire pour ne plus éprouver ce satané sentiment de culpabilité.

— Ce n'est pas arrivé, murmura-t-il en secouant la tête.

Les yeux toujours arrondis, elle opina du chef.

— Je n'étais même pas là, ajouta-t-il.

— Quoi ?

— Si ma mère te pose la question, tu ne m'as pas vu, ni cette nuit ni ce matin.

Elle esquissa un sourire.

— Ses vieilles traditions nuptiales ?

— Ses vieilles superstitions, corrigea-t-il. Nous ne devons pas nous voir jusqu'à…

De la lumière filtra entre les lames du store de la chambre d'hôtel. C'était le jour de son mariage.

— La cérémonie, dit-elle pour lui.

— Essaie de dormir un peu, suggéra-t-il.

— Et toi ?

Il haussa les épaules. Après ce baiser ? Il n'était pas sûr d'être capable de fermer les yeux sans imaginer où leur baiser aurait pu les mener, sans anticiper une lune de miel qui ne serait qu'une vue de l'esprit à cause de son projet d'annulation du mariage.

— Je n'ai plus besoin de sommeil.

— Même après la journée d'hier ?

Elle était épuisée. Ses longs cils battaient tandis qu'elle luttait pour garder les yeux ouverts.

Il avait vécu des journées plus longues et plus dangereuses. Il la repoussa doucement, la forçant à s'allonger dans le lit. Lorsqu'il eut tiré la couverture sur elle, elle s'endormit presque aussitôt.

Il fallait qu'il se lève, qu'il s'écarte du lit avant d'être tenté de se glisser auprès d'elle et de la prendre dans ses bras. Mais il ne pouvait s'empêcher de contempler son émouvant visage. Cela faisait si longtemps qu'il ne l'avait pas vue. Et cette nuit, il avait failli la perdre… A deux reprises.

Il soupira, se souvenant qu'il ne pouvait pas la perdre puisqu'elle n'était pas à lui. Une ombre s'avança soudain sur le sol. Il empoigna son arme.

— Je croyais que tu ne voulais pas assister à leur mariage parce qu'ils ne comptaient plus pour toi, dit Logan depuis la porte ouverte de la chambre. Mais ce n'était pas ça, n'est-ce pas ? C'était parce qu'ils comptent trop.

Cooper rangea son arme dans son holster.

— Stephen et elle étaient mes meilleurs amis au lycée. Ils m'ont beaucoup soutenu à la mort de papa.

— Elle est davantage qu'une amie pour toi.

Il secoua la tête, mais demeura incapable de détacher son regard de son visage.

— Non.

— Je me trompe peut-être, répondit Logan d'un ton peu convaincu. Cela dit, elle a raison. Il faut que tu te reposes, toi aussi.

— Il faut que je veille à sa sécurité.

— Je m'en charge, dit Logan.

Cooper se tourna vers lui. Il leva les mains comme pour se protéger.

— Je ne la laisserai plus seule, promit-il. Même si tu me supplies à genoux de t'aider ailleurs.

— Je ne…

S'il devait supplier quelqu'un, ce ne serait pas lui.

— Accepte, insista Logan. Parce que tu seras son seul gardien pendant la cérémonie… et après.

Lors de leur lune de miel. Mais il n'y en aurait pas s'ils ne survivaient pas au mariage. Quelqu'un était si déterminé à l'empêcher, s'il se fiait à la récente fusillade, que peu importait pour lui que la victime soit le ou la fiancée.

*
* *

Les heures s'écoulèrent, mais les lèvres de Tanya continuaient à la chatouiller. Quelle mouche l'avait donc piquée d'embrasser Cooper ?

Il n'était plus l'adolescent de jadis, celui qui avait été son ami. C'était un homme à présent, son baiser l'avait démontré. Cela dit, à l'époque il l'embrassait déjà comme un homme.

Elle poussa un soupir nerveux.

— Tout se passera bien, assura Mme Payne en ouvrant la porte de sa salle d'habillage, pour la pousser à l'intérieur. Le soleil baignait la pièce, faisant briller le rose tendre des murs et le blanc des lambris.

Tanya voulait la croire. Elle avait toujours eu une telle admiration pour Penny Payne. Alors que sa mère avait versé dans l'auto-apitoiement quand son père avait préféré l'argent à une vie de famille avec ses deux filles, celle de Cooper avait perdu son mari dans une terrible tragédie, et malgré cela avait occulté son angoisse et son chagrin pour être le roc dont ses fils et sa fille avaient besoin.

Tanya s'était appuyée sur elle dans le passé, et elle s'appuyait encore sur elle aujourd'hui.

— Merci pour tout ce que vous avez fait, dit-elle en la gratifiant d'une chaleureuse étreinte.

Penny lui tapota le dos.

— Tu es comme ma propre fille, Tanya. Je ferais n'importe quoi pour toi.

Elle était le genre de mère qu'elle souhaitait être un jour. Mais quand ? Elle devait franchir le cap de ce mariage et de son annulation pour avoir l'espoir de vivre un autre mariage — un vrai, cette fois.

— Je suis tellement désolée de mettre vos fils en danger, confia-t-elle.

Sa famille avait déjà vécu un si grand drame. Elle espérait de toutes ses forces ne pas porter la responsabilité d'un autre.

— Allons, tu n'es responsable de rien, Tanya, certifia la

mère de Cooper. Et puis mes garçons n'ont fait que se mettre en danger depuis le jour de leur naissance. Grimper trop haut dans les arbres, rouler trop vite à vélo, et après cela s'engager dans la police ou les marines !

Elle secoua la tête et soupira.

Lorsque Cooper avait intégré le corps des marines, après le lycée, Tanya avait presque été soulagée que leur relation n'ait pas dépassé le stade de l'amitié. Elle aurait été si inquiète pour lui, si dévastée s'il avait dû lui arriver quelque chose.

— N'est-ce pas difficile pour vous ? demanda-t-elle. Après la perte que vous avez subie…

— Leur père ?

Mme Payne poussa un autre soupir, nostalgique celui-là, et son visage s'adoucit. Ses fines rides s'effacèrent, et elle fit penser à la jeune fille qu'elle avait dû être quand elle était tombée amoureuse de M. Payne.

— Ils lui ressemblent tellement dans leur comportement, que pour moi c'est comme s'il était encore vivant. Pour eux aussi, sans doute.

— Mais ils côtoient sans cesse le danger, risquent leur vie…

Mme Payne renifla de façon fort inélégante.

— Vivre, c'est côtoyer le danger. Rouler en voiture, prendre un bus, aller dans un centre commercial, au cinéma… La mort peut frapper partout. Et pas seulement en Afghanistan. Cooper y a survécu. Il peut survivre partout.

Tanya n'en était pas aussi sûre.

Penny donna une pichenette à la housse contenant la robe de mariée accrochée au mur.

— Commence à t'habiller, ma chérie. Ta sœur et Nikki sont en route.

Tanya se crispa.

— Rochelle ? Elle sera là ?

— C'est ta sœur. Une famille se doit d'être soudée.

Celle des Payne l'était, indiscutablement. Mais pas celle des Chesterfield. L'argent l'avait toujours divisée, et ce serait sans doute toujours le cas.

Des petits coups résonnèrent à la porte.

— Il vaudrait mieux que ce ne soit pas Cooper, dit sa mère. Je lui ai dit de se tenir loin de toi jusqu'à la cérémonie.

Elle ouvrit la porte sur l'avocat de Benedict Bradford.

— Pardonnez-moi de vous déranger, dit-il, mais je dois parler à Mlle Chesterfield, c'est important.

— Tanya, corrigea-t-elle, comme elle l'avait si souvent fait au fil des années.

Son grand-père tenait peut-être beaucoup à l'étiquette, mais celle-ci l'avait toujours agacée.

Mme Payne étudia avec attention le bel avocat aux tempes argentées, avant de hocher la tête.

— Vous ferez l'affaire…

L'homme se mit à rougir.

— Excusez-moi, madame ?

Mme Payne était seule depuis longtemps. Peut-être, finalement, était-elle prête à envisager un avenir pour elle-même au lieu de se contenter d'aider des jeunes femmes et des jeunes hommes à unir les leurs.

— Tanya a besoin de quelqu'un pour l'accompagner jusqu'à l'autel, expliqua-t-elle. J'allais réquisitionner mon fils aîné, mais ce sera mieux s'il s'agit d'un proche de sa famille.

Arthur Gregory était une relation de longue date de sa famille — il l'était déjà avant que ses cheveux ne grisonnent, que des pattes-d'oie ne se creusent au coin de ses yeux et que ses lèvres ne se pincent en une moue sévère.

— Je suis sûr que Mlle Chesterfield préférerait…

— Mais non, le coupa Tanya. Je serai heureuse de vous avoir à mes côtés pour remonter le tapis rouge…

Et rejoindre son fiancé de dernière minute devant l'autel. Si Stephen n'avait pas disparu, Cooper n'aurait sans doute même pas assisté au mariage.

— Parfait, dit Penny. Je vous laisse discuter entre vous.

Sur ce, elle s'empressa de quitter la pièce, refermant la porte derrière elle.

L'avocat suivit des yeux la petite femme.

— C'est un personnage, si je puis me permettre…

Si la mémoire de Tanya était bonne, Arthur Gregory ne s'était jamais marié.

— Mme Payne est une femme formidable, renchérit-elle.

— Peut-être un peu hâtive dans ses décisions.

— Je suis désolée qu'elle vous ait enrôlé dans ce mariage, s'excusa Tanya. Si ça vous contrarie, vous n'êtes pas obligé de participer.

— C'est tout ce mariage qui me contrarie, avoua-t-il.

Elle aussi. Pour un million de raisons.

— Pourquoi ?

— Je suis inquiet, parce que tous ces gens ne cherchent qu'à profiter de vous.

En réalité, c'était elle qui profitait d'eux. Mais il était inutile d'ajouter à son malaise.

— Ils me rendent un grand service.

— Mais vous n'auriez pas besoin de ce service si M. Stephen n'avait pas disparu.

— Exactement.

— Il a disparu *d'ici*, ajouta-t-il d'un ton lourd d'insinuations.

Elle haussa un sourcil.

— Et ?

— Et juste après, elle suggère que *son* fils prenne sa place.

A dire vrai, Tanya ne savait trop pour quelle raison Mme Payne avait poussé Cooper à le faire. A moins qu'elle ne veuille les voir ensemble. Savait-elle que des années plus tôt Tanya s'était prise d'une folle passion pour son fils ?

— C'était très chic de sa part de m'aider. Il ne me reste que deux jours avant mon trentième anniversaire.

Et Stephen n'avait pas encore été retrouvé. Elle n'osait pas attendre l'ultime moment, pour le cas où une demande de rançon lui parviendrait.

— Tout cela est peut-être bien commode, déclara l'avocat.

— Que voulez-vous dire ?

— Votre grand-père a toujours craint que l'on profite de vous à cause de sa fortune.

Comme leur père avait profité de leur mère.

Le peu d'argent que ce dernier lui avait laissé, elle s'en était servie pour se lancer à sa recherche. De toute évidence, elle était partie avec l'intention de « racheter » son amour, un amour que son père avait payé rubis sur l'ongle à condition qu'il s'en aille. Tanya et Rochelle n'avaient plus jamais entendu parler d'elle après cela.

— Ce n'est pas le cas des Payne, répliqua-t-elle de la voix âpre de celle qui défend ses amis.

— Votre grand-père n'avait aucune confiance en Cooper Payne. Il l'avait averti, il y a longtemps…

— Il quoi ? s'étrangla-t-elle, à la fois choquée et horrifiée. Il a *aussi* essayé d'acheter Cooper ?

Gregory secoua la tête.

— Il lui a juste fait comprendre que vous n'apparteniez pas au même monde.

Elle aurait aimé croire que son grand-père n'avait pas fait une chose aussi humiliante envers Cooper. Mais elle ne se berçait pas d'illusions. Le vieil homme prenait plaisir à rabaisser et manipuler les gens, y compris et surtout dans sa propre famille.

— Vous n'appartenez toujours pas au même monde, Tanya. La seule raison pour laquelle vous l'épousez est que votre vrai fiancé a fort opportunément disparu.

Elle tressaillit, se souvenant de la pièce éclaboussée de sang.

— Il n'y a rien d'opportun dans la disparition de Stephen. De terrifiant ? Oui. D'opportun, Non.

— Pour Cooper, si. Puisqu'il devient votre futur mari. Je n'arrive pas à croire que sa mère ait pu faire établir un nouveau certificat de mariage en si peu de temps.

Elle non plus, mais Mme Payne était une ordonnatrice de mariages hors pair. Pour une jeune femme à la veille de ses noces, elle pouvait accomplir des miracles.

Ce n'était pas de l'admiration qu'il y avait dans la voix de l'avocat, mais de la suspicion. Tanya plissa les yeux et riva son regard au sien.

— Si vous voulez insinuer que les Payne ne sont pas étrangers à ce qui est arrivé à Stephen, vous faites fausse route, je vous le garantis.

Il haussa un sourcil, l'air sceptique.

— C'est la raison pour laquelle votre grand-père a ajouté cette clause à son testament, répondit-il. Parce que vous avez tendance à être trop naïve, trop crédule.

Elle éclata de rire. Personne ne l'avait jamais taxée de naïveté ni de crédulité.

— Grand-père ne me connaissait pas.

Il n'avait du reste jamais fait aucun effort pour cela.

— Et vous non plus, ajouta-t-elle. En outre, vous ne savez absolument rien des Payne. C'est une famille connue pour son sens de l'honneur et de la protection des autres. Ils ne feraient jamais de mal à personne.

— Vous croyez que c'est toujours le cas pour Cooper ? Il a fait la guerre ? Vous ne savez pas combien ça peut changer un homme. Il n'est plus le garçon dont vous vous souvenez.

Tanya l'avait pensé, elle aussi, mais elle avait retrouvé en lui de nombreux traits du garçon d'alors. Dans son rapport avec ses frères, dans le souci qu'il se faisait pour elle et Stephen. Dans son baiser…

— Pourquoi Cooper s'en serait-il pris à Stephen ? demanda-t-elle.

— Par jalousie, suggéra-t-il. A votre sujet.

— Nous n'avons toujours été que des amis, rétorqua-t-elle.

Parce que lui l'avait voulu.

Arthur Gregory laissa échapper un petit rire.

— Très tôt, il s'est entiché de vous. Et ce béguin s'est transformé par la suite en une passion déraisonnable. C'est pourquoi votre grand-père lui a dit de se tenir éloigné de vous.

Elle avait cru qu'il avait cessé de venir la voir, parce qu'il voyait sa maison comme un tombeau, un « mausolée ». Elle n'y avait pas attaché d'importance. Stephen et elle préféraient tous deux aller chez les Payne. Leur maison était vivante, chaleureuse, pleine d'amour.

— C'était il y a longtemps, observa Tanya.

L'avocat haussa les épaules.

— Alors peut-être s'agit-il aujourd'hui d'une question d'argent. Il ne doit pas gagner lourd en travaillant avec ses frères. En vous épousant…

— Vous croyez que Cooper m'épouserait pour l'argent ?

Elle faillit de nouveau éclater de rire. C'était exactement le contraire. C'était *elle* qui l'épousait pour cet argent.

— C'est ridicule.

Elle avait entendu sa dispute avec sa famille. Se marier avec elle était la dernière chose qu'il souhaitait.

— Dans ce cas, faites-lui signer un contrat prénuptial, suggéra-t-il en tapotant sa serviette de cuir noir. Il prouvera ainsi qu'il n'a aucune visée sur votre héritage.

Elle secoua la tête.

— Je ne peux pas lui demander cela.

Pas quand il faisait déjà un sacrifice pour elle. Ou, plus précisément, pour Stephen. Il n'avait accepté de l'épouser que pour le cas où une rançon serait demandée pour sa libération.

Cela faisait moins d'une journée que le rapt avait eu lieu. Rien n'était encore joué. Il pouvait encore revenir sain et sauf de là où il se trouvait.

— Si vous ne pouvez pas le lui demander, moi je le ferai, déclara Gregory en se tournant vers la porte.

Tanya agrippa sa serviette pour l'arrêter.

— Non !

En aucune façon elle ne voulait que l'avocat de son grand-père insulte Cooper comme le vieux Benedict avait dû le faire des années plus tôt. Etait-ce la raison pour laquelle il lui avait dit qu'il valait mieux qu'ils restent amis ? Qu'aurait-il fait si elle n'avait pas été d'accord ?

Mais trop de temps s'était écoulé. Le passé était le passé. Elle devait se résigner à ne jamais connaître la réponse.

— Vous n'avez pas non plus confiance en lui, reprit le juriste. Vous croyez qu'il ne vous épouse que pour l'argent. Il n'est pas trop tard, Tanya. Il faut arrêter ce mariage.

Elle secoua la tête.

— Prenez un peu de temps, dit-il. Réfléchissez. Vous vous rendrez compte que vous ne pouvez pas épouser un homme en qui vous n'avez pas confiance.

Ce n'était pas de Cooper qu'elle se défiait en cet instant. Elle ouvrit grand la porte, lui signifiant ainsi son congé.

— Je préfère que ce soit Logan Payne qui m'accompagne jusqu'à l'autel, déclara-t-elle d'un ton ferme.

— De toute façon, je ne l'aurais pas fait, je ne tiens pas à vous voir épouser Cooper Payne, répondit-il. Votre grand-père viendrait me hanter jusque dans mon sommeil.

Peut-être était-ce là la cause de tous les tourments de Tanya. Le fantôme de Benedict. Le vieux grigou était bien capable de revenir la hanter, surtout s'il n'avait aucune idée de l'usage qu'elle comptait faire de son héritage.

Mais, avant de le toucher, elle devait se marier. Prenant une profonde inspiration, elle s'arma de courage et tendit la main vers la tirette de fermeture Eclair de la housse. Alors qu'elle ouvrait celle-ci, des morceaux de dentelle et de satin tombèrent sur le sol comme les pétales flétris des roses noires.

Quelqu'un avait réduit la riche étoffe en lambeaux. Quelle quantité de haine fallait-il avoir en soi pour être aussi malveillant ? Aussi cruel ?

Les larmes lui piquèrent les yeux et elle tressaillit, transie d'horreur.

Derrière elle, elle entendit actionner le bouton de la porte.

Celui qui avait coupé sa robe en morceaux revenait-il pour lui infliger le même sort ?

8

Sa sortie coupée, Cooper était piégé dans la pièce du fiancé tout éclaboussée de sang. La police n'avait libéré la scène de crime présumé que le matin venu. Copper espérait qu'en inspectant les lieux ils avaient trouvé des indices pouvant mener au ravisseur de Stephen. Il voulait retrouver son ami sain, sauf et en un seul morceau. Mais Stephen n'était pas sa seule préoccupation…

— Ote-toi de mon chemin, gronda-t-il. Ou je te montrerai ce que j'ai appris chez les marines. Les multiples façons de faire du mal à quelqu'un.

— Tu ne me feras rien, rétorqua Parker.

Une petite lueur de doute traversa néanmoins ses yeux bleu vif.

— J'ai veillé sur toi, cette nuit.

— Je t'ai sauvé la vie, lui rappela Cooper.

Parker secoua la tête.

— Je parlais de plus tard… Ou était-ce plus tôt ce matin ? se reprit-il, les sourcils froncés. Quoi qu'il en soit, j'ai monté la garde pour que tu puisses dormir un peu.

— Tu as monté la garde, couché sur le dos ? ricana Cooper. Tu m'as empêché de dormir, avec tes ronflements.

— Ce ne sont pas mes ronflements qui t'ont empêché de dormir, répliqua Parker.

Il avait raison. Ce n'étaient pas non plus ses inquiétudes quant à la sécurité de Tanya. Logan ne la laisserait pas seule une seconde fois, et ferait tout pour qu'à l'heure prévue elle remonte le tapis rouge de la chapelle dans sa robe de mariée.

Non, ce qui l'avait empêché de trouver le sommeil et l'avait fait s'interroger sur sa santé mentale… c'était ce baiser.

— C'est la trouille du futur marié, poursuivit Parker en tirant sur son nœud papillon, qui lui congestionnait le cou. Nul ne peut te le reprocher. Seigneur, ce truc est un instrument de torture.

— Il le sera encore plus si tu ne me laisses pas sortir, lança Cooper.

Son frère aîné gloussa.

— Je comprends que tu aies envie de te faire la malle, mais j'ai promis à maman que je ne te lâcherais les baskets que lorsque tu seras devant l'autel, pas avant.

— Il faut que je me rende dans la pièce de la mariée.

Parker fit non de la tête.

— Tu restes ici.

— Ne t'inquiète pas, répliqua Cooper. Il est trop tard pour mettre ton nom à la place du mien sur le contrat de mariage.

— Il est aussi trop tard pour faire marche arrière. Parce que si l'enjeu de tout cela est une rançon et que Tanya ne peut pas rassembler la somme…

Stephen serait tué.

— Le ravisseur a appelé ?

Aux dernières infos, aucune rançon n'avait encore été demandée. Mais elles dataient de plusieurs heures. C'était dans la chambre d'hôtel de Tanya… juste avant qu'ils ne s'embrassent.

— D'après Logan, non.

— Le but n'est pas une rançon, dit Cooper, mais l'argent.

— Monsieur a tout compris, hein ?

Il haussa les épaules. Il n'avait aucune preuve. Ce qu'il craignait le plus, c'était que ses soupçons soient fondés. Et que la future mariée soit seule avec la personne qui voulait sa mort.

Plutôt que de discutailler avec Parker, il l'écarta d'une bourrade et sortit dans la chapelle vide. Aucun des invités n'était encore là. Bon sang, c'était son mariage et il ne savait même pas qui était censé y assister. Seuls les participants du premier cercle étaient là. Lui comme futur époux, et Parker comme garçon d'honneur. Selon Logan, la future épouse était également arrivée. Indemne. Mais était-ce encore le cas ?

Il se précipita vers le vestibule par l'allée centrale, puis frappa à la porte voisine de celle des toilettes. Personne ne répondit. Il cogna plus fort.

— Ouvrez !

La serrure cliqueta, et le battant s'entrebâilla de deux centimètres. Des yeux chocolat se plissèrent sur lui.

— Qu'est-ce que tu fais ici ?

Il haussa un sourcil, puis baissa les yeux avec force mimiques sur son smoking.

— Ce que je fais ici, en costume de pingouin ? Euh… je ne sais pas.

— Sûr que tu as tout du pingouin !

Son cœur se gonfla en entendant le rire de sa sœur. Dieu que sa famille lui avait manqué ! Tout comme lui avaient manqué les moqueries incessantes de chacun et la façon dont sa mère menait son petit monde à la baguette. Quelqu'un d'autre lui avait manqué, également…

Dont la voix se fit entendre derrière l'épaule de sa sœur.

— Nikki, c'est Cooper ? Il a changé d'avis ?

— S'il est aussi intelligent que tu me l'as toujours rabâché, lança une voix féminine teintée d'amertume, il aurait dû.

Malgré sa crise d'hystérie de la veille, Rochelle avait tenu à soutenir sa sœur. La soutenir, ou saboter son mariage ?

— Tu ne peux pas la voir, dit Nikki. Maman fera une attaque si elle apprend que le fiancé a déclenché la malédiction divine en voyant sa promise avant la cérémonie.

Maman et ses superstitions…

— Je ne veux pas voir ma promise.

Revoir aurait été plus honnête. Il l'avait vue le matin même, l'avait même déjà embrassée, et tout cela avant la cérémonie.

— Ah, je vois. Tu es ici pour…

Elle baissa la voix pour n'être entendue que de lui.

— L'ordinateur de Stephen.

— Tu as pu en tirer quelque chose ?

— J'aurais pu s'il n'avait pas subi un tel choc.

Il grimaça. Il avait absolument besoin de savoir ce qu'il y avait dans cet ordinateur.

— On peut récupérer les données ?

— Oui, assura-t-elle. Ça prendra juste un peu plus de temps. Et nous sommes occupées en ce moment.

Elle baissa de nouveau la voix.

— Quelqu'un a découpé la robe de mariée de Tanya.

Le cœur de Cooper s'arrêta de battre.

— Comment est-elle ?

— Ça va. Maman s'en est occupée.

— De la robe ?

— Non, la robe n'est pas réparable, dit-elle en haussant les épaules. Elle est en lambeaux.

Ses suspicions s'accentuèrent. Découper une robe était un acte d'une jalousie et d'une mesquinerie incroyables.

— Maman en a trouvé une autre, confia Nikki d'un air contrit. Attends de la voir…

Il voulut entrer, mais sa sœur le repoussa d'une main sur le torse.

— Il faudra attendre. Maman s'est pliée en quatre pour ce mariage. Tu ne vas pas tout gâcher, OK ? Tu ne verras pas la mariée.

— En fait, c'est la demoiselle d'honneur que je veux voir.

Nikki ouvrit un tout petit peu plus la porte. Elle portait une robe de satin couleur rouille qui s'accordait parfaitement avec ses cheveux roux. Elle plissa ses yeux marron et les riva dans les siens.

— Je sais ce que tu penses, mais tu te trompes.

Il hocha lentement la tête.

— Possible. Laisse-moi lui parler.

Se faufilant entre Nikki et la porte, Rochelle rejoignit Cooper dans le vestibule. Elle portait une robe identique à celle de Nikki, mais avec moins de classe. Peut-être à cause de l'expression revêche qu'elle arborait. Elle n'avait pas pris la peine de soigner sa coiffure, et ses boucles tombaient sans la moindre tenue sur ses épaules nues.

— Alors, tu as retrouvé ton bon sens ?

— Ça se pourrait, murmura-t-il en étudiant son visage.

Ses yeux, d'un ton plus gris que ceux de Tanya, étaient rougis et gonflés comme si elle avait pleuré toute la nuit. Mais peut-être était-ce le cas chaque fois qu'elle buvait. Des alcooliques, il en avait croisé pas mal au cours de sa vie. Peut-être la disparition de Stephen l'avait-elle particulièrement bouleversée.

A quel point ses fiançailles avec sa sœur l'avaient-elles également affectée ?

Elle lâcha un soupir crispé.

— C'est bien. Il ne faut pas que tu épouses ma sœur.

— Pourquoi ? Tu veux l'héritage de ton grand-père pour toi toute seule ?

Elle retint son souffle.

— Je… je me fiche de cet argent. Il ne compte pas pour moi.

— Qu'est-ce qui compte pour toi ? demanda-t-il. Stephen ?

Des larmes brillèrent dans ses yeux, et elle opina du chef.

— Il n'est rien pour elle.

— Dans ce cas pourquoi aurait-elle voulu l'épouser ?

— Pour l'argent. C'est la seule chose qui l'intéresse. Non, ce n'est pas vrai, se reprit-elle aussitôt.

— En effet, dit-il. Ce n'est pas vrai.

Tanya était devenue travailleuse sociale. Elle n'aurait pas choisi ce métier si elle ne se souciait pas des autres. Et elle n'aurait pas été nommée directrice de centre si elle ne prenait pas son travail assez à cœur pour obtenir de bons résultats.

— Toi…, dit Rochelle, reportant sur lui son acrimonie. Elle a toujours été amoureuse de toi.

Il aurait aimé lui dire combien elle se trompait, que Tanya n'avait jamais voulu être autre chose que son amie, mais il ne voulait pas l'interrompre. Plus elle s'énerverait, plus elle risquait de se livrer.

— Par conséquent, t'épouser est exactement ce qu'elle veut. Et Tanya obtient toujours ce qu'elle veut.

L'aigreur transparaissait dans sa voix et lui enlaidissait le visage. Cooper la soupçonna d'avoir toujours été jalouse de sa sœur.

— Tu as parlé à Stephen ?

— Bien sûr que non ! maugréa-t-elle.

— Pourquoi bien sûr que non ?

— Il a disparu.

— En effet. Et tu sais où il est ?

Rochelle prit un air offusqué.

— Tu crois que j'ai quelque chose à voir avec sa disparition ?

— Je crois que le fait qu'il épouse ta sœur t'a rendue malade de jalousie.

De cela, il ne doutait pas une seconde. Du bien-fondé de ses autres suspicions, en revanche…

— Et une femme jalouse peut être très dangereuse.

Elle se planta devant lui, l'œil brillant et les narines frémissantes.

— Tu n'as pas idée à quel point je peux l'être.

Il craignait au contraire d'en avoir une idée bien précise.

Elle recula et secoua la tête.

— Tu sais, dit-elle enfin, Tanya et toi avez ma bénédiction. Je crois que vous vous méritez l'un l'autre.

Sur ces paroles inattendues, elle rentra dans la pièce de la mariée et claqua la porte derrière elle.

— Tu n'as pas le doigté de Parker avec les femmes, observa Logan en le rejoignant dans le vestibule.

— Toi non plus.

Ce qui ne manquait pas de sel dans la mesure où les trois frères se ressemblaient comme des clones. Logan portait les cheveux plus courts que Parker, mais pas autant que Cooper avec sa coupe militaire.

— Ça ne me dérange pas, répondit Logan. Je préfère rester célibataire que faire ce que tu t'apprêtes à faire.

Il désigna l'intérieur de la chapelle.

— Parker et le révérend t'attendent.

— Maman t'a envoyé me chercher ?

— Non. Elle m'a envoyé chercher Tanya.

— L'histoire se répète.

— C'est moi qui l'accompagne jusqu'à l'autel.

Elle n'avait personne d'autre pour le faire. Son père avait abandonné sa famille. Son fiancé initial avait disparu. Ce qui ne laissait que Cooper et les jumeaux. Restait à espérer que cela suffirait pour la protéger.

Penny apparut à la porte et, du doigt, lui fit signe de venir. A la différence de ses frères, il pouvait s'opposer à l'autorité de sa mère. Elle n'avait pas voulu qu'il s'engage dans les marines, mais il l'avait fait. Il s'était même élevé contre son idée, la veille au soir… jusqu'à ce qu'il admette qu'elle avait raison.

La meilleure façon de veiller à la sécurité de Tanya était de l'épouser. Mais qui allait veiller sur sa sécurité, *à lui* ? Car à l'instant où il la découvrit, sublime et sexy dans cette dentelle blanche, il sut qu'il courait un terrible danger. Celui de tomber irrémédiablement amoureux de la femme qui allait devenir son épouse.

Dans son smoking noir et sa chemise blanche plissée, Cooper Payne était si beau que Tanya en oublia un moment de respirer. Il ne serait pas entré dans le smoking de Stephen, vu son gabarit. Mme Payne devait en avoir plusieurs en réserve, comme les robes.

En fait, elle n'en avait eu qu'une de rechange sous la main. Mais pas n'importe laquelle…

Lorsque Cooper croisa son regard, ses yeux s'arrondirent. Etait-ce parce qu'il avait reconnu celle du mariage de sa mère ?

Tanya, elle, l'avait reconnue dès que Penny la lui avait apportée pour remplacer celle qui avait été saccagée. Elle avait vu cette robe de mariée sur la photo accrochée au-dessus du manteau de la cheminée du séjour des Payne. Et avait refusé de la porter. La femme qui méritait de la porter était celle que Cooper allait épouser pour de vrai, jusqu'à ce que la mort les sépare, et non jusqu'à ce qu'une annulation intervienne.

Pas elle, Tanya.

Mais Mme Payne avait insisté de cette façon adorable mais inflexible qui n'appartenait qu'à elle, et qui ne tolérait ni refus ni discussion. Et comme elle l'avait si justement souligné, Tanya n'avait pas d'autre choix. A moins de vouloir se marier en jean et pull-over, elle devait porter sa robe de mariée.

Peut-être qu'en jean et pull-over Tanya aurait moins eu l'impression de tricher. Mais à dire vrai elle se sentait comme… une épouse. Authentique. Surtout avec le regard que Cooper posait sur elle.

Avec son corsage sans bretelles, la robe était tout en dentelle, parsemée de centaines de perles, et d'une coupe qui épousait sa silhouette. Mieux qu'elle n'avait épousé celle, plus petite, de Mme Payne. Penny avait dû porter des hauts talons pour que le bas ne frotte pas sur le sol. Tanya avait jeté les chaussures aux orties. Elle sentait le tapis rouge sous ses pieds nus, tandis que chacun de ses pas la rapprochait de l'autel… Et de son futur mari.

Comme la veille au soir, son cœur battait si fort qu'elle l'entendait comme amplifié dans sa poitrine tandis que son sang grondait dans ses oreilles, au point de noyer le son de l'orgue. Elle n'entendit rien de ce que lui dit Logan quand il se pencha pour l'embrasser sur la joue. Même les premiers mots de l'officiant furent perdus pour elle.

Puis Cooper prit ses deux mains dans les siennes, et son cœur cessa un instant de battre. Elle se sentit comme l'adolescente qu'elle était jadis — celle qui rêvait chaque nuit que Cooper Payne lui déclare son amour. Puis elle se rappela que la seule qu'il lui ait jamais faite était une déclaration d'amitié.

Elle aurait aimé croire que s'il avait fait cela c'était uniquement à cause de l'avertissement que lui avait adressé son grand-père. Mais lorsque Cooper voulait vraiment quelque chose, comme entrer chez les marines, rien ni personne ne pouvait le dissuader. Ainsi, de s'être fait tirer deux fois dessus la veille, ne l'avait pas empêché de vouloir quand même l'épouser.

Mais il ne l'épousait pas pour elle.

Il ne la voulait pas vraiment. Ni alors ni aujourd'hui.

Il l'épousait pour Stephen, pour qu'il revienne sain et sauf. Mais n'était-il pas déjà trop tard pour cela ?

Les larmes lui montèrent aux yeux, brouillant encore plus sa vision que ne le faisait la voilette également prêtée par Mme Payne. Jusque-là, elle n'avait eu aucun problème pour voir à travers sa dentelle fine et délicate.

— Tanya, voulez-vous prendre cet homme pour époux ? demanda le révérend d'un ton insistant, comme s'il lui avait déjà posé la question.

Des toussotements rompirent le silence irréel qui régnait dans la chapelle. Mais il y avait très peu de monde. Même lorsque son fiancé était Stephen, elle avait voulu que la liste d'invités soit réduite au minimum. Et grâce à quelques coups de fil judicieux de Penny, la famille de ce dernier était absente ce matin.

Il aurait été très embarrassant d'épouser un autre homme devant eux. Comment, en effet, auraient-ils pu comprendre qu'elle faisait cela pour lui ?

Cooper lui serra les mains et hocha la tête comme pour l'encourager.

Comme s'il s'agissait d'une autre qu'elle, Tanya ouvrit la bouche et murmura :

— Oui.

Mais répondait-elle pour Stephen ou pour elle-même ? Etait-elle en train de réaliser son rêve d'adolescente d'épouser un jour Cooper Payne ? La différence, c'est que dans son rêve Cooper l'aimait et voulait être son mari.

Comme il l'avait fait pour elle, le révérend dut répéter sa question à Cooper.

— Voulez-vous prendre cette femme pour épouse ?

Elle leva les yeux vers son regard si bleu. Comme le père James et les quelques personnes présentes, des membres de sa famille pour la plupart, elle attendit sa réponse. Elle ne lui en voudrait pas s'il changeait d'avis et refusait à l'ultime seconde de l'épouser.

Elle retint son souffle. Et de nouveau un étrange silence tomba dans la chapelle.

Cooper s'éclaircit la gorge.

— Oui, dit-il enfin.

Pendant quelques instants, Tanya se plut à croire que c'était vrai, que Cooper Payne était si amoureux d'elle qu'il avait voulu être son mari. Qu'il voulait un avenir heureux avec elle, jusqu'à ce que la mort les sépare et non jusqu'à ce qu'une annulation ne soit prononcée.

Des larmes lui brûlèrent les yeux. Elle battit des paupières pour s'éclaircir la vue, mais elles continuèrent à lui voiler le regard et à lui encombrer la gorge.

Elle toussa, pour suffoquer aussitôt. Elle s'aperçut alors que ce n'étaient pas ses larmes qui lui brouillaient la vue, mais de la fumée.

Il y avait le feu à la chapelle !

Tanya savait que ce ne pouvait pas être un accident, pas après tout ce qui s'était passé depuis la veille. C'était un incendie volontaire. Quelqu'un avait délibérément mis le feu à la chapelle. La question, maintenant, était de savoir si les issues étaient bloquées, et s'ils allaient pouvoir s'échapper du bâtiment avant que les flammes n'emportent les invités et le jeune marié ?

Quant à elle, elle mourrait avant cela. Ses poumons lui brûlaient, et ses voies respiratoires gonflaient à mesure qu'elle tentait d'absorber de l'air. L'asthme dont elle avait souffert durant son enfance se réveillait, et l'étouffait inexorablement. D'habitude, il se déclarait au printemps avec les allergies saisonnières, ou en hiver si elle avait la malchance d'attraper un rhume.

Mais la fumée avait toujours été le principal déclencheur. La fumée de cigarette et les feux de joie avaient été responsables de crises embarrassantes, potentiellement fatales, au cours de son adolescence. Son inhalateur l'avait sauvée chaque fois. Mais elle ne l'avait pas ici. Il était dans son sac, qu'elle avait laissé dans sa pièce d'habillage.

Elle ne pourrait jamais l'atteindre sans perdre connaissance — et mourir.

Mme Payne avait raison d'être superstitieuse.

De voir son futur mari avant la cérémonie lui avait porté une poisse terrible. Une poisse mortelle.

9

Cooper empoigna le bras du père James, le clouant sur place avant qu'il ne puisse filer à la suite des autres vers le vestibule.

— Faites-le ! ordonna-t-il. Déclarez-nous mari et femme.

— Je vous déclare à présent unis par les liens sacrés du mariage…, bredouilla le révérend, moitié crachant, moitié toussant.

C'était officiel. Tanya Chesterfield n'était plus simplement sa fiancée, elle était son épouse.

Mais ses quintes de toux étaient plus violentes que celles des autres. Elles lui secouaient les épaules et faisaient trembler tout son corps tandis qu'elle luttait pour respirer.

Allait-il déjà être veuf ?

La soulevant dans ses bras, il se dirigea à son tour vers l'avant de la chapelle. Logan portait leur mère. Un bras passé autour des épaules de chacune, Parker emmenait Rochelle et Nikki pendant que le révérend trottinait devant les deux époux.

Dans la nef, l'air était épais, et lui piquait les yeux et le nez. Cooper connaissait bien cette fumée-là. Trop bien. Elle faisait resurgir d'horribles souvenirs. Parker lui tint les portes ouvertes pour lui permettre de traverser le vestibule avec Tanya dans les bras. Logan, quant à lui, tenait ouvertes celles donnant sur le perron, tout en empêchant Penny de faire demi-tour et de se ruer vers l'intérieur de la chapelle.

— Nous devons trouver l'origine du feu, protesta-t-elle, les joues inondées de larmes.

C'était sans doute moins la fumée qui la faisait pleurer que la crainte que ne soit détruite la chapelle qu'elle avait mis tant d'énergie à sauver.

— Il faut aller l'éteindre, nous ne pouvons pas attendre l'arrivée des pompiers.

Cooper secoua la tête.

— Il n'y a pas de feu.

Sa mère le dévisagea, le regard plein d'espoir.

— Mais toute cette fumée…

— Il n'y a ni flamme ni chaleur, lui fit-il remarquer.

— Qu'est-ce que c'est dans ce cas ? demanda Logan en toussant, les yeux larmoyants.

Il n'était pas homme à pleurer. Enfant, Cooper ne l'avait jamais vu pleurer, même à la mort de leur père. Il était resté solide pour eux tous.

— Du gaz lacrymogène, répondit-il.

Si ses yeux lui piquaient, ils étaient secs. Il était habitué à ce type de produit, aux substances toxiques utilisées pour débusquer les ennemis au cours d'opérations spéciales.

Il jeta un coup d'œil dans la rue.

— Rentrez tous, ordonna-t-il. Notre tireur est peut-être là, quelque part.

Mais pour le moment il se souciait peu d'éventuels coups de feu. Il baissa les yeux sur son épouse. Elle s'était évanouie, mais ce n'était pas à cause de la peur. Elle était trop inerte pour cela.

— Elle ne respire plus ! s'exclama-t-il, le cœur cognant avec violence contre ses côtes.

— Le gaz lacrymo a dû aggraver son asthme, dit Rochelle.

Il se souvint alors des crises qu'elle avait eues étant plus jeune, comme lors de ce feu de camp où elle suffoquait, les yeux révulsés.

— Son inhalateur ! lança-t-il.

— Elle en a toujours un dans son sac, dit sa sœur.

Montrant enfin un peu d'inquiétude pour elle, Rochelle courut vers la pièce de la mariée. Elle en revint quelques instants plus tard, tenant le sac à main ouvert.

— Il n'y est pas.

Quelqu'un avait déclenché la bombe lacrymogène et volé l'inhalateur de Tanya. Quelqu'un qui la connaissait très bien. Laissant pour le moment ses suspicions de côté, Cooper se concentra sur son épouse. Après l'avoir couchée sur le sol, il s'agenouilla et entreprit une réanimation cardio-pulmonaire, lui insufflant son air pour réactiver ses poumons.

— J'appelle le 911, annonça Logan en sortant son portable de sa poche.

Mais Cooper savait que ce serait trop tard. A l'arrivée de l'ambulance, Tanya aurait été privée trop longtemps d'oxygène.

— A moins qu'on ne me l'ait volé aussi, murmura Penny, j'ai ce qu'il faut.

Passant à côté de son fils aîné, elle repartit à la hâte dans la chapelle, et disparut par l'escalier qui menait au sous-sol, où se trouvaient la salle de banquet, la cuisine et son bureau.

— J'entends les sirènes, dit Nikki. Un voisin a dû signaler la fumée.

Rochelle se mit à pleurer.

— Elle ne respire plus, elle ne respire plus…

Des bruits de pas dans l'escalier précédèrent le retour de Mme Payne.

— J'ai un inhalateur de secours, annonça-t-elle en haletant. En organisant la cérémonie, j'ai insisté pour qu'elle m'en fournisse un second pour le cas où elle oublierait le sien au dernier moment.

Cooper s'en saisit et posa l'embout sur les lèvres ouvertes de Tanya. Elle n'allait pas pouvoir absorber le produit… Celui-ci parviendrait-il à franchir la trachée ? A réduire le gonflement de sa gorge ?

Il pressa le diffuseur, projetant un petit nuage de médicament, mais l'essentiel s'échappa de sa bouche. Il recommença, sans plus de succès. Ses paupières n'eurent pas un tressaillement, et elle ne respirait toujours pas.

Avait-il déjà perdu sa femme ?

*
* *

C'était l'obscurité totale. Comme si elle était tombée dans un trou noir. Puis sa conscience lui revint peu à peu. Les bruits d'abord. Les bips et bourdonnements de machines. Le chuintement de roues sur du lino… Puis les voix…

— Elle n'aurait pas dû être exposée à ce gaz, dit un homme d'un ton sévère. Vous avez de la chance que son inhalateur ait fonctionné.

— Je n'en étais pas sûr. Elle était déjà inconsciente.

La voix de son époux. Mais Cooper était-il réellement son époux ? L'esprit cotonneux, elle crut se rappeler le révérend les déclarant mari et femme, puis Cooper la soulevant dans ses bras.

A moins que tout cela n'ait été qu'un fantasme.

Y avait-il une part de réalité ?

— Et elle l'est toujours, poursuivit Cooper.

— Mais elle respire.

— L'inhalateur était suffisant ? demanda-t-il, la voix crispée par l'inquiétude. Est-ce qu'elle va s'en sortir ?

L'autre homme mit une éternité avant de répondre. Sans les bruits des machines, Tanya aurait cru être retombée dans son trou noir.

— Nous le saurons quand elle se réveillera.

— Quand ? demanda Cooper… Ou *si* ?

Réveillée, elle l'était déjà. Ses paupières étaient simplement trop lourdes pour qu'elle les ouvre, et sa gorge trop sèche et douloureuse pour qu'elle puisse parler. Elle lutta pour remuer les doigts, mais ils semblaient peser des tonnes. Tout son corps lui paraissait en plomb.

— Je n'en sais rien, répondit l'homme. Désolé…

N'ayant pas reconnu sa voix, elle se dit que ce devait être un médecin. Quoique… Si c'en était un, il saurait qu'elle allait s'en sortir.

Elle *devait* s'en sortir.

Une large main se referma sur les doigts qu'elle essayait de bouger. Comme dans la chapelle, Cooper les pressa pour la faire réagir.

— Allez, Tanya, réveille-toi.

Elle tenta une nouvelle fois de soulever les paupières, mais elles étaient si lourdes… L'effort l'épuisa, mais elle gagna une mince ouverture, suffisante pour que la lumière filtre entre ses cils. Elle se battait pour refouler les ténèbres.

Mais elle n'était pas seule. Cooper lui tenait fermement la main, comme pour l'attirer vers lui.

— Allons, tu es trop forte pour laisser ce lâche te mettre à terre !

Elle devait être forte. Pour elle-même mais aussi pour Stephen. Comment pourrait-elle répondre à une demande de rançon si elle n'était pas consciente ? Elle se serait mariée avec Cooper pour des prunes ? Non, elle devait lui assurer que ce n'était pas le cas, aussi se concentra-t-elle sur ses doigts, qu'elle parvint à remuer un tout petit peu.

— Tanya ? implora-t-il. Tu m'entends ?

Elle fit de nouveau bouger ses phalanges, puis réussit enfin à ouvrir les yeux.

— Tu es réveillée !

Elle hocha faiblement la tête. Puis, après avoir passé sa langue sur ses lèvres desséchées, elle essaya de parler.

— Est-ce que… Est-ce que…

— Chut, dit-il. Tu vas t'irriter la gorge. Repose-toi.

Elle secoua la tête, et un vertige la saisit aussitôt, menaçant de la renvoyer dans les limbes.

— Est-ce que… tout le monde… va bien ?

Si la chapelle blanche de sa mère avait été détruite, elle ne se le pardonnerait jamais.

— Le feu a-t-il…

— Il n'y a pas eu de feu.

— Mais la fumée…

Ce simple souvenir la fit tousser. Ses voies respiratoires et ses poumons étaient à vif.

— Ce n'était pas un feu, expliqua-t-il en imprimant une nouvelle pression à sa main. Quelqu'un a déclenché une bombe de gaz lacrymogène dans la chapelle.

Elle toussa de nouveau.

— Quelqu'un d'autre a-t-il…

Il secoua la tête.

— Non, tout le monde est indemne. Il n'y a que toi.

— Mon asthme…

Il ne se réveillait pas souvent, mais quand il le faisait… Elle se souvint de son échange avec l'homme qu'elle avait supposé être un médecin.

— Tu as trouvé mon inhalateur dans mon sac ?

— Non. Il n'y était pas. Mais maman en avait un autre, que tu lui avais fourni au cas où.

En sortant sa trousse à maquillage de son sac, elle avait vu l'inhalateur, elle s'en souvenait clairement.

— Mais il y était tout à l'heure.

— Pas au moment où tu en as eu besoin, en tout cas.

La personne qui avait déclenché la bombe lacrymogène ne l'avait pas fait juste pour arrêter la cérémonie de mariage. Elle l'avait fait pour la tuer. Ses yeux piquaient, mais ce n'était pas à cause de la fumée. Elle battit des paupières pour refouler ses larmes, mais sans succès.

Le mince matelas s'enfonça tandis que Cooper s'asseyait à son côté sur le lit. La soulevant de l'oreiller, il l'attira entre ses bras.

— Tout va bien. Tu es en sécurité maintenant.

— Tu as découvert qui a fait cela ?

Il poussa un profond soupir.

— Non. Mais nous le saurons, je te le jure.

Un léger courant d'air frais dans son dos la fit frissonner, et elle toucha le coton de sa blouse médicale.

— La robe de mariée de ta mère… Est-ce que… ?

S'ils avaient dû la découper pour l'en extraire, s'ils l'avaient détruite, ce serait encore plus dramatique que l'incendie de la chapelle.

— Elle est intacte, assura-t-il. Il faut que tu cesses de te faire du mouron pour tout et que tu te reposes.

— Il faut que je sorte d'ici.

Elle était bien dans un hôpital, et pas simplement derrière un rideau d'alcôve de salle d'urgences.

— Tu es trop faible, dit-il.

— Tu as dit que j'étais forte, lui rappela-t-elle.

— Tu es… C'est un miracle que tu aies survécu à tout cela. Tu ne respirais plus depuis si longtemps.

Il frissonna.

— Depuis trop longtemps…

Elle trouva la force de porter la main à sa tête. Son esprit était encore tout embrumé, et elle avait l'impression d'avoir encore la voilette devant les yeux. Elle se sentait si lasse, si faible…

De nouvelles larmes lui piquèrent les yeux. Cette fois, elle les refoula. Elle devait être solide. Assez pour partir d'ici.

— Mais si le ravisseur appelle…

— Logan a ton portable. Il lui parlera.

— Mais si ce n'est pas moi qui réponds, il peut raccrocher.

Et ensuite qu'arriverait-il à Stephen ? Il avait déjà été blessé. Tout ce sang qu'elle avait vu devait être le sien. Il n'y avait personne d'autre dans la pièce réservée au fiancé.

— Je veux mon…

— Vrai mari, enchaîna Cooper pour elle.

Non. Elle voulait juste son téléphone. Et lui. Mais il la repoussait déjà pour se lever du lit.

— Nous le trouverons, assura-t-il. Nous y travaillons tous.

Des petits coups furent frappés à la porte, et le battant s'entrouvrit.

— Elle est réveillée ? Elle va bien ? demanda une voix féminine, douce mais angoissée.

— Oui, répondit Tanya à la sœur de Cooper.

L'inquiétude de la jeune femme la touchait, mais elle lui fendait en même temps le cœur dans la mesure où sa propre sœur n'était pas venue la voir. Comment leur relation avait-elle pu se dégrader à ce point ?

— Je vais très bien.

Les yeux marron de Nikki, si semblables à ceux de sa mère, rayonnaient d'affection et de soulagement.

— Je suis si contente. Tu nous as fait tellement peur… A certains plus qu'à d'autres, cependant.

Elle reporta son attention sur son frère, comme pour voir s'il s'était remis de sa frayeur.

Mais Tanya doutait qu'il ait été particulièrement ébranlé. Après avoir connu l'expérience de la guerre et en être revenu, il s'était fait tirer deux fois dessus, mais n'avait jamais perdu sa contenance ni son sang-froid. Il était solide comme un roc.

— Ta mère, comment va-t-elle ?

— En dehors du souci qu'elle se fait pour toi, elle va bien, répondit Nikki. C'est la femme la plus forte que je connaisse.

Tanya soupçonnait sa fille de sous-estimer ses propres qualités.

— Mais elle n'est pas la seule.

— C'est vrai, convint Nikki. Tu es drôlement forte, toi aussi. Personne n'a cru que tu t'en sortirais.

Si tel était le cas, où était Rochelle ? Se désintéressait-elle autant du sort de sa grande sœur ? Elle soupira, refusant de verser dans l'auto-apitoiement. Il faut être deux pour une relation, se rappela-t-elle. Peut-être n'avait-elle pas fait ce qu'il fallait. Peut-être avait-elle été trop prise par son travail et par ses vains efforts pour s'ôter Cooper de l'esprit, pour ne pas s'angoisser quand il était en zone de conflit, pour ne pas souffrir de son absence…

— Elle ne se rend pas compte qu'elle a failli y passer, dit Cooper. Même à présent, elle se fait plus de bile pour maman et Stephen que pour elle-même. Elle a besoin de se reposer.

— Elle a surtout besoin que tu cesses de parler d'elle comme si elle n'était pas là ! s'insurgea Tanya.

Qu'il la croie aussi faible l'agaçait, mais ce qui l'agaçait encore plus était… que c'était vrai. Physiquement, du moins.

Nikki éclata de rire.

— J'oubliais que vous étiez de vieux amis, tous les deux.

Elle aussi l'avait oublié. Mais dans son cœur ils n'avaient jamais été simplement des amis. Même si elle avait accepté la proposition de Cooper qu'ils ne soient que cela.

— Vous vous comportez déjà comme si vous aviez vingt ans

de vie commune, poursuivit Nikki. Alors qu'il ne s'est écoulé que quelques heures depuis cette maudite noce…

Elle écarquilla aussitôt les yeux, visiblement atterrée par ce qu'elle venait de dire.

— Je te demande pardon, je…

Tanya avait passé assez de temps avec les Payne pour savoir que c'était ainsi qu'ils affrontaient toute situation. Par l'humour et la taquinerie. Et elle était touchée d'être incluse dans le jeu.

— Mais c'était vraiment une noce maudite, dit-elle en souriant.

La fumée, la sensation d'étouffement, la panique… Oui, elle avait vraiment vécu un cauchemar. Encore maintenant sa gorge la brûlait et ses poumons étaient douloureux.

— Je n'aurais pas dû dire ça, murmura Nikki, la mine embarrassée. Maman va me tuer.

Au moins saurait-elle qui en veut à sa vie, songea Tanya. Pour sa part, elle n'en avait aucune idée. Mais elle devait poser la question.

— Avez-vous trouvé des indices sur ce qui s'est passé à la chapelle ?

Nikki voulut répondre, mais Cooper l'en empêcha d'une secousse de la tête.

— Tu as failli mourir, dit-il. Il faut te reposer si tu veux te rétablir comme il faut.

Tanya secoua la tête, prête à insister. Mais des taches sombres commencèrent à lui brouiller la vue tandis que son esprit dérivait de nouveau vers les ténèbres. Elle rechignait à l'admettre, mais il avait raison. L'épuisement l'envahissait, rendant ses paupières si lourdes qu'elle n'était plus capable de garder les yeux ouverts. Peut-être, si elle les fermait quelques secondes…

— Laissons-la dormir.

La voix grave de Cooper s'était réduite à un chuchotement. Puis la porte émit un faible grincement tandis qu'il poussait sa sœur dans le couloir.

Etait-ce pour cela qu'il voulait sortir ? Pour qu'elle se repose ?

Ou pour qu'elle n'entende pas ce qu'ils avaient à se dire ? Elle voulut sortir ses jambes du lit et s'asseoir, mais elles pesaient un quintal chacune. Et elle n'arrivait pas à soulever sa tête de l'oreiller. Sans parler du reste de son corps… Les efforts qu'elle fournit eurent raison du peu d'énergie qui lui restait, et le sommeil l'aspira sans qu'elle en ait conscience.

Elle ignorait combien de temps elle avait dormi lorsque la porte s'ouvrit de nouveau. Sans doute pas beaucoup, car elle se sentait encore épuisée.

— C'était bref, murmura-t-elle d'une voix lasse. J'espère que tu ne t'es pas pressé à cause de moi…

Cooper n'avait pas besoin de revenir aussi vite. Ce n'était pas comme s'il était vraiment son mari. Bon, peut-être l'était-il aux yeux de la loi, mais pas dans son cœur. Il n'était pas amoureux d'elle. Au départ, il ne voulait même pas l'épouser.

Si Stephen n'avait pas disparu…

— Vous avez retrouvé Stephen ? demanda-t-elle.

Il ne répondit pas.

Elle lutta pour rouvrir les yeux, mais n'y parvint que d'un demi-millimètre… Juste assez pour voir, entre ses cils, un oreiller fondre sur son visage.

Elle ne put identifier qui le tenait. Tout ce qu'elle vit, c'est que la personne portait une tenue médicale. Un membre du personnel de l'hôpital ? Ou quelqu'un se faisant passer pour tel ?

Tanya leva les mains pour repousser l'oreiller et ouvrit la bouche pour crier. Mais elle était encore trop faible pour s'opposer à son agresseur, trop faible pour hurler tandis que l'oreiller lui couvrait le visage, lui coupant aussi efficacement la respiration que l'avait fait le gaz lacrymogène.

Ne pouvant compter sur son mari pour la sauver de nouveau, elle devait trouver la force de le faire elle-même.

Ou bien mourir en essayant…

10

« Une noce maudite. »

Tanya avait été d'accord avec cette expression de Nikki. Pourquoi ? A cause du gaz lacrymogène ? Ou parce qu'elle n'avait pas épousé l'homme qu'elle voulait ? Celui qu'elle aimait ?

— A-t-on retrouvé Stephen ? demanda-t-il à Nikki, avant même qu'ils ne se soient assez éloignés de la chambre pour n'être pas entendus de Tanya.

Non qu'elle soit en état pour cela... Elle était totalement épuisée. Il frissonna de nouveau en se rappelant combien il avait été près de la perdre.

Sa sœur secoua la tête.

— Et son ordinateur ? Tu y as trouvé quelque chose ?

Elle contempla le sol. Elle portait toujours sa robe de demoi-selle d'honneur, en satin couleur rouille, qui la faisait paraître plus grande et plus âgée qu'elle ne l'était en réalité. Peut-être était-ce la robe, mais Cooper finit par se rendre compte que sa petite sœur avait grandi. Il était parti si longtemps qu'il la voyait toujours comme la gosse qu'elle était au moment de son départ. Elle était devenue une femme.

Deux hommes la détaillèrent d'un œil appréciateur en passant dans le couloir... Cooper les foudroya du regard, et ils accélérèrent le pas. Nikki ne s'était aperçue de rien, mais ne répondait toujours pas à sa question.

— Alors, qu'as-tu trouvé ? insista-t-il.

— Elle devait être ivre, répondit-elle d'un ton hésitant. Comme pour ses messages téléphoniques. Je... je suis sûre que ça ne veut rien dire.

Comme c'était Nikki, et non Logan ou Parker, il s'arma de patience et demanda avec calme :

— Qu'est-ce qui ne veut rien dire ? Tu as lu les messages de Stephen ?

Nikki se mordit la lèvre et acquiesça.

Sa petite sœur n'avait pas seulement grandi, elle avait aussi développé certains talents. Cet ordinateur avait brutalement heurté l'asphalte cette nuit.

— Qu'as-tu trouvé ? répéta-t-il.

Sa patience commençait à s'effriter. Il ne voulait pas laisser Tanya seule trop longtemps. Mais elle n'était pas seule, puisqu'il avait vu quelqu'un en bonnet et blouse d'hôpital entrer dans sa chambre. Une infirmière, sans doute… Ou le médecin…

Bon sang, il avait besoin de retourner voir si elle allait bien. Il n'était pas tranquille. Il éprouvait la même sensation que cette nuit, avant que Parker n'entre dans la ligne de mire du tireur, devant l'immeuble de Stephen.

— Allons, Nikki ! gronda-t-il.

— Rochelle a envoyé des e-mails à Stephen.

— Et puis ?

Elle fit mine d'étudier le dos de ses mains.

— Je sais qu'elle est ton amie, la pressa-t-il, mais il faut que tu sois franche avec moi.

— Elle le suppliait de ne pas épouser Tanya, répondit-elle enfin.

Cooper n'était pas surpris. Il était évident que Rochelle était opposée au mariage de sa sœur et de Stephen, même si elle avait été présente à la cérémonie. Il est vrai que ce n'était pas Stephen qu'elle avait épousé, mais lui. Son cœur eut des soubresauts tandis que la réalité le frappait de plein fouet : il était marié.

A Tanya.

Mais il n'était pas l'époux qu'elle avait voulu. Ce dernier avait disparu.

— Elle a écrit plus que cela dans ces mails, n'est-ce pas ?

Nikki grimaça.

— Elle disait que, s'il laissait tomber Tanya au dernier moment pour l'épouser, ils auraient la totalité de l'héritage, et pas seulement la moitié.

Son mauvais pressentiment s'intensifia, si fort qu'il crispa la mâchoire.

— Si Rochelle sait que je les ai lus et que je t'en ai parlé, elle va être très mal, dit Nikki. Elle devait être sous l'emprise de l'alcool quand elle les a envoyés.

— A-t-elle agi par ivresse ou par cupidité ? demanda-t-il. Désire-t-elle vraiment tout cet argent ?

— En fait, je ne pense pas qu'elle y tienne tant que cela. Elle haïssait son grand-père.

— Ce qu'elle voulait, ce n'était peut-être donc pas l'héritage. C'était Stephen.

— Tu crois qu'elle se servait de l'argument de l'argent pour le détourner de Tanya ?

Nikki secoua la tête, avant de déclarer :

— Jamais je n'aurais cru que je me réjouirais d'avoir des frères plutôt que des sœurs…

— C'est ton amie, lui rappela Cooper.

Même s'il ne comprenait pas bien pourquoi.

— Ça m'a toujours fait de la peine de la voir grandir dans l'ombre de sa sœur, soupira-t-elle.

— Que veux-tu dire ?

— Comme si tu ne le savais pas. Et Tanya est ta femme ?

— Seulement parce que Stephen a disparu.

Mais était-ce vraiment le cas…

— Mais tu as toujours été fou d'elle ! Tous les garçons l'étaient. Elle est belle, gentille, intelligente. Ça a dû être terrible de l'avoir comme grande sœur.

— A quel point Rochelle la déteste-t-elle ? Au point de vouloir la tuer ?

Nikki prit un air offusqué.

— Non. Rochelle peut être garce parfois, mais ce n'est pas une criminelle.

— Et Stephen ?

— Jamais elle ne lui ferait le moindre mal. Comme toi avec Tanya, elle a toujours été amoureuse de lui.

— Elle a donc les deux plus grands mobiles, observa Cooper. L'amour et l'argent.

Elle se fendit d'un sourire taquin.

— Toi, je sais ce qui t'a motivé.

— Motivé pour quoi ?

Le croyait-elle responsable de la disparition de Stephen ?

— Pour épouser Tanya Chesterfield.

— Je travaille à présent pour Payne Protection, lui rappela-t-il. Je veux juste veiller à sa sécurité.

Pourtant, son sentiment de malaise lui disait que quelque chose n'allait pas. Il se tourna vers la porte de la chambre de Tanya. Pourquoi celui ou celle qu'il avait vu entrer n'était-il pas ressorti ?

— Qu'y a-t-il ? demanda Nikki.

Mais il remontait déjà le couloir. En s'approchant de la chambre, il entendit quelque chose tomber, et Tanya pousser ce cri d'effroi qu'il aurait reconnu entre mille. Sa peur pour elle balaya tout le reste.

— Appelle la sécurité ! lança-t-il à sa sœur.

Il tendait la main vers la poignée de la porte, lorsque celle-ci s'ouvrit à la volée et qu'une personne en tenue médicale en sortit brusquement.

Cooper voulut l'arrêter, mais l'individu tenait un revolver, qu'il braquait sur sa poitrine. Il ne tira pas, mais s'enfuit en courant.

Nikki se retourna comme pour le suivre, mais Cooper l'agrippa par le bras et la fit entrer avec lui dans la chambre.

— Appelle la sécurité ! aboya-t-il. Et appelle Logan…

Tout en donnant ses ordres, son attention était fixée sur la femme dans le lit. Ou plutôt à moitié sortie du lit. Les draps et la couverture s'emmêlaient dans ses jambes, la retenant prisonnière.

Pendant qu'ils bavardaient dans le couloir, elle était à la merci d'un fou dangereux. Il avait manqué à son devoir de la protéger. Encore. Quel mari faisait-il ! Pas étonnant qu'il soit resté aussi longtemps célibataire.

— Est-ce que ça va ? s'inquiéta-t-il.

Elle était toute rouge, mais elle respirait. Avec peine, en haletant, mais elle respirait.

— Appelle le médecin, s'écria-t-il à l'intention de Nikki.

Les yeux dilatés par l'angoisse et le choc, celle-ci se précipita hors de la pièce.

Tanya empoigna les deux bras de Cooper.

— Je… je l'ai fait fuir.

— Oui, tu l'as fait fuir.

Il éprouvait une immense fierté de ce qu'elle ait pu rassembler assez de force pour se battre, après être passée tout près de la mort quelques heures plus tôt. Mais elle avait lutté pour sa vie, et il savait que l'instinct de survie pouvait accomplir des miracles.

— Il a voulu m'étouffer…

Ce qui expliquait l'oreiller par terre.

— Il avait une arme, dit-il.

Nul doute qu'il s'agissait de celle qui avait tiré à plusieurs reprises sur eux.

Elle frissonna.

— Pourquoi ne s'en est-il pas servi sur moi ?

— Peut-être voulait-il faire croire que tu avais succombé à une nouvelle crise d'asthme, répondit-il. Et il ne voulait pas que quelqu'un entende le coup de feu et se lance à sa poursuite.

Il aurait dû le prendre en chasse. Mais lorsque Tanya avait hurlé il n'avait pensé qu'à elle. Son cœur battait encore à grands coups de l'angoisse qu'il avait ressentie.

Les yeux de Tanya s'embuèrent.

— Est-ce qu'on l'attrapera un jour ? Quand tout cela se terminera-t-il ?

Il se maudit de ne pas avoir cherché à lui arracher son masque chirurgical. Mais, avec le revolver pointé sur lui, il n'aurait peut-être pas vécu pour l'identifier.

— Tu as pu voir son visage ?

Des larmes lui perlèrent au coin des yeux et glissèrent sur ses joues.

— Non.

Pouvait-elle admettre que son agresseur était la personne que Cooper commençait à soupçonner ? Serait-elle capable d'affronter le fait que quelqu'un qu'elle aimait souhaitait sa mort ? Lui-même n'était pas sûr de pouvoir l'accepter.

— Tout va bien, assura-t-il. Nous lui mettrons le grappin dessus.

Même s'ils devaient y laisser leur peau…

— J'ai fait autre chose, dit-elle en lui présentant ses mains.

Du sang lui tachait les doigts.

— Tu l'as griffé ?

Il n'avait rien vu en croisant l'agresseur dont le masque et le bonnet couvraient presque tout le visage.

Elle hocha la tête.

— Seulement ses bras.

Il ne cacha pas son admiration pour sa force et sa présence d'esprit.

— Nous avons donc son ADN…

Et peut-être un suspect, une fois que Payne Protection aurait réussi à coincer le criminel.

— Je te reconnais bien là, ma chérie.

« Je te reconnais bien là, ma chérie », avait-il dit.

Mais il ne se comportait pas comme si elle l'était. Et moins encore comme avec une jeune épouse au début de leur lune de miel ! La première nuit, ils l'avaient passée dans cet hôpital. Cooper était certes resté avec elle, mais protection et amour étaient deux concepts très différents.

Il n'agissait pas en mari, mais en garde du corps.

Au lieu de la soulever dans ses bras pour franchir le seuil de leur chambre d'hôtel, il inspecta celle-ci l'arme au poing.

— Tu seras en sécurité ici, assura-t-il. Personne ne nous a suivis depuis l'hôpital.

— Et si les autres l'ont été ?

— Cela voudra dire que le plan a marché.

Le plan était que Logan quitte l'hôpital en compagnie d'une de ses employées, qui pour l'occasion portait une perruque blonde. De son côté, Parker s'en allait avec une Nikki affublée de la même perruque. Puisque les trois frères portaient des casquettes identiques, nul ne pouvait les discerner l'un de l'autre, à moins de bien les connaître. Cooper était plus musclé, plus bel homme, mais en dehors de cela bien malin qui pouvait faire la différence.

— N'est-ce pas risqué pour eux ?

Elle ne voulait pas que quelqu'un d'autre ait à souffrir à cause d'elle.

— Ce sont tous des professionnels, lui fit remarquer Cooper. Notre travail est de protéger les autres, alors nous sommes certainement capables de nous protéger nous-mêmes.

Lui, oui. Mais en tant qu'ex-marine il possédait une expérience que les autres n'avaient pas.

— Tu ne t'inquiètes pas pour eux ?

Un muscle battit dans sa mâchoire serrée.

— Ce n'est pas mon boulot…

Mais il se faisait du mauvais sang, c'était clair.

— Mon boulot, c'est de m'inquiéter pour toi.

Voilà ce qu'elle était pour lui. Pas sa chérie. Ni sa fiancée, ni son épouse. Pas même son amie. Juste son boulot.

Peut-être ne s'était-elle pas totalement rétablie de sa crise d'asthme, comme elle l'avait assuré au médecin, car elle se sentit soudain si lasse qu'elle s'effondra sur le canapé.

— Tu viens de me dire que j'étais en sécurité ici.

Il avait suivi un itinéraire si compliqué qu'elle ne savait même pas où se trouvait leur hôtel. Mais comme elle avait vu scintiller de l'eau depuis la route, elle en avait déduit qu'ils n'étaient pas loin du lac Michigan. Elle se serait bien levée pour s'approcher de la fenêtre et jeter un coup d'œil dehors mais, vu ce qui était arrivé la dernière fois, elle n'osa pas s'y risquer.

— Tu l'es, répondit-il.

S'installant à côté d'elle sur le canapé, il caressa sa joue du dos de la main.

— Mais je m'inquiète quand même pour toi. Tu en as tant vu depuis deux jours.

Elle pensa lui dire que sa mère avait peut-être raison avec ses superstitions, mais cela rappellerait aussitôt leur baiser. Ils étaient alors seuls dans une chambre d'hôtel, comme maintenant.

— Le médecin a signé mon autorisation de sortie, dit-elle. Je me sens très bien.

Il étudia son visage, comme s'il doutait du bien-fondé de la décision du médecin. Avait-elle si mauvaise mine ? Nikki lui avait apporté sa trousse de maquillage, et elle avait estompé les cernes bruns sous ses yeux. Mais peut-être aurait-elle dû les laisser, vu qu'ils étaient les seules touches de couleur sur la pâleur de son visage.

Nikki avait aussi apporté la valise prévue pour la lune de miel. Mais comme Stephen et elle n'étaient qu'amis, les vêtements qu'elle contenait étaient plutôt choisis pour leur confort que pour leur aspect affriolant. En cet instant, elle était en jean anthracite et pull vert.

Cooper aussi portait un jean. Si usé et délavé qu'il épousait comme une seconde peau les muscles de ses cuisses, et un pull noir qui soulignait la largeur de son torse. Il s'était débarrassé de la casquette et de son blouson avant de la rejoindre sur le canapé.

— Oui, ça a l'air d'aller, convint-il après un moment. Physiquement, du moins.

Elle hocha la tête, et il laissa sa main retomber. Mais sa peau la chatouillait à l'endroit qu'avaient touché ses doigts, et son cœur faisait des cabrioles en le sentant si proche.

— Car émotionnellement…

S'était-il rendu compte qu'elle était en train de tomber amoureuse de lui ? Allait-il lui resservir la vieille rengaine « il vaut mieux que nous restions amis » ?

— Je suis à cran, reconnut-elle, gênée au souvenir d'avoir

tant pleuré devant lui ces deux derniers jours. Mais c'est parce que je me fais beaucoup de souci. Pour Stephen. Pour ta famille.

Et surtout pour lui…

Mais si elle le lui avouait, il devinerait quels étaient ses véritables sentiments. Et il risquait d'être non seulement refroidi, mais offensé qu'elle puisse penser qu'il n'était pas capable de les protéger tous les deux.

— Ce qui m'inquiète, c'est ta naïveté, reprit-il. A cause d'elle, tu vas au-devant de graves désillusions.

Sa naïveté ?

Elle éclata de rire, stupéfaite d'avoir été qualifiée de naïve deux fois en quarante-huit heures.

— Tu me crois naïve ? Je suis directrice de centre pour l'office des services sociaux de la deuxième plus grande ville du Michigan. Je n'aurais pas tenu une semaine si j'avais été capable de me laisser tromper facilement.

Son rire se mua en profond soupir.

— En fait, je suis assez réaliste pour croire qu'un des cas que j'ai eu à traiter me suit peut-être à la trace.

— Ça va beaucoup plus loin que ça, lui fit-il remarquer d'un ton amer.

Elle tressaillit.

— Oui, Stephen a été enlevé.

— Quelqu'un veut te tuer, *toi*. Et cette personne a bien failli réussir.

Il semblait plus inquiet pour elle que pour Stephen.

— Peut-être que quelqu'un n'a pas aimé la façon dont j'accomplis mon travail, suggéra-t-elle.

Le fait est qu'elle avait eu à prendre quelques décisions drastiques au cours des dernières années.

Il secoua la tête.

— Tu n'y crois pas, hein ? dit-elle en scrutant son visage comme il avait scruté le sien quelques minutes plus tôt. Je te trouve bizarre depuis un moment. Comme si tu avais une idée de l'identité du coupable. C'est ça ?

Il soutint son regard, les yeux rivés aux siens. Le bleu

outremer de ses iris avait pris une nuance très sombre. Les horreurs dont il avait été témoin semblaient encore le hanter.

— J'ai des soupçons, dit-il.

— Pourquoi ne pas m'en faire part ?

En tant que mari et femme, n'étaient-ils pas censés tout partager ? Mais ils n'avaient même pas encore partagé un baiser pour sceller leur union.

— Je ne suis pas sûr que tu puisses le supporter, répondit-il, comme si elle était une petite chose fragile qui avait besoin de protection.

D'accord, elle avait besoin de protection. Mais elle n'était pas une petite chose fragile.

— J'en ai vu pas mal depuis deux jours, lui rappela-t-elle avec un sourire crispé. Oh ! Sans doute pas autant que toi lorsque tu étais là-bas, mais…

Il la fit taire d'un doigt sur les lèvres. Son sourire aussi était crispé.

— Tu es solide, dit-il. On a tenté de t'écraser en voiture, de te descendre par balles, de t'asphyxier au gaz lacrymogène, de t'étouffer à l'aide d'un oreiller…

Elle tressaillit lorsqu'il s'interrompit. Apparemment, il considérait que c'était pire que ce que lui avait vécu. Elle prit une profonde inspiration, et demanda :

— Qui ?

— Selon toi, il s'agit d'une vengeance à cause de quelque chose que tu aurais fait, ou pas fait, dans ton travail.

A son corps défendant, elle lui avait fourni une liste de noms. Mais elle était prête à parier qu'il n'avait enquêté sur aucun d'entre eux.

— Ce n'est pas ton avis ?

— Non. Le mobile est l'argent.

— C'est pourquoi il faut que je puisse payer la rançon.

— Quelle rançon ? Il n'y en a eu aucune demande jusqu'à présent.

Depuis que Logan lui avait rendu son portable, Tanya l'avait gardé dans sa poche, mais il n'avait pas sonné. Son estomac se noua.

— Ce n'est pas bon pour Stephen.

— Non, convint-il. Ce n'est pas bon.

— Tu crois qu'il est mort ?

Si c'était le cas, elle était en quelque sorte sa meurtrière puisque tout était arrivé à cause d'elle.

— Que c'est pour cela que personne n'a appelé ?

Cooper ne répondit pas. Il se contenta de la regarder comme s'il se demandait s'il devait ou non lui faire part de ses soupçons.

Un étau lui comprimait le cœur. Elle avait besoin de savoir si Stephen était vivant ou non.

— Cooper ?

— Je crois que si personne n'a appelé… c'est parce que Stephen ne peut pas faire la demande de sa propre rançon.

Peut-être n'était-elle pas encore bien rétablie, toujours est-il qu'elle peinait à comprendre ce qu'il disait.

— Quoi ?

— Je crois que c'est Stephen, expliqua-t-il. Je crois que c'est lui qui veut te tuer.

Le meilleur ami qu'elle ait jamais eu ? Lui planter ainsi un couteau dans le dos ? Elle éclata de rire tant l'idée était grotesque. Parce que, si Cooper avait raison, Stephen n'avait pas besoin de se donner toute cette peine.

Sa simple trahison l'aurait tuée.

11

Percevait-il une pointe d'hystérie dans son rire ? Sa révélation avait-elle été trop brutale ?

Cooper étudia le visage de Tanya à la recherche de signes de détresse. Mais il ne vit que la beauté de son teint lumineux et l'éclat scintillant de ses yeux verts. Elle avait toujours eu le don de le distraire. Peut-être aurait-il eu moins de problèmes à l'école s'ils n'avaient pas si souvent assisté aux mêmes cours.

— Tu ne crois pas Stephen capable de cela.

L'aimait-elle donc au point de ne pouvoir envisager qu'il ait changé du tout au tout ?

— Je croirais plus facilement que *toi* tu en es capable, répliqua-t-elle du tac au tac.

Il ravala son souffle, aussi blessé que si elle l'avait giflé.

— Tu pourrais croire que je veuille te tuer ?

— Tu es resté parti longtemps, lui rappela-t-elle. Je ne te connais plus. Je connais Stephen. Nous sommes restés amis durant toutes ces années.

— Plus qu'amis, à l'évidence.

Il s'efforça de ne laisser transparaître aucune amertume dans sa voix. Il avait choisi de partir. Ce qu'ils étaient devenus en son absence ne le regardait pas. Même s'il était resté, cela ne l'aurait pas regardé.

Mais à présent Tanya était sa femme. Donc tout ce qui avait un rapport avec elle le concernait.

— Stephen a toujours été là pour moi, se contenta-t-elle de répondre, en rougissant plus encore.

— Jusqu'à la veille du mariage.

— Ce n'était pas sa faute.

— Je n'en suis pas si sûr, dit Cooper.

Elle fronça les sourcils, la mine troublée.

— Comment peux-tu penser cela ? Tu as vu le sang, les signes de lutte.

— S'il y a vraiment eu lutte, pourquoi ni maman ni toi n'avez-vous rien entendu ?

Elle bondit hors du canapé, visiblement choquée par ses paroles, puis elle se mit à faire les cent pas dans le salon de leur suite, veillant à demeurer loin de la fenêtre.

Elle ne se sentait pas en sécurité, comprit-il. Et elle ne le serait pas tant qu'ils n'auraient pas arrêté la personne qui en voulait à sa vie. Mais, en attendant, aucun suspect potentiel ne devait être écarté.

— Ta mère était au sous-sol où elle discutait avec le père James, répondit-elle. Et moi dans ma pièce d'habillage, de l'autre côté de la chapelle. Le coupable a dû entrer sans bruit dans la pièce du marié, et le frapper violemment jusqu'à le mettre KO. C'est pourquoi nous n'avons rien entendu.

— Nous ne savons même pas si le sang trouvé là-bas est le sien, fit-il observer.

Les résultats d'analyse d'ADN n'étaient pas connus aussi vite que dans les séries télé.

— Tu veux dire qu'il aurait blessé quelqu'un d'autre ?

S'il ne se trompait pas, Stephen l'avait blessée, elle. Physiquement, plusieurs fois. Et maintenant psychologiquement.

— Il est possible que ce soit son sang, admit-il. Mais il a très bien pu s'en prélever lui-même pour en asperger ensuite les murs.

Elle frissonna à cette idée macabre.

— Pourquoi aurait-il fait ça ?

— Pour que tu le croies mort ou blessé…

Car dans ce cas le mariage tombait à l'eau, et tout l'héritage allait à sa sœur.

Refusant toujours son hypothèse, elle secoua la tête.

— Stephen n'aurait jamais fait une chose pareille. Ça ne lui serait même pas venu à l'esprit.

— Peut-être n'était-il pas seul.

Elle s'arrêta et fouilla son regard.

— Il aurait engagé quelqu'un ?

— Je ne pense pas qu'il en ait eu besoin.

— Quelqu'un était disposé à l'aider, tu veux dire ?

Elle le considéra un long moment, puis soupira.

— Tu as une personne précise en tête, n'est-ce pas ? Qui ?

— Ta sœur.

— Rochelle ?

Elle n'éclata pas de rire, comme lorsqu'il avait suggéré que Stephen était peut-être la personne responsable des différents attentats perpétrés contre elle. Au lieu de cela, elle fronça les sourcils et réfléchit.

— Tu penses qu'elle me hait à ce point ?

Il haussa les épaules.

— Je ne connais pas Rochelle. Comme tu l'as rappelé, je suis resté longtemps loin d'ici. J'ai l'impression que je connais à peine ma propre sœur, Nikki. Elle était si jeune quand je suis parti.

— Nikki t'adore, assura Tanya. Mais Rochelle ne peut pas me voir en peinture. Peut-être me hait-elle assez pour vouloir m'empêcher de me marier, ajouta-t-elle d'un ton résigné. Mais Stephen ne s'associerait jamais à elle pour me faire du mal.

Cooper craignait de la blesser en l'informant de ce qu'il avait appris. Lui non plus ne voulait pas lui faire de mal.

Il hésita.

Bien entendu, elle s'en rendit compte. Plissant les yeux, elle chercha son regard.

— Tu as trouvé des choses qui ont éveillé tes soupçons.

Il haussa les épaules.

— Peut-être me suis-je mis à suspecter tout le monde.

— Oui, dit-elle en hochant la tête, tu as changé. Tu n'es plus le garçon que je connaissais. Tu es devenu cynique.

Il ne l'était pas devenu par hasard. Orphelin de père à l'ado-lescence, il avait de bonnes raisons pour cela.

— Tout le monde change en grandissant.

— Pour Rochelle, je n'en sais rien, déclara-t-elle d'un air contrit. Mais si ce que tu cherches à me dire, c'est que Stephen a changé…

Elle secoua la tête.

— Je le connais trop bien.

— T'a-t-il parlé des mails que Rochelle lui a envoyés ?

Elle se tendit, comme si une aiguille l'avait piquée.

— Donc, il ne t'en a pas parlé…

— Ça ne signifie pas qu'il me le cachait, répliqua-t-elle avec un haussement d'épaules. Peut-être ne voulait-il pas aggraver les choses entre Rochelle et moi. J'imagine que dans ces e-mails, elle ne le félicite pas de la chance qu'il a de m'épouser.

— Non. Elle lui demande de *ne pas* t'épouser. Et de l'épouser, elle. Pour avoir la totalité de l'héritage.

Tanya éclata de rire.

— Et c'est pour cela, d'après toi, qu'ils comploteraient ensemble ?

— La totalité, c'est mieux qu'une moitié, répondit-il. C'est une puissante motivation.

— Pas pour Stephen. Il ne s'intéresse pas à l'argent.

— Tout le monde s'intéresse à l'argent. Surtout quand il s'agit d'une telle somme.

Etant donné que Benedict Bradford était l'une des plus grosses fortunes de l'Etat, l'héritage devait se chiffrer en millions, voire milliards de dollars.

— L'avocat de grand-père dit que tu attaches tellement d'importance à l'argent que tu as très bien pu éliminer Stephen de la course afin de m'épouser toi-même.

Il tressaillit et ressentit une pointe de culpabilité. Oui, il avait été jaloux de Stephen. Mais l'idée de s'en prendre à lui ne l'avait jamais effleuré. Avant que les premiers soupçons à son endroit ne germent dans son esprit, il le considérait vraiment comme son ami.

Elle se mit à rire.

— Mais j'ai affirmé à Arthur Gregory que tu ne voulais pas te marier avec toi. Raison pour laquelle je n'ai pas voulu qu'il te présente ce contrat prénuptial.

— Tu aurais dû. Je l'aurais signé.

Il regrettait vraiment de ne pas l'avoir fait. Il ne voulait pas qu'elle doute de lui. Veiller à sa sécurité serait compliqué si elle ne lui faisait pas totalement confiance.

— J'avais peur que tu te sentes offensé.

— Offensé qu'il croie que je veux ton argent ? Ou qu'il croie que je me suis débarrassé de Stephen pour l'avoir ?

Apparemment, l'avocat l'estimait encore moins que Benedict de son vivant. Il balaya d'un haussement d'épaules ces accusations infondées. Il se moquait de ce que les gens pensaient de lui. Hormis Tanya.

— Il pense que l'argent n'était pas ta seule motivation, ajouta-t-elle d'un ton faussement détaché.

— Quelle autre motivation aurais-je eue ?

Stephen avait toujours été un grand ami. Il avait même essayé de garder le contact avec lui quand il était à des milliers de kilomètres. Mais à l'époque Cooper était déterminé à laisser derrière lui son passé et les pertes conjuguées de son père et de Tanya. Pourtant, en faisant cela, il avait failli perdre beaucoup plus. Sa famille, et sa vie.

— Moi, répondit-elle avec un petit rire gêné. Il croit que tu t'étais amouraché de moi.

S'il voulait qu'elle ait confiance en lui, il devait se montrer franc avec elle.

— C'est la vérité.

Mais s'il était tout à fait honnête il devrait préciser que rien n'avait changé. Parce qu'aujourd'hui encore il était fou d'elle. Et qu'il ne voyait qu'un mot pour définir les sentiments qu'il lui portait : l'amour.

Un vertige soudain la saisit. Son souffle s'accéléra, son rythme cardiaque grimpa en flèche et elle eut l'impression de flotter. Peut-être était-ce une séquelle inattendue de sa crise d'asthme. Ou peut-être était-elle toujours cette adolescente follement éprise de Cooper Payne.

Mais cet amour avait été brisé des années auparavant, lorsqu'il avait tenu à ce qu'ils ne soient que des amis.

— S'il disait vrai sur ce point, répondit-elle, disait-il vrai aussi sur le fait que mon grand-père t'avait ordonné de te tenir loin de moi ?

Cooper soupira et hocha la tête.

Tanya sentit l'espoir germer en elle. Peut-être les sentiments qu'elle éprouvait pour lui étaient-ils réciproques…

— Mais il avait raison, dit-il. Nous n'avions rien en commun. Toi tu partais à la fac, et moi chez les marines. Sans doute était-ce plus intelligent de ne pas s'engager dans une relation de couple, plutôt que de le faire pour rompre ensuite.

— Pourquoi aurions-nous dû rompre ?

Jamais elle n'aurait rompu avec lui. Elle lui aurait écrit tous les jours. Elle aurait attendu jusqu'à ce qu'il revienne — jusqu'à ce qu'il *lui* revienne. Mais n'était-ce pas ce qu'elle avait fait, puisque depuis lors elle n'avait jamais ressenti pour un autre le dixième de ce qu'elle ressentait pour l'adolescent d'alors ?

— Nous n'avions rien en commun, répéta-t-il. Et c'est encore plus vrai maintenant.

— En es-tu bien sûr ? demanda-t-elle. Tu protèges les gens. En tant que membre du corps des marines avant, et maintenant comme garde du corps. Eh bien moi aussi je protège les gens.

C'est pourquoi elle voulait son héritage, afin d'aider davantage de familles, ce que les maigres subventions de l'Etat ne lui permettaient pas.

— En tant que travailleuse sociale, c'est vrai, convint-il. A ce propos, je suis surpris que ton grand-père n'ait pas tenté de t'orienter vers un autre métier.

— Il a essayé. Mais il faut croire que je n'étais pas aussi facilement manipulable que toi.

Il fronça les sourcils, comme si elle l'avait insulté… puis il éclata de rire.

— Ton grand-père ne m'a pas manipulé.

— Il savait comment arriver à ses fins. Et il le sait toujours. Même après sa mort, il m'oblige à me marier pour son argent.

Cooper s'esclaffa de nouveau.

— J'étais la dernière personne qu'il voulait que tu épouses, alors excuse-moi, mais sur ce coup il s'est bien trompé !

— Gregory avait peur que Benedict le hante jusque dans son sommeil s'il m'accompagnait jusqu'à l'autel pour que je t'épouse, toi. Parfois, soupira-t-elle, j'ai l'impression de sentir la main de Benedict derrière tout ce qui s'est passé… La disparition de Stephen, les attentats…

Il esquissa un sourire.

— Tu crois que le coupable est un fantôme ?

— Je préfère en attribuer la responsabilité à un fantôme plutôt qu'à moi-même.

— Tu n'as rien à te reprocher, assura-t-il.

— Tu veux que je croie que c'est Stephen ?

— Et peut-être Rochelle, en association.

Elle frissonna.

— Je me refuse à y croire, pour l'un comme pour l'autre.

— Et moi ? Tu serais prête à croire que c'est moi ?

Elle secoua la tête.

— Non.

Une onde glacée lui parcourut les bras, lui donnant la chair de poule. Et si c'était lui ? Si Arthur Gregory avait raison ? Etait-elle seule avec l'homme qui avait éliminé Stephen ?

— Je vois ta peur, dit-il. Tu ne veux peut-être pas y croire, mais tu te demandes si l'avocat de ton grand-père n'avait pas raison à mon sujet.

Il glissa la main sous son blouson, vers son arme, mais c'est son portable qu'il en sortit.

— Je vais demander à l'un de mes frères de me remplacer.

— Non.

Mais il avait déjà pressé une touche, sans doute une fonction talkie-walkie. Au lieu d'une voix, ce sont des coups de feu qu'ils entendirent.

— Logan ? Logan ! Que se passe-t-il ?

— File le rejoindre ! ordonna-t-elle. Va l'aider !

Cooper secoua la tête.

— Je ne peux pas.

— Tu peux me laisser ici, insista-t-elle. Je ne crains rien. Ou bien fais comme lui, laisse-moi ton arme.

— Je ne peux pas rejoindre Logan…

Il fourragea dans ses cheveux, puis laissa retomber sa main et serra le poing, la mine frustrée.

— Il ne m'a pas dit où il allait… Parker non plus.

Elle tressaillit, choquée.

— Vous ne vous faites pas confiance mutuellement ?

— Nous ne voulions pas que l'un de nous puisse révéler la position de l'un ou de l'autre sous la contrainte.

Comme si les Payne pouvaient se trahir entre eux ! Ce n'était pas comme sa sœur et elle. Rochelle avait tenté de convaincre Stephen de ne pas l'épouser. Par dépit, ou par cupidité ?

— Logan ! cria-t-il dans l'appareil.

Plusieurs coups de feu retentirent encore, puis des pneus crissèrent. Suivis d'un chapelet de jurons.

— Ce fumier s'en est encore tiré, fulmina Logan.

— Tu as pu voir son visage ?

— Non. Il portait un chapeau, des lunettes de soleil, et le col de sa veste était relevé.

— Ç'aurait pu être Stephen, tu crois ?

— Même taille, même corpulence, répondit son frère. C'est possible…

Et pour la première fois Tanya réalisa qu'il était possible que Stephen ait retourné sa veste et décidé qu'il voulait tout l'argent de l'héritage. C'est à peine si elle entendit le reste de la conversation de Cooper.

— Est-ce que ça va ? demanda-t-il à son frère.

— Oui. Mais la direction de l'hôtel va nous faire un scandale pour les fenêtres explosées.

— On dirait que c'est le mode opératoire de notre gars.

— Quel lâche ! pesta Logan. Les flics sont en route. Ils ne seront sans doute pas surpris de me revoir.

— Bonne chance, murmura Cooper avant de raccrocher. Je vais appeler Parker.

— Attends ! l'implora Tanya. Stephen ne ferait jamais ça, c'est absurde. Il est riche.

— Les gens riches semblent vouloir l'être toujours plus, répliqua Cooper. Ton grand-père en est un bon exemple. Il n'était jamais satisfait.

Ni de son compte en banque ni de sa famille, ajouta-t-elle pour elle-même…

— Mais Stephen ?

Elle réprima un frisson.

— Ça n'a pas de sens, surtout maintenant. Nous sommes mariés. Pourquoi continuer à vouloir me tuer ?

— Selon Arthur Gregory, ma seule motivation pour t'épouser était de profiter de ton héritage, n'est-ce pas ?

— Mais Rochelle pourrait élever une contestation, puisque notre mariage n'a pas été consommé.

Elle rougit au simple fait d'évoquer ce sujet — et aux images de Cooper nu qu'il suscitait dans sa tête.

— Quoi ? demanda-t-il, les yeux brillants comme si lui aussi avait imaginé ces moments intimes.

— Elle n'a même pas besoin de me tuer pour toucher l'héritage. Tout ce qu'elle a à faire est d'attendre demain, et de déclarer notre mariage invalide.

— Que veux-tu dire ?

— Si nous ne le consommons pas avant le jour de mon anniversaire, elle est en droit de le contester.

Connaissant Rochelle, elle le ferait à coup sûr. Par simple méchanceté.

Cooper hocha la tête, comprenant soudain.

— Stephen et elle pourraient alors se marier et rafler la mise, c'est bien cela ?

Elle hésita, refusant de croire que son meilleur ami ait pu ainsi accepter de la trahir. Puis elle soupira, résignée.

— Oui.

— Nous pouvons mentir, dit-il. Nous pouvons prétendre que nous avons consommé notre mariage. Comment pourrait-elle prouver que c'est faux ? N'es-tu pas bonne menteuse ?

Elle n'avait jamais été très douée pour cela, jusqu'au jour où elle avait feint de convenir avec lui qu'ils ne pouvaient être qu'amis. Il était le seul à y avoir jamais cru.

— D'après ma sœur, non.

Rochelle, elle, ne s'était jamais laissé duper. Elle avait très vite compris qu'elle n'épousait pas Stephen par amour, mais seulement pour toucher sa part d'héritage.

— Je veux bien mentir à Rochelle, dit-elle. Mais je ne pourrais pas mentir devant un juge si les choses devaient en arriver là. Dans mon travail, je suis souvent amenée à témoigner, et si un jour il apparaissait que je me suis parjurée…

Toutes ses anciennes affaires seraient entachées de doute. C'était un risque qu'elle ne voulait pas courir.

— Dans ce cas, qu'as-tu l'intention de faire ? Si j'ai raison pour Stephen, tu n'as pas besoin d'hériter pour payer sa rançon.

— Il n'y a eu aucune demande…

Son fiancé initial n'avait pas été kidnappé. On pouvait toujours lui faire du mal, cependant. Ou bien il était là, quelque part, à tirer sur des fenêtres, à renverser des gens en voiture, à dégoupiller des bombes lacrymogènes.

— Tu n'as donc pas besoin de l'argent.

Si, elle en avait besoin. Pour toutes ces personnes qu'elle voulait aider, et à présent pour une raison encore plus importante.

— Et si tu as raison, répondit-elle, Rochelle et Stephen recevront la totalité de l'héritage.

— Pas ni nous pouvons apporter la preuve de ce qu'ils ont fait.

— Le pouvons-nous ? Ces e-mails sont ils suffisants pour les incriminer ?

— Non, concéda-t-il. Il nous faudra plus d'éléments.

— Eléments que nous ne trouverons peut-être jamais. J'ai eu

à traiter de nombreux cas où je *savais* qu'il y avait négligence et mauvais traitements, mais sans pouvoir le prouver.

Jusqu'à ce qu'il soit trop tard…

Elle cligna des paupières pour refouler un soudain afflux de larmes.

Cooper lui serra l'épaule.

— Tu prends vraiment à cœur ton travail et tous ces gens…

Oui, songea-t-elle. Trop pour laisser Rochelle s'approprier l'argent qui pourrait les aider.

— En effet, répondit-elle. Et toi ?

— Tout ce que je veux, c'est te protéger, Tanya.

Elle inspira à fond pour se donner du courage.

— Alors fais-moi l'amour. Consommons notre mariage.

12

« Fais-moi l'amour. »

Il avait dû mal entendre. Ou rêver éveillé. Et si son cœur faisait de telles cabrioles, c'était juste à cause des coups de feu tirés sur son frère aîné. Ce n'était pas parce qu'il était fou de bonheur de l'avoir *réellement* entendue prononcer ces mots.

Une bouffée de désir le saisit, si intense qu'il dut tousser pour s'éclaircir la voix.

— Je te demande pardon ?

Le visage de Tanya se colora de rose vif. Visiblement trop embarrassée pour répondre, elle hocha la tête.

Personne ne l'avait jamais accusé d'être trop sensible. Peut-être faudrait-il qu'il apprenne à l'être un peu maintenant qu'il était un homme marié. Mais il n'en était pas vraiment un, à moins que…

— Tu m'as bien entendue, dit-elle avec un air de défi.

— OK, je t'ai bien entendue. Mais je ne te comprends pas.

Si elle était amoureuse de Stephen…

— Il me semble avoir été claire, pourtant.

Il secoua la tête pour chasser les émotions qui s'y bousculaient, afin d'avoir les idées claires.

— Si Rochelle décide de contester la validité de ce mariage devant un juge, je n'aurai pas à me parjurer.

Il avait très envie d'elle. Mais il voulait que ce soit un choix réciproque, et non juste un moyen d'aboutir à une fin.

— Donc, tu veux coucher avec moi pour couper l'herbe sous les pieds de ta sœur.

— Pour l'empêcher d'obtenir ce qu'elle veut, précisa Tanya. L'argent.

— Et Stephen ?

Quels étaient ses sentiments à l'égard de son fiancé disparu ? Elle, qui s'était montrée si ardente à le défendre. Où était cette loyauté maintenant ?

— Si tu as raison et qu'ils sont ensemble sur ce coup, elle peut l'avoir !

— Je n'ai aucune certitude, avoua-t-il. J'évoquais juste leur connivence comme une possibilité.

— A cause des e-mails, dit-elle en opinant du chef.

Elle était aussi choquée qu'il l'avait redouté. Mais il avait ressenti le besoin d'être honnête avec elle. Et il le ressentait encore.

— Mais peut-être sont-ils étrangers à tout cela. Nous n'avons trouvé aucune réponse de Stephen à son e-mail. Il est peut-être innocent.

Cooper espérait que c'était le cas, sinon il aurait lui aussi perdu un ami cher. Mais si Stephen était innocent et gravement blessé, il l'avait perdu, cet ami. Car il venait d'épouser sa fiancée.

Ce qui faisait de lui le roi des salauds.

Les yeux de Tanya étaient brillants de larmes.

— Je ne sais plus ce que je veux croire, dit-elle. S'il agit de concert avec Rochelle, alors il est vivant. C'est une ordure, ajouta-t-elle avec mépris, mais il est vivant. Mais si ce n'est pas le cas, où est-il ?

— Nous le cherchons toujours, assura Cooper. Parker a rameuté ses anciens contacts des mœurs.

Alors que Logan était rapidement passé d'agent de patrouille à inspecteur, Parker préférait travailler sous le manteau.

Ou s'il fallait en croire sa réputation, sous les draps.

Cooper, quant à lui, mourait d'envie de se glisser sous les draps avec sa femme. Mais pour de justes raisons. L'attirance mutuelle, le désir, l'amour…

— Les mœurs ? s'étonna-t-elle. Quel rapport avec Stephen ?

— Les indics de Parker sont dans la rue, expliqua-t-il. Ils voient et entendent beaucoup de choses.

Et avec un peu de chance, l'un de leurs tuyaux les conduirait au disparu.

— Par ailleurs, tous les employés et sous-traitants de Payne Protection sont à sa recherche et à celle du type qui t'a tiré dessus.

— Ainsi que sur toi et tes frères, lui rappela-t-elle. Je suis désolée, vraiment désolée pour tous ces soucis que je vous ai causés. Je n'aurais pas dû te demander de…

— Te faire l'amour ?

Elle rougit de nouveau.

— Je sais que ça n'aurait pas été faire l'amour réellement. Je sais que nous ne sommes pas vraiment mariés.

— Le révérend nous a déclarés mari et femme.

En avait-elle eu conscience, ou était-elle déjà évanouie à ce moment-là ?

— Tu l'as obligé à le faire avant que nous quittions la chapelle, dit-elle en penchant la tête, comme si elle se creusait la mémoire. Tout le monde pensait qu'il y avait le feu, mais tu l'as forcé à aller jusqu'au bout.

— Je sais reconnaître ce genre de fumée, répondit-il. Je savais que nous n'étions pas en danger. Mais tu as alors cessé de respirer…

Il frissonna au souvenir de l'issue chaotique de la cérémonie, du visage blême de Tanya, de son corps sans vie dans ses bras.

— Tu m'as sauvée, dit-elle. T'ai-je remercié pour cela ?

— Je ne veux pas de ta gratitude.

Il la voulait, elle. Son cœur, son corps et son âme. Mais peu importaient les paroles prononcées par l'officiant, elle n'était pas réellement son épouse.

— Je sais que tu ne fais que ton travail, mais c'est ma vie que tu passes ton temps à sauver, observa-t-elle.

C'était plus que son travail. Elle était plus que son travail. Et en sauvant sa vie, il sauvait aussi la sienne, parce que sans elle…

Toujours rougissante, elle baissa la tête, évitant son regard.

— Je ne devrais rien te demander de plus, murmura-t-elle. Oublie ce que j'ai dit.

Il lui serait plus facile d'oublier son propre nom que d'oublier ce qu'elle avait suggéré, ce qu'elle lui avait demandé…

« Fais-moi l'amour. »

Tanya chercha un trou dans le sol pour s'y réfugier, mais ses allers et retours n'en avaient creusé aucun. Aussi se tourna-t-elle vers la porte de la chambre. Ses joues étaient brûlantes tant son malaise était grand.

— Je ferais sans doute mieux de…

Défaire ses bagages ? Elle avait emporté si peu de choses. Se reposer ? Elle avait déjà plus dormi à l'hôpital qu'elle ne l'avait fait ces derniers mois tandis qu'elle se débattait avec l'idée d'épouser Stephen seulement pour l'argent.

Que ne ferait-elle pas pour cet argent ?

Elle avait demandé à Cooper de coucher avec elle. Mais était-ce pour l'héritage ? Ou parce qu'elle avait vraiment envie de coucher avec son mari ?

Vu la rapidité à laquelle battait son cœur et les picotements qui lui parcouraient la peau, elle penchait pour la seconde raison. L'argent n'avait été qu'une excuse.

— J'ai… j'ai besoin d'être seule un petit moment, dit-elle.

Le reste de sa vie, par exemple.

Mais au moment où elle se dirigeait vers la porte ouverte, il lui agrippa le poignet.

— Tu ne peux pas me laisser déjà, dit-il.

— Je vais juste dans l'autre pièce.

La chambre. Avec ce grand lit…

— Tu m'abandonnes ?

Elle se retourna et risqua un regard vers son visage. Son visage si beau. Et si grave.

— Je ne divorce pas, plaisanta-t-elle avec maladresse. Je quitte juste le séjour.

— Tu n'auras pas besoin de divorcer, lui rappela-t-il.

Parce qu'ils n'avaient pas consommé leur mariage.

— Le père James nous a unis, poursuivit-il. Mais nous n'avons toujours pas scellé notre union par un baiser.

— Tu veux m'embrasser ? demanda-t-elle.

Mais alors même qu'elle relevait son visage pour poser sa question, il inclina sa tête vers elle. Ses lèvres effleurèrent les siennes. A peine… Ce ne fut même pas un baiser, juste un souffle, tiède et léger.

C'était tout ? C'était terminé ?

Elle voulait plus. Alors elle leva les mains, les noua sur sa nuque, le força à baisser de nouveau la tête et lui rendit son baiser.

Les sentiments qu'elle nourrissait pour lui dix ans plus tôt étaient un amour d'adolescente. Ce qu'elle éprouvait maintenant était une passion de femme — brûlante, profonde, dévastatrice…

Elle l'embrassa avec tout le feu qui la consumait de l'intérieur. D'abord un peu raide, il se mit bientôt à grogner et l'enlaça pour l'attirer davantage contre lui. Ses seins se pressèrent contre son torse.

Puis sa langue força son chemin entre ses lèvres pour aller à la rencontre de la sienne. Percevait-il le goût de son désir ? Savait-il combien elle avait envie de lui ?

Elle gémit, étourdie par l'appel de son corps. Mais ce n'était qu'un baiser… Celui qu'ils auraient dû se donner lors de la cérémonie. Seulement elle avait failli mourir, et elle avait presque perdu l'occasion de l'embrasser de nouveau.

Mais elle voulait tellement plus que son baiser…

Aussi déplaça-t-elle ses mains de sa nuque vers ses larges épaules. Puis les fit glisser devant, sur ses pectoraux. Il se raidit de nouveau, comme s'il s'attendait à ce qu'elle le repousse. Au lieu de cela, elle éprouva la ferme musculature de son torse. Mais son pull faisait obstacle entre ses mains et sa peau. Le saisissant par le bas, elle le remonta vers sa tête, découvrant les plaques régulières de ses abdominaux. Il termina le travail pour elle. Il commença par se débarrasser de son arme pour la déposer sur la table près du canapé. Puis il arracha son pull et le jeta à même le sol.

Seigneur. Cet homme était chaud. Au propre comme au figuré… Chaud comme la braise.

Elle se brûlait rien qu'à le toucher.

Puis il se mit à la toucher aussi. Ses mains descendirent vers ses reins, dans son dos. Mais il les verrouilla autour de sa taille et la souleva dans ses bras, avant de l'emmener dans cette pièce où elle avait voulu aller… pour être seule.

Lorsqu'il la déposa sur le lit, elle s'accrocha à lui, refusant de le laisser partir.

— Reste avec moi, supplia-t-elle.

Cambrant le dos, elle posa un baiser sur ses lèvres, puis un autre sur son épaule, et un troisième sur sa poitrine, où son cœur battait à grands coups sourds.

— Tu es sûre ?

En guise de réponse, elle enleva son propre pull et se tortilla hors de son jean. Peut-être, en inspectant son appartement plus tôt dans la semaine, avait-il déjà remarqué qu'elle avait un goût prononcé pour les sous-vêtements chic et sexy. Elle portait aujourd'hui un soutien-gorge de dentelle rouge qui contenait à peine ses seins, et la petite culotte assortie.

Il émit un nouveau grognement.

— J'espère que tu es vraiment sûre…

— Je le suis.

Et ce n'était ni pour l'argent, ni pour contrarier les projets de sa sœur…

Elle désirait Cooper Payne parce qu'elle l'avait toujours eu dans la peau. Elle ouvrit la bouche pour le lui dire, mais il l'embrassa.

Il l'embrassa avec passion, sa langue s'enroulant sur la sienne, la taquinant, et il la toucha, glissa les mains sur son ventre.

Elle ravala son souffle sous la chaleur de son toucher. Sa peau la chatouillait partout. Elle attendit, attendit qu'il remonte vers son buste. Ses doigts suivirent l'ourlet du soutien-gorge, avant de défaire la délicate agrafe dorée qui séparait les bonnets. Elle haleta lorsqu'il toucha ses seins, et son cœur battit à tout rompre.

Alors qu'elle saisissait ses bras afin de l'attirer avec elle sur le lit, il s'écarta.

Elle se tendit, craignant qu'il ait changé d'avis, qu'il lui dise qu'il n'avait pas envie d'elle. Mais tout ce qu'il fit fut de retirer son jean, puis son caleçon, et elle découvrit qu'il avait sacrément envie d'elle.

Elle avança la main pour toucher son sexe érigé, mais il lui saisit le poignet et l'en empêcha.

— Pas encore, dit-il, ou ce sera trop vite terminé.

Le temps avait dû lui sembler long depuis son retour dans ses foyers. Mais au lieu de se précipiter il prenait son temps.

Il lui leva les deux bras au-dessus de la tête. Ses seins parurent se tendre vers lui, supplier qu'il les touche.

Il les toucha. D'abord de ses paumes, caressant sa peau. Puis de ses doigts, taquinant ses tétons.

Une sourde pression monta en elle, qui s'intensifia jusqu'aux limites du supportable. Elle se tortilla sur le lit, cambra le dos, poussa son bassin contre le sien. Une mince bande de dentelle la séparait encore de son corps, mais elle était déjà tout humide de son envie de lui.

Puis il joua de ses lèvres avec une pointe de sein, tout en faisant rouler la seconde entre son pouce et son index. Elle décolla littéralement du lit en gémissant.

Cela faisait longtemps pour elle, également. Elle avait mis son manque d'aventures sur le compte des menaces qu'elle recevait, mais à présent elle savait… Elle avait été déçue par tous les hommes avec qui elle était sortie, parce qu'ils n'étaient pas Cooper.

En cet instant, déçue elle ne l'était pas. Pas du tout.

Il revint vers sa bouche, et, tout en l'embrassant, descendit la main vers son ventre, écarta la dentelle rouge et caressa délicatement son intimité, du bout des doigts.

— Cooper… S'il te plaît…

Elle sanglotait presque ces mots, ses entrailles étaient en feu.

Sans cesser de l'embrasser, il quitta sa bouche pour s'aventurer vers sa poitrine. Il la taquina encore, avant de glisser les lèvres plus bas sur son corps. Il lui ôta enfin la fine culotte et la jeta par terre sur le reste de leurs vêtements.

Elle serra les draps de ses poings tandis qu'il lui faisait l'amour de ses lèvres et de sa langue. Soudain, la pression qui s'était accumulée en elle balaya tout dans son corps et son esprit, libérant sa furie, et un cri s'échappa de sa gorge.

Elle tremblait. Mais elle n'était pas la seule. Les bras de Cooper étaient agités de secousses tandis qu'il prenait appui sur le lit pour couvrir son corps du sien. Elle avança la main entre eux, et la referma sur son membre. A la fois doux et ferme, celui-ci palpitait comme s'il était animé d'une vie propre. Elle écarta les jambes et le guida en elle, avançant le bassin à sa rencontre.

Il était fort, si fort qu'il l'emplit totalement. Et pourtant ils s'adaptaient l'un à l'autre. A la perfection. Elle referma les bras et lança les jambes dans son dos, puis épousa le rythme de ses poussées. Ils bougeaient à l'unisson. A mesure que la volupté montait en elle, elle percevait la tension de son corps puissant, la dureté de ses muscles.

Des nerfs se tendirent sur son cou, une veine se dilata sur son front, et un muscle battit sur sa mâchoire comme s'il serrait les dents. Ce qui n'empêcha pas un grognement de sourdre de sa gorge.

Glissant la main entre eux, il pressa le pouce sur la partie la plus sensible de sa féminité. L'orgasme lui laboura le corps avec une telle force qu'elle hurla tout en sanglotant son nom.

Il la rejoignit, sans cesser d'aller et venir en elle à grands coups de reins. Un second grognement lui échappa, si rauque qu'il dut lui abîmer les cordes vocales. Puis il s'effondra sur elle.

Elle accueillit avec joie son corps chaud. Elle était si seule, avait froid depuis si longtemps… Mais il roula de côté, emportant sa chaleur avec lui. Et une autre forme de tension naquit en elle.

Regrettait-il déjà ce qu'ils avaient fait ?

Elle-même n'avait aucun regret — en dehors du fait que c'était déjà terminé. Elle avait envie de recommencer. Avançant la main, elle lui toucha l'épaule.

— Cooper…

Il se retourna et couvrit sa bouche de sa main.

— Chut… Ecoute…

Et elle les entendit aussi. Des bruits de pas dans le couloir de leur étage. D'abord, ils dépassèrent leur porte. Puis ils s'arrêtèrent et firent demi-tour. S'arrêtèrent de nouveau. Par la porte ouverte de la chambre, elle vit des ombres sous la porte de leur suite.

Et entendit quelqu'un tourner le bouton.

La main de Cooper s'écarta de sa bouche, mais c'est à peine si elle osa chuchoter.

— Tu disais que personne ne savait où nous étions…

— Personne ne le sait.

A l'évidence, si. Et il était venu pour eux. Pour elle…

Le bouton cliqueta. Ils virent le cylindre tourner, et le verrou… se déverrouiller.

Tanya voulut hurler de nouveau, mais son cri se bloqua dans sa gorge tant elle était effrayée.

13

Son arme était dans l'autre pièce, et son pantalon par terre. Quel garde du corps il faisait ! Pourtant il ne se laissa pas distraire comme il s'était laissé distraire par Tanya. En quelques secondes, il bondit hors du lit, gagna le salon et sortit le pistolet de son étui. Il le braqua sur la porte de la suite au moment où celle-ci s'ouvrait.

Cooper préférait attendre que l'individu entre. En effet, s'il se mettait à tirer à l'aveuglette, Tanya risquait d'être touchée. Il n'avait pas fermé la porte de communication avec la chambre, mais elle n'était pas dans son angle de vision. Elle avait quitté le lit et, espérait-il, avait pu enfiler un vêtement.

Lui-même n'en avait pas eu le temps.

— Un pas de plus et je vous fais sauter la tête ! lança-t-il.

Un rire puissant éclata. Horripilant, et odieusement familier.

— Ne tire pas sur ton grand frère préféré !

Parker pointa la tête dans l'entrebâillement de la porte, et se remit à rire, plus fort encore, en découvrant la nudité de Cooper.

— Sors d'ici ! beugla celui-ci.

— D'accord, d'accord, j'attendrai dans le couloir, répondit Parker en reculant pour fermer la porte.

— Tu m'as dit qu'ils ne savaient pas où tu étais, dit Tanya d'un ton à la fois accusateur et embarrassé.

Elle s'était totalement rhabillée, tandis que lui était nu comme un ver devant elle.

— C'est ce que je croyais…

L'un des deux l'avait-il suivi ? Ne lui faisaient-ils pas

confiance ? Cela étant, si l'on considérait la manière dont il avait perdu de vue sa mission, ils n'avaient peut-être pas tort.

Jurant entre ses dents, il se hâta de ramasser ses vêtements et de se rhabiller. Bien qu'il sache que c'était Parker qui avait crocheté la porte, il accrocha son holster à son épaule et y plaça son arme avant de sortir de la suite.

Adossé au mur devant lui, son frère gloussait encore.

— Et on dit que je suis un tombeur…

— Je ne suis pas un tombeur, grommela Cooper, la mâchoire crispée.

— C'est juste, dit Parker. Tu es un homme marié à présent.

Pleinement et juridiquement marié, puisque le mariage était désormais consommé.

— Et toi un grand imbécile, rétorqua-t-il.

Là, il ne plaisantait plus qu'à moitié.

— Un imbécile qui a réussi à te retrouver, lui rappela Parker.

Une bouffée de culpabilité envahit Cooper. Il avait échoué à assurer une totale protection à Tanya.

— Comment as-tu fait ?

— J'ai mes sources.

— Stephen a été localisé ?

Ce qui expliquerait l'initiative de son frère de se mettre à sa recherche.

— Non, fit ce dernier en secouant la tête.

— Alors qu'est-ce que tu fiches ici ? Tu t'ennuyais ?

Parker se remit à rire.

— Ouaip. Moi, je n'ai pas été envoyé en mission secrète avec une jolie fille.

— Nikki n'est pas une jolie fille ?

— C'est ma petite sœur, répondit-il d'un air affligé.

— On ne vous a pas tiré dessus ?

— Non, répliqua Parker avec un large sourire. Mais nous n'avons pas été suivis.

Logan n'oublierait pas cette journée de sitôt.

— Moi non plus, dit Cooper. Alors pourquoi m'as-tu traqué

jusqu'à notre planque ? Et surtout : pourquoi as-tu voulu entrer dans la suite comme un cambrioleur ?

Il s'en était fallu d'un cheveu qu'il ne le descende.

— J'ai entendu hurler, répondit Parker.

Cooper sentit ses joues s'empourprer. Lui non plus n'oublierait pas cette journée avant longtemps !

— Peut-être n'es-tu pas le play-boy que tout le monde croit si tu n'as jamais entendu ce genre de cri auparavant…

Parker lui donna un petit coup de poing à l'épaule.

— Je n'ai jamais eu de réclamations.

— Sans doute parce que tu sors avec des femmes polies.

Parker éclata de nouveau de rire.

— Tu es trop drôle, mec ! J'avais oublié combien tu pouvais l'être.

Lui aussi l'avait oublié. Il avait quitté sa famille pour fuir le souvenir de son père — son décès tragique, leur chagrin, insoutenable… Il avait oublié les taquineries et les rires. Oublié le sens du verbe s'amuser. En partant, il avait perdu tout cela.

Mais s'il ne découvrait pas qui persistait à vouloir leur tirer dessus, il risquait de tout perdre de nouveau.

— Pourquoi es-tu ici ? demanda-t-il. Logan n'a rien, tu es sûr ? Il n'a pas été touché ?

— Bien sûr que non. Si ç'avait été aussi chaud, Candace se serait jetée devant lui pour prendre les balles à sa place.

Ce n'était un secret pour personne — sauf pour Logan — que l'une de ses employées était éperdument amoureuse de lui. Il n'avait fallu que quelques jours à Cooper pour s'en rendre compte.

— Si Logan va bien, que fais-tu ici ?

— Maman, soupira Parker.

— Quoi, Logan la laisse de nouveau interférer dans ses affaires ?

— C'est maman, répondit-il, comme si cela expliquait tout. Il s'est juste évertué à la calmer en lui disant que, si je parvenais à te dénicher, je devais te ramener.

— Pourquoi ?

— Parce qu'il pense que si j'ai pu le faire d'autres le pourront aussi. Je crois qu'il sous-estime complètement mes capacités.

Mais au lieu de ruer dans les brancards, comme Nikki, il haussa les épaules d'un air fataliste.

Logan n'était pas le seul à avoir commis la faute de sous-estimer Parker. Lui aussi.

— Il a peut-être raison.

Avait-il été si longtemps absent qu'il ne connaissait plus aussi bien la ville qu'autrefois ?

— Comment as-tu fait pour me trouver ?

— Je me suis dit que tu allais choisir un endroit chouette, vu que c'est pour ta lune de miel et tout…

Il se fendit d'un sourire satisfait.

— Et tu as des contacts ici ?

— Ouaip. Top niveau.

— Où sommes-nous censés aller, maintenant que tu as grillé notre repaire ?

— A la chapelle.

— Comme si c'était un endroit sûr…

— Maman pense que oui. Pas parce que c'est la chapelle, mais parce que nous serons tous là. Elle dit qu'ensemble nous sommes plus forts.

Etant donné que Logan venait de se faire canarder, Cooper n'avait rien à y redire. S'ils avaient été ensemble, l'un d'eux aurait pu prendre en chasse le tireur pendant que sa cible se mettait à l'abri.

— Nous pouvons tous nous réunir, mais est-il indispensable que ce soit à la chapelle ?

— Comme cette bombe lacrymo a chamboulé le programme d'hier, expliqua Parker, elle veut que la réception se tienne aujourd'hui.

— C'est un peu tard…

— Pas pour la fête d'anniversaire de Tanya.

— C'est demain, fit remarquer Cooper.

Elle devait être mariée avant cette date pour pouvoir hériter. Non seulement l'union devait être officielle, mais le mariage devait avoir été consommé. Cooper dut se remettre en tête que c'était l'unique raison pour laquelle ils avaient fait l'amour. L'argent.

L'amour y était totalement étranger. Du moins, de son côté à elle.

— Maman dit que la nourriture ne tiendra pas jusque-là.

Et comme Logan venait d'essuyer de nouveaux coups de feu, peut-être en serait-il de même pour Tanya et lui.

Des fines volutes s'élevaient des petites flammes dansantes. Tanya ferma les yeux, inspira à fond, puis souffla dessus, espérant toutes les éteindre en même temps. Il y avait assez de place pour les trente bougies, puisque c'était son gâteau de noces que Mme Payne avait sorti pour cette fête qui célébrait en même temps son mariage et son anniversaire.

— As-tu fait un vœu, ma chérie ? demanda celle qui était désormais sa belle-mère.

Tanya rouvrit les yeux, et son regard tomba sur son mari. Si seulement il pouvait l'être réellement…

Certes, ils avaient consommé leur mariage. Mais ils n'avaient pas fait l'amour. Du moins, lui ne l'avait pas fait.

Elle était amoureuse… Mais seule dans cette aventure.

Enfin, pas en ce moment précis. Tous les membres de la famille Payne et une partie de leurs employés s'étaient réunis dans la grande salle en sous-sol de la petite chapelle blanche. Avec son plafond à caissons ouvragés et ses murs tendus d'un brocart évoquant de la dentelle, c'était une très belle pièce. Les lumières scintillaient de partout, créant un espace presque magique. Même le sol semblait couvert de poussière brillante.

Tanya songea de nouveau, comme au moment où elle lui avait présenté cette robe de mariée, que Penny Payne aurait fait une merveilleuse tante de contes de fées. Mais elle n'était pas Cendrillon, et aucun prince charmant ne viendrait lui faire essayer une pantoufle de vair.

— Oui, j'ai souhaité que votre robe soit intacte, répondit-elle.

Mme Payne secoua la tête, l'air réprobateur.

— Tu ne devais pas me le dire.

— Ou mon vœu ne se réaliserait pas…

— Eh bien si, il s'est réalisé, déclara Penny avec un grand sourire. La robe n'a pas un accroc.

— Ils ne l'ont pas découpée ?

La dynamique quinquagénaire secoua la tête.

— L'urgentiste était une femme, répondit-elle. Elle savait l'importance qu'avait pour toi ta robe de mariée.

— *Votre* robe de mariée, corrigea Tanya.

Tanya n'avait fait que l'emprunter parce qu'une personne malveillante avait réduit la sienne en charpie. Fouillant la salle des yeux, elle aperçut Rochelle. Pourquoi était-elle venue ? Pour chercher une fois de plus à la tuer ?

Avec tous les Payne et leurs collaborateurs présents à cette fête, il faudrait qu'elle soit folle pour tenter quoi que ce soit. Mais encore une fois, il avait fallu qu'elle soit folle pour simplement vouloir attenter à sa vie, songea Tanya avec dépit. Avait-elle jamais vraiment connu sa petite sœur ?

En tout cas, pas comme les Payne se connaissaient entre eux.

Depuis la chambre, elle avait entendu la conversation de Cooper avec Parker — leurs subtiles vannes de mâles. Et elle avait cru qu'après cela elle ne pourrait plus jamais regarder en face le grand frère de Cooper. Mais lorsqu'elle était sortie dans le couloir, il s'était montré aussi charmant, respectueux et amical qu'il l'avait toujours été.

C'était Cooper qui avait changé. Mais peut-être n'avait-il pas changé du tout, peut-être était-ce elle qui voulait qu'il agisse de manière différente avec elle. On aurait dit qu'à ses yeux ils n'étaient que de vieilles connaissances. Il ne se comportait même pas en ami. Moins encore en époux.

Ni en amant…

Sa déception était telle qu'elle avait le plus grand mal à conserver le sourire de façade qu'elle avait arboré en entrant dans la salle.

— Le moment est venu de couper le gâteau ! annonça la maîtresse de cérémonie. Cooper, viens ici.

Il était dans un coin de la salle, en conciliabule avec ses frères, la tête penchée vers eux. Ils étaient tous les trois si beaux, avec leurs cheveux noirs, et leurs yeux d'un bleu si vif qu'il semblait briller dans la lumière des lampes, même à cette distance. Cooper tourna la tête, et leurs regards se croisèrent.

Le cœur de Tanya s'arrêta de battre, et elle peina à respirer.

— Non, protesta-t-elle mollement. Vous pouvez le couper vous-même. Ce n'est pas comme s'il s'agissait de la véritable réception.

— En es-tu bien sûre ? répliqua Mme Payne avec un sourire espiègle, et un étrange éclat dans ses yeux marron.

Parker lui avait-il fait part de ce qu'il avait entendu ? Ou Tanya s'était-elle trahie par la manière dont elle ne cessait d'observer Cooper ? Il est vrai qu'elle ne le voyait pas tel qu'il était maintenant, en jean et pull-over. Elle le voyait tel qu'il avait été dans le lit, majestueux dans sa nudité, vibrant de désir…

Mais n'importe quelle femme n'aurait-elle pas fait l'affaire après son retour de guerre ?

Mme Payne lui serra l'épaule.

— Tout ira bien, ma chérie.

Comment pouvait-elle croire cela, après avoir perdu son mari de façon aussi tragique ? Elle devait savoir que toutes les histoires n'avaient pas une issue heureuse.

Parfois, les choses n'étaient pas faites pour durer. Comme son mariage avec Cooper. Ils divorceraient, puisqu'une annulation n'était plus possible après ce qu'ils avaient fait cet après-midi.

— Qu'est-ce qui ira bien ? demanda Cooper en les rejoignant, l'œil méfiant.

Soupçonnait-il, comme elle avait commencé à le croire, que sa mère jouait les entremetteuses avec eux ?

Mme Payne lui tapota la joue en souriant.

— Ne te fais pas autant de souci, mon grand.

— Difficile avec un sniper en liberté…

Il jeta lui aussi un œil en direction de Rochelle.

Tanya n'avait jamais vu sa sœur une arme à la main. Elle doutait qu'elle sache s'en servir, et encore moins qu'elle soit bonne tireuse. Et le soir de la répétition elle était si soûle que Nikki avait dû la reconduire chez elle et ne l'avait pas quittée après cela. Elle n'aurait pas été capable de foncer sur elle en voiture, ni de mitrailler la fenêtre de son appartement. Donc, si elle était derrière les attentats, elle avait forcément un complice.

Stephen ?

Une pointe de douleur la traversa à l'idée de sa possible trahison. Non, il était incapable de faire le moindre mal, à elle ou à quiconque. Mais si ce n'était pas lui, qui était-ce ?

Une personne liée à son travail n'aurait pas été au courant des conditions de l'héritage. Elle avait toujours pris soin de garder sous silence le fait qu'elle était la petite-fille de Benedict Bradford. Par conséquent, cette personne n'aurait eu aucune raison de vouloir empêcher son mariage.

— Tes frères et toi allez découvrir qui a fait ces horribles choses, dit Mme Payne à Cooper. C'est une honte que le mariage ait été ainsi saboté. Vous devriez être en smoking et robe blanche en cet instant.

— Mais nous ne le sommes pas, maman, répondit-il. Je ne vois donc aucune raison de couper ce gâteau ni de nous livrer à ces fantaisies que tu as prévues.

Elle réprima un petit cri et posa la main sur son cœur, comme si son fils y avait planté le couteau qu'elle tenait.

— Une réception de mariage n'est pas une fantaisie. C'est une tradition. C'est la base nécessaire pour assurer bonheur et harmonie entre les époux.

— Maman, tu sais bien que je ne suis pas l'homme que devait épouser Tanya.

Et comme elle-même l'avait souligné, il ajouta :

— Ce n'est pas comme si c'était vrai.

Plutôt que de polémiquer, Penny lui tendit le couteau d'un geste solennel.

— Mais il faut que ça en ait l'air…

Elle reporta à son tour les yeux sur Rochelle, que venait de rejoindre Arthur Gregory.

— Les gens doivent croire que c'est vrai.

Cela leur ramènerait-il Stephen sain et sauf ? Ou bien était-ce lui le danger ?

Lorsque la main de Cooper se fut refermée sur le manche du couteau, Mme Payne saisit la main de Tanya, la plaça sur celle de son fils et la serra en un geste de bénédiction.

Tanya n'avait pas besoin de sa bénédiction. Elle avait besoin de l'amour de Cooper. Elle sentit la main de celui-ci se crisper sous la sienne comme s'il ne supportait pas qu'elle le touche.

Qu'elle le touche *maintenant*.

Car il n'avait pas protesté quand elle l'avait touché, à l'hôtel. Ou plutôt si, il avait protesté parce qu'il ne voulait pas précipiter les choses. Il avait pris son temps, l'embrassant, caressant chaque centimètre carré de sa peau, lui avait fait l'amour pleinement, totalement…

Ses joues devinrent écarlates tandis qu'elle se rappelait ces moments d'intense volupté. Il baissa les yeux vers elle, et la lueur qu'elle vit dans ses yeux déclencha une onde brûlante en elle, comme s'il partageait son souvenir.

Ses lèvres s'entrouvrirent, et un soupir lui échappa. Elle voulait qu'il baisse la tête et couvre sa bouche de la sienne, elle voulait qu'il l'embrasse.

Elle avait envie de lui.

Sa main se tendit sous la sienne, comme s'il sentait à travers elle la puissance de son désir… Puis il enfonça la lame dans l'épaisseur du gâteau.

Tout son corps criait sa faim de lui, et son sang bouillonnait dans ses veines. Allait-elle cesser un jour de le désirer ? Même ici, devant sa famille et ce qui restait de la sienne, elle ne pouvait contrôler la folle passion qu'elle éprouvait pour lui.

Il tourna la lame du couteau pour soulever la tranche qu'ensemble ils venaient de couper. L'intérieur était rouge, et elle était surmontée d'un glaçage blanc. Elle ne pouvait attendre pour le goûter. De la main, elle en cassa un petit morceau qu'elle porta à ses lèvres. Alors qu'elle en croquait délicatement une partie, la pointe de sa langue glissa sur les doigts de Cooper.

Elle préférait son goût à celui du gâteau.

Ses pupilles se dilatèrent, ses narines frémirent et il prit une profonde inspiration.

— Tanya…

Elle se lécha lentement, sensuellement, les lèvres.

Cooper gronda.

C'est alors qu'elle se rendit compte que ce qu'elle avait aimé n'était pas le goût de ses doigts, ni celui du gâteau appelé Rouge Velours, mais celui de cacahuète. Ou de beurre de cacahuète.

Mais peu importait, l'un ou l'autre était assez dangereux pour la tuer. Elle n'avait pas seulement un inhalateur dans son sac, elle avait aussi un EpiPen pour soigner ses allergies… Et il ne s'y trouvait pas lorsque Nikki le lui avait apporté.

A présent elle savait pourquoi. Celui qui la pourchassait ne voulait pas qu'elle l'ait sous la main lorsqu'elle s'empoisonnerait.

Sa langue devenait sèche et épaisse. Sa gorge commençait à gonfler. Elle leva les mains vers son cou, cherchant un peu d'air.

Cooper l'avait ramenée une fois à la vie. Mais il ne lui serait d'aucun secours cette fois-ci. Rien ne pouvait la sauver. C'est pourquoi elle était heureuse qu'ils aient fait l'amour.

Maintenant elle regrettait de ne pas lui avoir dit qu'elle l'aimait.

Mais, avec sa langue qui avait doublé de volume, elle ne pouvait articuler un mot. Elle commençait à suffoquer, de toute façon. Sa vision s'assombrit, tandis que l'évanouissement la guettait. Ou peut-être la mort…

14

Cooper sentait ses doigts le chatouiller au contact de la langue de Tanya. Son cœur battait trop fort, et tout son corps était tendu de désir. Puis il l'entendit émettre un son étranglé, oh, très ténu. Quelques secondes plus tôt ses joues étaient vermeilles et ses yeux brillaient tandis qu'elle le provoquait.

A présent son visage était d'une pâleur cadavérique et ses yeux basculaient dans leurs orbites. Il avança les bras et l'attrapa juste au moment où elle s'effondrait, ses jambes se dérobant sous elle. Grommelant un juron, il la souleva entre ses bras.

— Maman ! As-tu mis de l'arachide dans le gâteau ?

Il se souvint des autres enfants qui en voulaient à Tanya, à l'école, parce qu'ils ne pouvaient pas avoir de beurre de cacahuète ni rien contenant de l'arachide à cause de son allergie infantile.

A cause de cette allergie, elle avait été rejetée, ostracisée. Comme son asthme, celle-ci n'avait pas dû disparaître avec les années.

— Bien sûr que non ! répondit Penny en se précipitant vers eux. Je sais bien qu'elle y est allergique.

Sa sœur et Stephen devaient le savoir aussi. Il jeta un regard circulaire dans la salle, à la recherche de Rochelle. Elle était à côté de Nikki, celle-ci ayant été chargée de la surveiller. Bien sûr, Logan avait des hommes en soutien. Si elle avait été seule, il ne lui aurait pas fait confiance.

— Eh bien, elle vient d'en avaler.

Sa mère passa un doigt sur la lame du couteau et le goûta.

— Quelqu'un a dû mettre de l'huile d'arachide dans le glaçage.

— Tu as un EpiPen ? demanda-t-il, plein d'espoir. T'en a-t-elle donné un de secours ?

Elle secoua la tête.

— Non. Je n'ai pas pensé qu'elle en aurait besoin. Je me suis assurée que rien ne contenait le moindre atome d'arachide.

Quelqu'un d'autre s'était assuré du contraire. La gorge de Tanya devait être à présent complètement obturée. Il sentit son souffle s'éteindre, comme cela s'était produit deux jours plus tôt.

— Appelez le 911, quelqu'un !

— Prends ça, dit une voix féminine à côté de lui.

C'était Rochelle, qui lui tendait un stylo-injecteur d'épi-néphrine, la fameuse EpiPen.

Il le contempla, essayant de deviner s'il ne s'agissait pas d'un autre mauvais coup de sa part, une façon d'achever sa sœur sous leur nez.

— Pourquoi as-tu ça ?

Il se demanda si ce n'était pas celui subtilisé dans le sac de Tanya, en même temps que l'inhalateur.

— J'ai la même allergie, expliqua-t-elle. Je ne peux pas avaler d'arachide, sous quelque forme que ce soit.

Mme Payne lui serra les deux épaules.

— Heureusement que tu n'as pas touché au gâteau !

Mouais… Ça tombait bien. Et donc, Rochelle offrait son EpiPen à cette sœur qu'elle détestait. Il n'accordait pas facilement sa confiance, mais le comportement et les actes de la jeune femme lui donnaient mille raisons de se méfier d'elle.

— Prends-le ! lui cria-t-elle. Elle ne peut plus respirer.

— N'est-ce pas ce que tu veux ? demanda-t-il. Ecarter ta sœur de ton chemin ?

— Je ne veux pas qu'elle meure ! couina-t-elle en lui fourrant l'objet dans la main. Est-ce là ce que tu veux, toi ?

C'était assurément la dernière chose qu'il voulait. S'ils avaient dû attendre l'ambulance lors de sa crise d'asthme, Tanya serait morte. Cette fois non plus ils ne pouvaient pas attendre. Aussi l'étendit-il sur le sol, et injecta-t-il l'antidote dans sa cuisse, à l'endroit qu'elle lui avait un jour indiqué, au cas où. Il n'avait jamais oublié.

Il n'avait jamais rien oublié concernant Tanya Chesterfield.

Elle lâcha un petit cri, puis inspira lentement, à fond. Ses yeux s'ouvrirent, et elle les regarda tous.

— Ça va, assura-t-elle.

Des sirènes retentirent tandis que les premiers véhicules de secours s'arrêtaient devant la chapelle.

— Je n'ai pas besoin d'aller à l'hôpital.

— Oh que si, répliqua Cooper en la soulevant de nouveau, pour la porter jusqu'à l'ambulance.

Il n'était pas totalement convaincu que le médicament fourni par Rochelle n'aurait pas quelque dangereux effet secondaire. Il devait veiller à ce que Tanya soit réellement hors de danger.

Parce qu'il ignorait ce qu'il ferait s'il perdait sa femme.

— Tu as de la chance que nous ne soyons pas vraiment mariés, dit Tanya.

Le long corps de Cooper était installé de guingois sur une chaise inconfortable à côté du lit.

— Tu as déjà passé assez de temps à l'hôpital à cause de moi.

— Trop, convint-il.

Elle cligna les yeux pour refouler de nouvelles larmes.

— Je suis désolée. D'habitude, mon allergie et mon asthme ne posent pas de problèmes.

— Mais quelqu'un s'en est servi pour essayer de te tuer. Quelqu'un qui te connaît bien.

— Ce n'est donc pas une personne à qui j'ai eu affaire dans le cadre de mon travail.

Ce qu'elle regrettait presque. Un client irascible qui lui aurait voué une rancune tenace serait plus facile à accepter.

Cooper soupira.

— Ça reste possible. Du moins, c'est ce que voudrait me faire croire Nikki.

Parce que Nikki et Rochelle étaient amies. Il était proba-

blement plus dur pour elle de douter de son amie que pour
Tanya de douter de sa sœur. Elle avait déjà vécu un drame,
s'agissant de Stephen.

— Selon elle, les harceleurs n'abandonnent jamais.

Se renversant en arrière dans son siège, il tendit la main
pour ouvrir la porte.

— Nikki ?

Sa sœur entra dans la chambre, avec sa silhouette menue
et ses cheveux cuivrés. Elle avait dû patienter dans le couloir.
Et elle n'était pas seule. Rochelle entra à sa suite, mais s'arrêta
presque aussitôt, comme si elle ne se sentait pas la bienvenue.

Ce qui était compréhensible, vu la manière dont Cooper
la fixait. Mais au moins, cette fois, elle était venue s'enquérir
de son état.

La fois précédente, c'était comme si elle se fichait que sa
sœur ait failli mourir, ce qui avait alimenté les suspicions de
Tanya à son endroit... Mais elle avait toujours eu du mal à
comprendre sa cadette.

— Tu te sens vraiment bien ? demanda Nikki d'un ton
anxieux.

Tanya hocha la tête.

— Ce qui me gêne, c'est que mes crises reviennent.

Elle avait l'impression d'avoir de nouveau douze ans, que les
esprits maléfiques qu'elle combattait depuis l'enfance étaient
revenus la persécuter. Et avaient presque réussi à la faire passer
de leur côté.

— Ce n'est pas ta faute, dit Nikki. Quelqu'un en a après toi.
J'ai dit à Cooper que ça pouvait être ce suiveur, que j'appelle
le harceleur.

— C'est pourquoi je t'ai demandé de venir, dit-il. Pour que
tu exposes ta théorie à Tanya.

Il se leva.

— Il faut que j'aille faire le point avec Logan et Parker. Tu
as bien compris ? s'enquit-il en plongeant les yeux dans ceux
de sa sœur.

Nikki acquiesça. Elle semblait avoir saisi ses intentions :

elle devait bien sûr expliquer son idée à Tanya, mais surtout la protéger de Rochelle.

Sur ce, Cooper sortit de la chambre sans même un regard en arrière. En avait-il assez d'elle ? Assez de tous ces drames qu'elle avait apportés dans sa vie ?

— Je suis sidérée qu'une personne puisse en savoir autant sur moi, dit-elle.

A moins que cette personne ait été un proche, l'ait connue depuis l'enfance.

— Les harceleurs sont des obstinés, expliqua Nikki. Je les ai étudiés durant mes cours de psychologie et de criminologie. Il n'est pas rare qu'un harceleur aille jusqu'à examiner les déchets de l'objet de son obsession, ou même, s'il est intelligent, à pirater sa boîte e-mail.

Elle frissonna à l'idée que quelqu'un avait pu s'introduire dans sa vie privée, lire sa correspondance, savoir ce qu'elle mangeait, buvait, utilisait, jetait…

— Tu préfères penser que c'est moi plutôt qu'un harceleur ? demanda finalement Rochelle, de son habituel ton hostile.

— Bien sûr que non, répondit Tanya, avec un pincement de culpabilité. En donnant cet EpiPen à Cooper, tu m'as sauvé la vie.

— J'ai dû le forcer à le prendre, précisa sa sœur. Il est persuadé que je veux ta mort.

Tanya ne supportait plus de ne pas savoir qui voulait qu'elle meure.

— Pourquoi, ce n'est pas vrai ?

Rochelle grogna un juron et secoua la tête.

— Tu me hais vraiment, hein ?

— Non, répliqua Tanya. C'est toi qui me hais, et j'ignore pourquoi. Qu'est-ce que je t'ai fait ?

— Il s'agit plutôt de ce que tu n'as pas fait.

— Je ne comprends pas.

— Non, tu ne comprends pas. Parce que tu n'as jamais essayé. Tu étais exactement comme maman, accusa Rochelle.

— Que veux-tu dire ?

— Elle était obnubilée par papa, même s'il était le dernier des salauds. Et toi tu étais obnubilée par un mec.

— Mais de quoi me parles-tu ?

— Cooper Payne. Tu étais obsédée par lui à l'époque, et tu l'es encore aujourd'hui. J'ai bien vu comment tu le regardais à la réception. On aurait dit que c'était lui que tu voulais manger, et non le gâteau.

Elle ne pouvait le nier. Elle se mit à rougir, embarrassée.

— Cela aurait été moins risqué, ironisa Nikki. Bon Dieu, Rochelle, quelqu'un essaie de la tuer, de tuer ta sœur ! Ne peux-tu pas tourner la page de son manque d'attention pour toi quand tu étais ado ?

— Tu étais tellement plus jeune que moi, fit remarquer Tanya.

Rochelle croisa les bras sur sa poitrine, visiblement toujours dans les mêmes dispositions.

— Pas tant que ça.

— Six ans.

— C'est beaucoup, dit Nikki. Mes frères me traitent toujours comme une gamine.

— Je te demande pardon, dit Tanya. J'aurais dû te consacrer plus de temps.

Elle aurait dû faire en sorte que sa sœur se sente valorisée, plus que leur mère ne l'avait jamais fait. Andrea Chesterfield était l'exacte antithèse de Penny Payne, qui avait toujours fait passer ses enfants en premier, même lors du deuil de son mari.

Rochelle secoua la tête et battit des paupières, comme pour refouler des larmes.

— Ce n'est pas juste, tu sais…

— Qu'est-ce qui n'est pas juste ?

— Tu es si belle.

Il y avait une telle amertume dans sa voix que cela sonnait plus comme une accusation que comme un compliment.

— Tu as tous les garçons que tu veux…

Elle n'en voulait qu'un.

— C'est faux.

— Tu as eu Stephen…

Sa voix se brisa comme si elle allait pleurer.

— Et maintenant tu as Cooper. C'est lui que tu veux vraiment. Qu'as-tu fait à Stephen pour l'éliminer de la course ?

Tanya faillit s'étrangler.

— Tu crois que je pourrais faire du mal à Stephen ?

— Oui, répondit Rochelle. Parce que tu n'as jamais eu pour lui les sentiments que tu as pour Cooper Payne. Tu as accepté de l'épouser pour avoir l'argent, parce que ton anniversaire arrivait à grands pas et que Cooper ne rentrait pas. Mais lorsqu'il est revenu, Stephen a, par un heureux hasard, disparu.

Sa sœur était amoureuse de Stephen. C'était maintenant si clair à ses yeux… parce qu'elle-même aimait tant Cooper.

— Est-ce que tu as bu ? demanda Nikki.

— Non ! aboya Rochelle.

— Etais-tu ivre quand tu as envoyé cet e-mail à Stephen ? demanda Tanya.

Les joues de Rochelle s'empourprèrent.

— Lequel ?

Par ce mot, elle confirmait qu'elle lui en avait envoyé non pas un, mais plusieurs.

Nikki grimaça. Elle ne devait pas avoir dit à son amie que c'étaient ses frères, ou vraisemblablement elle-même, puisqu'elle était informaticienne, qui avaient trouvé ces e-mails. Tanya était sans doute censée garder l'info pour elle, mais elle s'en fichait. Elle voulait des réponses.

— Celui où tu le supplies de me laisser tomber pour t'épouser, auquel cas il aurait tout l'argent de l'héritage.

Des larmes brillèrent dans les yeux de Rochelle.

— Ça n'a pas marché. Durant toutes ces années, Stephen t'est resté loyal. Il ne t'a pas trompée.

Elle s'essuya les yeux d'un geste sec, et son regard se durcit de colère.

— Dommage que l'on ne puisse en dire autant de toi.

— Que… que veux-tu dire ? bredouilla Tanya en rougissant, en proie à un soudain embarras.

— Il est évident que tu as couché avec Cooper.

La mâchoire de Nikki se décrocha. Leur mariage n'était censé être que de façade, et elle le savait.

Mais les sentiments de Tanya à l'égard de son époux de circonstance étaient tout sauf de façade.

— De sorte que je ne peux plus donner à Stephen ce que je lui ai promis, poursuivit sa sœur. Tu as consommé ton mariage avant ta date d'anniversaire, tu peux donc maintenant réclamer ta moitié de l'héritage de grand-père. Seigneur, tu vas même probablement te retrouver avec la totalité !

Parce que Stephen était l'homme que Rochelle voulait épouser, et qu'il s'était volatilisé.

— Où est-il ?

— Cooper ? Il vient juste de sortir de la chambre, répondit Rochelle. Ne peux-tu donc pas être éloignée de lui plus de deux minutes ?

En toute franchise, non, elle ne le pouvait pas. Il lui manquait déjà. Elle s'était tellement habituée à l'avoir auprès d'elle. Mais c'était parce qu'il était son garde du corps, pas parce qu'il était un mari aimant.

— Je te parle de Stephen, rectifia-t-elle. Où est-il ?

— Qu'est-ce qui te fait croire que je le sais ?

Tanya ouvrit la bouche pour répondre, mais Nikki ne lui en laissa pas le temps.

— Il est clair que tu étais en contact avec lui, dit-elle.

— C'est toi qui as découvert les e-mails ! comprit Rochelle. Et au lieu de venir m'en parler, c'est à elle que tu t'adresses ? Et moi qui te croyais mon amie…

Nikki soupira.

— Bien sûr que je le suis. Ce sont mes frères que j'ai mis au courant.

— Pourquoi ?

— Parce que je travaille sur une affaire, répondit Nikki sans le moindre regret dans la voix. Quelqu'un essaie de tuer ta sœur.

— Et vous pensez tous que c'est moi.

Rochelle semblait prête à fondre en larmes. Mais au lieu de

cela elle ressortit comme une furie de la chambre, manquant télescoper Cooper, qui y revenait.

— Tu as raté le meilleur, lui annonça Nikki.

— Que s'est-il passé ?

— Ce qui se passe d'ordinaire quand je tente de parler à ma sœur, répondit Tanya. Après quoi elle me déteste encore plus.

Mais la détestait-elle assez pour vouloir la tuer ?

— Tu as une chance fabuleuse d'avoir une sœur comme moi, minauda Nikki en glissant un bras autour de la taille de son frère.

Cooper se pencha pour l'embrasser sur le front.

— Je sais.

Tanya enviait la qualité de leur relation. Même après plusieurs années passées au loin, il était resté proche de sa famille. Peut-être Rochelle et elle avaient-elles besoin de plus de distance. Sa sœur était tellement outrée qu'il était peu probable qu'elle la revoie avant longtemps.

Cela étant, elle avait beaucoup de mal à croire qu'elle puisse être derrière ces attentats perpétrés contre elle.

— Cette fois, j'ai donné à Rochelle une bonne raison de me détester, déclara-t-elle. Je l'ai accusée de vouloir me tuer.

— Pardon ? s'exclama Cooper.

— Pas de façon aussi brutale, précisa Nikki. Mais elle a compris qu'on la suspectait. Que tu la suspectais.

Il approuva d'un hochement de tête.

— Je la suspecte, en effet.

— Moi non, dit Tanya. Plus maintenant, en tout cas. Elle était visiblement choquée par ces accusations.

Elle avait blessé sa sœur sans raison.

— Parfois, la meilleure défense est une attaque frontale, observa Cooper.

Nikki lui donna un coup de coude dans les côtes.

— Tu es toujours si soupçonneux.

— Tu as intérêt à l'être, toi aussi, puisque tu vas devoir garder un œil sur Tanya pendant que je pars effectuer une vérification.

— Je vais avoir trente ans, rétorqua Tanya, piquée dans sa fierté. Je n'ai pas besoin d'une baby-sitter.

— Non, agréa Cooper. Mais d'un garde du corps, si.

Tanya aurait aimé objecter qu'elle pouvait se défendre toute seule, mais s'il lui donnait un autre pistolet elle se tirerait à coup sûr une balle dans le pied.

— Tu me confies une mission de garde du corps ? demanda Nikki, les yeux arrondis par la surprise et l'espoir.

Cooper détourna la tête.

— Je le ferais, p'tite sœur, je te le jure. Mais Logan veut que Candace…

— Quel salaud ! s'écria Nikki. Il est dans le couloir ?

Cooper hocha lentement la tête, presque à regret.

Passant devant lui, Nikki sortit comme une flèche de la pièce.

— Bizarre comme les gens sont pressés de quitter cette chambre, remarqua-t-il avec un sourire en coin.

— En effet, convint Tanya avec un regard appuyé.

— Hé là, j'ai cette vérification à faire !

— Le médecin me libère, je n'attends que ses dernières directives, lui rappela-t-elle. Ensuite je t'accompagne.

— Il n'en est pas question.

— Je suis sûre que tes frères peuvent te remplacer.

Et une étrange sensation dans le creux de son ventre lui fit espérer qu'il leur confie la tâche, parce qu'elle pressentait que quelque chose de grave allait lui arriver.

— Rien ne t'y oblige, insista-t-elle.

— Parker et Logan seront là aussi, assura-t-il. Mais je dois quand même y aller.

— Où ? demanda-t-elle, envahie par ses propres suspicions. Qu'es-tu si déterminé à vérifier ?

— Parker a reçu un tuyau d'un de ses indics.

— Sur l'endroit où se trouve Stephen ?

Il acquiesça.

— Tu es sûr de ce tuyau ?

— Pas encore.

— Mais s'il est faux ? suggéra-t-elle, son pressentiment croissant à chaque seconde. S'il s'agit d'un piège ?

— C'est pour cela que tu ne peux pas m'accompagner. Je ne veux pas que tu prennes de risques.

— Moi non plus je ne veux pas que tu prennes de risques.

Elle le voulait juste… lui.

Il dut lire le désir sur son visage, car il s'approcha davantage du lit.

— Je te l'ai déjà dit. C'est ce que je fais, ce que j'ai toujours fait, et que je ferai toujours.

Peut-être était-ce mieux que leur mariage n'en soit pas un vrai. Parce qu'elle n'était pas certaine de pouvoir supporter de se faire un sang d'encre chaque matin quand il partirait au travail. Mais son boulot à elle n'était pas beaucoup plus sûr. Comme l'avait relevé Nikki, la personne qui voulait la tuer était peut-être quelqu'un qui avait perçu comme une offense la façon dont elle avait traité son cas.

— Je sais, répondit-elle. Mais je me fais du souci…

Il se pencha vers elle comme s'il avait l'intention de l'embrasser sur le front, mais elle leva son visage et leurs bouches se rencontrèrent. Elle l'embrassa avec toute la passion qui vibrait en elle.

Il s'écarta, cherchant son souffle, les yeux brillants de désir.

— Tanya…

Son mauvais pressentiment persista. Il allait au-devant d'un danger, elle le sentait. Et cette fois, le tireur ne le manquerait peut-être pas.

— Je t'en prie, n'y va pas…

Il l'embrassa de nouveau, d'un bref effleurement sur ses lèvres. Elle voulut insister, mais il s'écarta.

— Tout se passera bien, assura-t-il.

Elle le regarda sortir, craignant que ce soit la dernière fois. Redoutant de le perdre de nouveau. Pour toujours…

D'habitude, Cooper écoutait son instinct.

Cette fois, il ne laissa pas l'avertissement que lui envoyaient ses tripes l'empêcher de marcher vers l'entrepôt. La nervosité de Tanya avait dû le contaminer. Ou peut-être était-ce l'angoisse de l'avoir laissée seule.

D'accord, elle n'était pas vraiment seule. Elle avait Nikki pour la protéger, et Candace pour les protéger toutes les deux. Si Nikki était une novice, Candace avait déjà sauvé Logan plus tôt dans la journée. C'était une garde du corps confirmée et expérimentée.

Tanya était en sécurité. Pour ses frères et lui, en revanche, c'était moins évident. Toutes les lampes du parking de l'entrepôt avaient sauté. Le bâtiment était désaffecté depuis belle lurette. La superstructure métallique était entièrement couverte de rouille, et des planches obturaient les fenêtres.

Si Stephen avait été amené ici, Cooper espérait qu'il n'avait pas subi de violences. L'endroit n'avait rien de très sain, ni de très sûr.

— Tu vois quelque chose ? chuchota une voix dans son portable.

Parker couvrait la façade de l'entrepôt, tandis que Cooper en longeait le flanc pour accéder aux quais de chargement à l'arrière. Grâce à la minitorche fixée à son pistolet pour le guider, il trouva les marches métalliques qui grimpaient jusqu'aux quais. Rouillées, elle aussi. Elles protestèrent par des grincements et craquements sinistres sous son poids lorsqu'il y grimpa.

— Toujours rien, répondit-il.

Braquant son faisceau de lumière sous les quais, il remarqua qu'une rampe avait été élevée au niveau de la dernière porte basculante. Il s'y dirigea, le ciment du sol s'effritant sous ses semelles.

— Il n'y a rien par ici, lui indiqua Logan depuis l'autre côté de l'entrepôt. Pas même une porte…

Un froissement se fit entendre dans le téléphone, suivi de jurons. Logan était du côté envahi par les herbes sauvages et les buissons d'épineux.

Cooper passa devant plusieurs portes, toutes également

rouillées et munies d'un vieux cadenas. La dernière n'en avait pas. Il baissa les yeux. L'objet gisait éclaté sur le quai, près de la rampe. Quant à la porte, rongée par la corrosion, elle n'avait pu être complètement descendue.

— J'ai trouvé une ouverture, annonça-t-il.

— Attends-nous, répondit Logan.

Mais déjà il avait glissé sa lampe dans l'étroit espace. Elle éclaira quelque chose de noir et de brillant. Alors qu'il s'accroupissait pour se glisser à l'intérieur, son blouson s'accrocha au bord rouillé de la porte. Il tira dessus pour se dégager, et dans l'opération le cuir se déchira.

— Qu'est-ce que c'était ? demanda aussitôt Parker.

— Rien, répondit-il.

Mais ce qu'il avait trouvé, ce n'était pas rien. C'était une berline noire, qu'il avait déjà vue. Et ses roues arrière étaient à plat. C'était *elle*. Celle qui avait tenté d'écraser Tanya.

— Mais la voiture...

— La voiture ? répéta Logan. Ne bouge pas. J'arrive.

Mais l'attention de Cooper était concentrée sur le véhicule. Et si...

Et si Stephen avait réellement été enlevé ?

Il inspecta rapidement l'entrepôt de sa lampe. A part quelques vieilles caisses, l'endroit était vide. Il s'approcha de l'arrière de la voiture. Sortant une petite trousse à outils de sa poche, il glissa un poinçon dans la serrure du coffre, et en quelques mouvements experts la débloqua. Un déclic se produisit, et le capot s'entrouvrit.

Cooper prit une profonde inspiration et le souleva. Le coffre était vide. Pas de corps. Mais en éclairant l'intérieur il découvrit une tache sombre. Il avança la main et toucha la moquette. C'était collant...

Il retira sa main et regarda ses doigts. Ils étaient tachés d'une substance rouge sombre. Du sang.

Celui de Stephen ? S'était-il trompé du tout au tout à son sujet ? Etait-il en vie ? Ou son cadavre avait-il été jeté quelque part ?

Il frissonna, saisi de remords.

Avec un grondement qui fit trembler tout l'entrepôt, un moteur démarra. Ce n'était pas celui de la voiture, mais celle-ci se mit néanmoins à bouger. Cooper claqua le capot et plissa les yeux sous les vives lumières d'un chariot élévateur. L'engin s'avançait vers lui, tout en soulevant le véhicule de sa fourche d'acier.

Titubant en arrière, Cooper sortit son arme de son étui et fit feu sur la cabine du chariot.

Mais il sentit soudain le vide sous ses pieds, tandis qu'un morceau de ciment du bord du quai se détachait et tombait. Cooper atterrit brutalement sur l'asphalte du parking, le souffle coupé.

Le chariot élévateur continua d'avancer, positionnant le véhicule juste au-dessus de lui.

Levant les yeux, Cooper vit le dessous de la grosse berline noire s'abattre sur lui.

15

La peur étreignait si fort le cœur de Tanya qu'elle en avait physiquement mal. Elle avala une grande goulée d'air pour se détendre. En vain.

— Ça ne va pas ? demanda Nikki.

Elle secoua la tête.

— Pas tant que nous n'aurons pas de nouvelles d'eux.

Candace faisait les cent pas dans la cuisine du lieu sécurisé où Nikki et elle avaient amené Tanya. En fait, ce lieu sécurisé n'était autre que son appartement. Il ne se trouvait pas dans le secteur le plus tranquille de la ville, mais personne n'irait chercher des noises à la professionnelle en protection rapprochée qu'était Candace.

Comme ses cheveux étaient courts et châtains, elle avait dû mettre une perruque blonde pour se faire passer pour Tanya. Elle était aussi plus grande et plus musclée que cette dernière.

Non, personne n'irait taquiner Candace. Tanya se sentait en sécurité avec elle. C'était pour Cooper qu'elle se faisait du souci.

— Alors ? lui demanda-t-elle.

Candace secoua la tête et baissa son portable.

— Logan ne décroche pas, répondit-elle, les traits crispés par l'angoisse. Il décroche toujours, d'habitude…

Nikki approuva d'un bref hochement de tête.

— En effet.

— Même quand on lui tire dessus, ajouta Tanya, se souvenant du coup de fil que lui avait passé Cooper.

— J'aurais dû l'accompagner, dit Candace.

— Je suis sûre que tout va bien, dit Nikki en lui tapotant l'épaule. Il ne leur est rien arrivé.

Candace serra le poing sur son portable, comme si ce geste allait établir la communication avec Logan.

Tanya ne connaissait même pas le numéro de celui de Cooper, alors qu'il était son mari.

Etait ? L'avait-elle déjà perdu, comme son mauvais pressentiment l'en avait avertie ?

— Logan n'aurait pas dû sortir, surtout maintenant, reprit Candace. Il n'aurait pas dû prendre ce risque…

Tanya haussa les sourcils.

— C'est après Cooper qu'en a le tireur. Il a juste pris Logan pour lui.

Stephen, lui, n'aurait jamais commis cette erreur. Il connaissait la famille Payne aussi bien qu'elle.

— Peut-être, soupira Candace. Mais peut-être pas.

Bien sûr, songea Tanya. Logan avait pu se faire ses propres ennemis quand il était inspecteur à la police de River City, ou même dans le cadre de son travail à Payne Protection.

— Qu'entends-tu par là ? demanda Nikki, son joli front inhabituellement plissé.

— Il ne t'a rien dit ? s'étonna Candace.

— Me dire quoi ? Il a reçu des menaces, lui aussi ?

— Bah, les trucs ordinaires.

Nikki soupira.

Tanya comprit alors qu'elle n'était pas la seule à être la cible d'un malade obsessionnel.

— De la part de qui ? demanda-t-elle.

— De la fille de l'homme qui a tué son père, expliqua Candace. Elle est furieuse que Logan soit présent à chaque audience de libération conditionnelle.

Tanya hocha la tête. Elle commençait à comprendre.

— Cooper m'a dit que Logan était décidé à tout faire pour que l'assassin de M. Payne reste en prison.

— Eh bien, il a réussi, révéla Candace. L'homme est décédé il y a deux jours.

Nikki jura tout bas.

— Il ne t'a rien dit, s'étonna Candace.

Ses lèvres s'étirèrent en un mince sourire, comme si elle était contente que son patron n'en ait parlé qu'à elle.

L'avait-il dit à Cooper ? se demanda Tanya. Si oui, son mari s'était bien gardé de lui faire part de l'info. A sa décharge, il avait été bien trop occupé à veiller à ce qu'ils ne se fassent pas tuer... Et à lui faire l'amour.

Nikki sortit son portable et tapa l'écran du doigt.

— Allez, réponds, nom de Dieu !

— Je viens de tenter de joindre Logan, lui rappela Candace.

— J'essaie Parker.

— Il ne décroche pas non plus ?

Nikki tapa de nouveau l'écran et poussa un autre juron.

— Idem pour Cooper.

Les genoux de Tanya commencèrent à trembler, tandis qu'une peur insidieuse montait en elle.

Candace battit vivement des paupières, comme pour refouler des larmes. A l'évidence, c'était plus que la dévotion normale d'une employée à l'égard de son patron : elle était amoureuse de lui. Quant à Nikki, ses yeux dilatés et sa pâleur témoignaient de son anxiété pour ses frères.

Tanya aurait aimé les rassurer, mais elle n'était guère plus sereine. Elle avait besoin de Cooper, de ses bras solides autour d'elle, la protégeant comme ils l'avaient fait ces deux derniers jours. Elle avait besoin de son mari.

— Ça ne va pas ? s'inquiéta Nikki. Tu n'as pas l'air bien.

— Je suis exténuée, répondit-elle.

Candace lui désigna le couloir du doigt.

— Va donc te reposer dans la chambre d'amis. Le lit est très confortable.

Tanya doutait pouvoir dormir, tant elle avait les nerfs à vif. Elle voulait simplement être seule, afin de donner libre cours aux larmes qui lui brûlaient les yeux. Elle n'avait pas le droit de pleurer devant les deux autres femmes, pas quand elles faisaient tant d'efforts pour être fortes.

Elle sortit dans le couloir, et une fois dans la chambre d'amis referma la porte mais n'alluma pas la lumière. Elle tâtonna dans l'obscurité jusqu'à ce qu'elle trouve le lit, et s'y laissa tomber. Elle se recroquevilla, les bras serrés sur elle-même, rêvant d'être dans ceux de Cooper.

Elle n'aurait pas dû le laisser partir. Elle était sa femme à présent. N'était-il pas censé l'écouter ? N'était-ce pas ainsi que le mariage fonctionnait ? Mais leur mariage n'en était pas un vrai, même s'ils l'avaient consommé. Il n'en était pas un, parce que Cooper ne l'aimait pas comme elle l'aimait.

Pourquoi n'avait-elle pas mis sa fierté dans sa poche pour le lui dire ? Si elle l'avait fait, peut-être ne l'aurait-il pas plantée là.

Mais Cooper était Cooper. Rien ne lui faisait peur. Rien ne lui avait jamais fait peur, sinon il ne se serait pas engagé chez les marines après le lycée. Du reste, il avait raison, il était capable de veiller sur lui-même. Et sur ses frères, de la même façon qu'il avait veillé sur elle.

Il ne pouvait rien lui être arrivé…

Elle ferma les yeux, mais les larmes forcèrent le passage entre ses paupières, avant de couler sur ses joues et de mouiller son oreiller.

Sans doute s'était-elle endormie, car elle rouvrit les yeux, désorientée, ne sachant ce qui l'avait tirée du sommeil. Puis elle entendit le bruit. Un léger cliquetis. Elle regarda la porte, mais le bouton ne bougeait pas. Elle se tourna vers la fenêtre, mais c'était déjà trop tard. Elle était ouverte, et une silhouette noire se glissait par-dessus l'appui. Elle ouvrit la bouche pour crier, mais une large main se plaqua sur sa bouche.

L'individu avait-il tué Cooper pour éliminer un obstacle ? Avait-il l'intention maintenant de la tuer, elle ? Elle ne pouvait compter sur Cooper pour la sauver. Elle devait se débrouiller par elle-même.

Elle se débattit, lançant bras et jambes à l'aveuglette comme une folle. Un coude s'enfonça dans les côtes déjà endolories de Cooper, un genou frappa un endroit beaucoup plus sensible de son anatomie. La douleur fut aveuglante. Il grogna un juron, mais parvint à l'immobiliser.

— Chut, souffla-t-il. Calme-toi. C'est moi.

Tanya se crispa si brusquement que Cooper crut lui avoir fait mal. Sa main la bâillonnait toujours. Il ne voulait pas que les autres sachent qu'il était dans la chambre avec elle.

Il était censé être à l'hôpital, mais en était sorti en douce, contrant les ordres du médecin. L'endroit n'était pas le plus sûr du monde, Tanya pouvait en témoigner. Le tueur s'y était introduit et avait tenté de l'étouffer dans sa chambre. Ce souvenir le fit grimacer.

Le kidnappeur était-il déjà un meurtrier ? Stephen était-il mort ?

Il ôta sa main de sa bouche. Sa paume le brûlait du contact de ses lèvres douces contre sa peau.

— C'est toi, murmura-t-elle, comme si elle ne pouvait croire à la réalité de sa présence. C'est vraiment toi ?

— Content que tu ne m'aies pas tiré dessus, cette fois, dit-il avec un petit rire.

Mais son rire se répercuta dans ses côtes, et il émit un nouveau grognement.

— Tu vas bien ? demanda-t-elle. Que s'est-il passé ? Aucun de vous trois ne répondait sur son portable !

Il nota soudain les larmes sur son visage. Et la profonde inquiétude dans sa voix. Elle s'était fait du mauvais sang pour lui.

— Je vais bien, assura-t-il.

Mais il ne put réprimer un frisson en songeant à la manière dont cette voiture était tombée sur lui. S'il n'avait pas rassemblé assez de forces pour rouler hors de sa surface de chute, elle l'aurait écrabouillé.

Ses frères s'étaient tellement inquiétés pour lui qu'ils avaient une fois encore laissé s'échapper le salaud.

Qui donc voulait ainsi le tuer ? La tuer ?

Il la garda serrée contre lui. Il avait besoin de sa chaleur et de sa douceur, besoin de sentir son cœur battre à l'unisson du sien, au même rythme frénétique. Comme lorsqu'ils avaient fait l'amour, ils étaient en parfaite harmonie.

— Qu'est-il arrivé ? demanda-t-elle. Pourquoi ne répondiez-vous pas au téléphone ?

— Nous étions trop occupés.

— Avez-vous trouvé Stephen ?

Il grimaça comme si elle lui avait asséné un nouveau coup de coude. Bien sûr qu'elle se souciait de son sort.

— Non, répondit-il. Mais nous avons trouvé la voiture qui a tenté de t'écraser.

— C'était donc un vrai tuyau, pas un traquenard ?

Il hésita. « Je te l'avais dit » était une phrase qu'il n'avait jamais aimé entendre. Mais elle était en droit de la lui dire.

— Tu avais raison.

— C'était un piège ? Mais la voiture était là.

— La police l'a emportée. Ils vont l'examiner dans les moindres recoins, étudier les indices qu'elle a à offrir.

A commencer par le sang dans le coffre.

— Pourquoi était-ce un piège ?

— Il y avait un chariot élévateur…

Il haussa les épaules et grimaça de nouveau.

Les yeux de Tanya devaient s'être accoutumés à l'obscurité, car elle le vit et passa les doigts sur sa joue.

— Tu es blessé.

— Juste un petit peu contusionné.

C'est-à-dire sur tout le dos et la cage thoracique.

— J'ai connu pire.

— Ne me dis rien, lui ordonna-t-elle aussitôt.

— Pourquoi ?

— Je me suis interdit de penser à toi là-bas, risquant ta vie. Je me suis interdit de penser que tu puisses ne jamais revenir…

Elle frissonna.

— Mais de temps en temps ces pensées se glissaient par effraction dans mon esprit… Comme toi par la fenêtre.

Elle leva les yeux vers lui.

— Au fait, pourquoi la fenêtre ?

Ç'avait été périlleux. Surtout quand il avait dû marcher sur l'étroit ressaut de ciment entre l'escalier d'incendie et la fenêtre de chez Candace.

— Je ne veux pas que les autres sachent que je suis ici.

— Pourquoi ? Ce n'est pas ce qu'ils veulent ?

— Pas cette nuit, avoua-t-il.

— Parce que tu es blessé.

— Je me sens très bien.

Et c'était vrai, à présent qu'il la savait en sécurité, à présent qu'il était avec elle. Ou peut-être les antalgiques qu'il avait pris faisaient-ils finalement effet, parce qu'il ne ressentait aucune douleur. Il ressentait beaucoup d'autres choses, avec son corps tendre pressé contre le sien.

Les doigts de Tanya s'attardèrent sur son visage, caressant ses pommettes, la ligne de sa mâchoire.

— Je suis désolée…

— Ce n'est pas ta faute, dit-il.

— Je suis désolée pour ton père.

— Ça remonte à des années.

Mais quelquefois c'était comme si les événements s'étaient produits la veille… La plaie ne s'était jamais refermée. La douleur, le chagrin étaient toujours vivaces. Et quitter la maison n'avait pas atténué sa souffrance comme il l'avait cru.

— Son assassin vient de mourir, dit-elle. Tous les souvenirs doivent remonter à la surface…

Il se tendit aussitôt, choqué.

— Quoi ?

— Logan ne te l'a pas dit ? Mon Dieu. Nikki n'était pas au courant non plus.

Ni Parker, soupçonna-t-il. Maudit soit-il, pesta-t-il intérieurement. Maudit soit Logan de vouloir à ce point endosser le costume de leur père, celui du patriarche et celui du protecteur.

— Candace pense que c'est peut-être la fille de cet homme qui a tiré sur Logan aujourd'hui.

— Quand il se faisait passer pour moi ? Je ne sais pas, soupira-t-il avec un haussement d'épaules.

— Tu ne crois pas ? Ce qui s'est passé avec ce chariot élévateur… N'était-ce pas en réalité Logan qui était visé ?

— Non. C'était moi, cela ne fait aucun doute. Et cette voiture était celle qui t'a foncé dessus. Ce qui s'est produit dans cet entrepôt n'a rien à voir avec Logan.

— Et tout avec moi…

Sa voix se brisa. Se sentait-elle coupable ?

— Ce n'est pas ta faute.

— Je voudrais juste que ça se termine…

Les attaques, ou leur mariage ? Les deux étaient interdépendants, se rappela-t-il. Il devait garder cela à l'esprit, afin de ne pas s'imaginer qu'elle était sa femme pour de vrai.

Il écarta ses bras et les laissa retomber.

— Je ferais mieux de te laisser dormir…

— Je ne peux pas, répondit-elle. Pas sans toi.

Lançant les bras autour de ses épaules, elle l'attira près d'elle sur le lit.

Il ressentit un tiraillement douloureux mais, grâce aux antalgiques, tout à fait supportable. Ou peut-être était-ce le fait de sentir ses bras autour de lui. C'était si agréable.

— Tanya…

— J'étais tellement inquiète pour toi, dit-elle.

Ses lèvres touchèrent sa joue, puis glissèrent vers sa bouche. Elle lui offrit un doux baiser, un peu retenu, comme si elle avait peur de lui faire mal.

Mais il lui empoigna la nuque, plongea les doigts dans ses cheveux et approfondit leur baiser, pressant sa bouche contre la sienne. Elle laissa échapper un petit cri. Profitant de ce qu'elle ouvrait les lèvres, il y glissa la langue et la goûta, goûta à cette douceur de pêche qui n'appartenait qu'à elle tandis qu'elle resserrait les bras sur lui.

Il s'écarta soudain. Non parce qu'il avait mal, mais parce qu'il était trop habillé. Il se débarrassa rapidement de ses vêtements, veillant cette fois à garder son arme à portée de main. Tanya se déshabilla elle aussi, jetant de côté son T-shirt, son pantalon, et ces petites pièces de satin et de dentelle qui, plus tôt, avaient failli lui faire perdre la raison.

Mais il se dit qu'il préférait le contact de sa peau nue sur la sienne, tandis qu'il la rejoignait de nouveau dans le lit. Ses cuisses s'immiscèrent entre les siennes, son bassin se frottant contre son érection. Son sexe palpitait sous la force de son désir. Il n'avait jamais eu envie de personne autant qu'il avait envie de *son épouse*.

Si sa façon de le toucher, de l'embrasser, signifiait quelque chose, c'était qu'elle aussi avait envie de lui… Ou qu'elle s'était fait un sang d'encre à son sujet.

Dans ce dernier cas, il adorait la manière dont elle exprimait son soulagement. Ses lèvres se refermèrent sur sa virilité, la prenant dans sa bouche, tandis que du bout des doigts elle lui taquinait les tétons. Il grogna.

— Je te fais mal ? s'inquiéta-t-elle.

— Tu me tues, répondit-il. Mais de plaisir.

— Je vais t'en donner plus encore, promit-elle.

Mais il l'arrêta, empoignant ses cheveux, avant qu'elle ne baisse de nouveau la tête. Il l'embrassa avec passion, leurs langues s'enroulant l'une sur l'autre. Ils haletaient tous les deux, le souffle court.

Rien que son baiser faillit le faire craquer. Il était à deux doigts d'exploser. Il voulait qu'elle le désire aussi follement qu'il la désirait, aussi s'attaqua-t-il aux pointes de ses seins, qu'il pinça et fit rouler entre ses doigts.

Elle gémit sous sa bouche. Il descendit alors une main plus bas, entre ses cuisses. Elle se tortilla contre lui en miaulant. Elle se mordit soudain la lèvre inférieure, retenant un cri tandis que son corps était secoué de spasmes.

Il tressaillit également, mais d'impatience. Elle le renversa sur le lit, et il ne ressentit aucune douleur malgré l'état de son dos. Tout ce qu'il sentit, c'est qu'elle le guidait en elle. Elle le chevaucha, allant et venant sur sa hampe rigide, ondulant d'avant en arrière, et cette fois il perdit totalement la raison.

Elle trembla de nouveau en atteignant l'orgasme mais, au

lieu de se mordre la lèvre, c'est la sienne qu'elle happa de ses dents. Et il trouva sa morsure délicieuse.

Le reste de son self-control vola en éclats, et il la rejoignit dans la folie, son corps agité de secousses tandis qu'il plongeait et se libérait au plus profond d'elle.

Tanya s'affaissa sur son torse, le cœur battant à cent à l'heure, haletant contre sa gorge. Leurs corps étaient toujours unis, et il ne chercha pas à les séparer. Il se contenta de la garder entre ses bras, collé à elle.

Les comprimés qu'il avait pris devaient être puissants car il sentit le sommeil le gagner. Et il ne pouvait lutter contre, comme il l'avait fait maintes fois auparavant. Les autres étaient dans l'appartement. Si quelqu'un d'autre se faufilait dans la chambre par la fenêtre, elle pourrait crier, ses deux gardes du corps rappliqueraient. Elle était en sécurité. Alors il s'endormit…

Il lui coûtait de le laisser, mais ce n'était que le temps de satisfaire aux exigences de la nature. Attentive à ne pas le réveiller, Tanya se glissa hors de ses bras et sortit du lit. Aussitôt, une sensation de froid et de vide la saisit.

Décrochant le peignoir accroché à la porte de la chambre, elle s'en couvrit. Puis elle sortit sans faire de bruit.

— Il est ici ? demanda Candace.

Tanya sursauta et porta une main à son cou, surprise de sa présence dans le couloir.

— Quoi ?

— Logan a appelé, expliqua Candace avec un soulagement manifeste. Il m'a dit que Cooper avait quitté l'hôpital.

— Est-il blessé ? demanda-t-elle, la main tremblante.

— De sévères contusions aux côtes. Il a heurté durement l'asphalte lorsque le chariot élévateur a poussé cette voiture au-dessus de lui.

Tanya tressaillit.

— D'après le médecin, il aurait pu se briser le dos dans sa chute. Ils voulaient le garder toute la nuit en observation.

L'obscurité dans la chambre, et maintenant dans le couloir, se faisait moins profonde à mesure que les heures s'écoulaient.

L'aube allait bientôt pointer. Il n'avait peut-être pas quitté trop tôt l'hôpital, après tout…

— Logan s'en était douté, ajouta Candace. Il savait qu'il viendrait te voir.

— Il est ici, reconnut Tanya. Il est passé par la fenêtre.

Sa garde du corps secoua la tête.

— L'escalier d'incendie se trouve à plusieurs mètres. Il a dû longer le mur en marchant sur le ressaut situé au bas des fenêtres.

— Tu peux annoncer à Logan qu'il est sain et sauf. En fait, il est en train de dormir.

— Je le lui dirai.

Sur ce, Candace se hâta dans le couloir, sans doute vers l'endroit où elle avait posé son portable.

Après une halte à la salle de bains, Tanya regagna la chambre et le lit où dormait Cooper. Sa respiration était irrégulière, comme si ses rêves — ou plus vraisemblablement ses cauchemars — le perturbaient. Ôtant le peignoir, elle le rejoignit dans le lit. Comme il s'était tourné vers le mur, elle l'enlaça et se blottit contre son dos.

Il grogna et s'agita comme s'il avait mal. Elle s'écarta donc pour ne pas aggraver les choses. Ce qui lui permit de l'observer dans les premières clartés de l'aube.

Son dos était bleu, violet par endroits, et rouge sombre là où la peau avait été écorchée. Et ses muscles d'ordinaire si affûtés étaient enflés. Elle comprenait à présent la préoccupation du médecin, ses raisons de vouloir le garder pour la nuit.

Cooper aurait dû rester à l'hôpital. Au lieu de cela, il était venu la retrouver. Pourquoi ? Tout était sa faute.

C'était la voiture qui lui avait foncé dessus qui avait failli l'écraser. Ce n'était ni un accident ni une coïncidence. Le tueur lui envoyait un message : Cooper connaîtrait le même sinistre sort qu'elle.

Elle n'aurait pas dû l'épouser. Si Stephen était détenu contre rançon, son ravisseur se serait signalé depuis longtemps. Elle n'avait pas besoin de l'argent. Elle avait besoin de Cooper.

Mais elle ne pouvait avoir les deux.

En fait, elle ne pouvait avoir ni l'un ni l'autre sans risquer la vie de Cooper. Certes, il l'avait risquée pendant des années, mais c'était son choix. Elle ne voulait pas qu'il la risque à cause d'elle.

Elle posa un tendre baiser sur son épaule. Il remua sur le lit et murmura, comme si même le léger contact de ses lèvres lui faisait mal. Mais il ne se réveilla pas. Peut-être, à l'hôpital, lui avaient-ils donné un antidouleur qui lui avait permis de s'endormir. Ou l'avait mis KO.

Elle comptait sur la seconde option. S'écartant davantage de lui, elle roula sur elle-même et se leva du lit. Il ne faisait pas encore assez clair pour qu'elle puisse retrouver ses propres vêtements sans tâtonner sur le sol. Dans l'opération, ses doigts rencontrèrent un objet dur et froid. Le pistolet de Cooper. Elle réprima un haut-le-cœur.

Il s'en était fallu d'un cheveu qu'elle ne le tue. Fort heureusement, elle ne savait pas viser. Les doigts toujours sur l'arme, elle réfléchit. Et si elle la prenait ? Mais, pour ce qu'elle s'apprêtait à faire, avec un peu de chance elle n'en aurait pas besoin.

Si l'argent était ce qui l'avait mise en danger, elle n'en voulait pas. Elle ne voulait rien avoir à faire avec lui. Ni avec le pistolet de Cooper.

Jusqu'à ce que l'on sache ce qu'elle avait fait, il pourrait en avoir besoin pour se protéger. Elle le laissa donc là et ramassa ses vêtements. Aussi rapidement et silencieusement qu'elle le put, elle se rhabilla.

Cooper allait être très en colère pour ce qu'elle allait faire. Mais elle préférait sortir seule et risquer sa vie plutôt que de mettre la sienne de nouveau en danger.

S'approchant du lit, elle se pencha et posa un baiser non pas sur ses lèvres, mais sur sa joue. Il dormait d'un sommeil profond, aussi ne l'entendrait-il pas. Mais elle devait lui dire ce qu'elle n'avait pas eu le courage de lui déclarer quand il était éveillé. Au moins aurait-elle prononcé ces paroles, et c'était ce qui importait.

— Je t'aime, murmura-t-elle à son oreille.

Elle attendit de voir s'il lui répondait… Non qu'elle espére la réciproque. Il lui avait suffisamment répété qu'il ne faisait que son travail. Elle ne le payait pas, mais tôt ou tard elle devrait le congédier.

Elle se tourna vers la porte, mais se rappela la manière dont Candace était apparue dans le couloir à la seconde même où elle était sortie de la chambre. Elle ne pouvait passer par là.

Elle devrait emprunter le même chemin que celui choisi par Cooper pour pénétrer dans la chambre : la fenêtre. Comme il l'avait laissée déverrouillée, elle n'eut qu'à soulever la partie coulissante. L'air frais souffla par l'ouverture, agitant le drap qui couvrait à peine le corps nu de Cooper.

Tanya retint son souffle, craignant qu'il ne se réveille et ne l'arrête. Mais il ne bougea pas, pas même pour tirer le drap sur lui. Etait-il vraiment bien ? Il avait quitté l'hôpital contre les ordres du médecin. Peut-être ne devrait-elle pas le laisser…

Mais le laisser était précisément ce qu'elle devait faire pour qu'il demeure en sécurité. Elle passa une jambe par-dessus l'appui, mais son pied ne rencontra que du vide. Candace avait parlé d'un ressaut. Elle poussa sa jambe plus près du mur de briques, et le trouva. Une quinzaine de petits centimètres de large… Tournant le pied de côté, elle le posa fermement dessus avant d'extraire le reste de son corps par la fenêtre.

Elle s'agrippa aux interstices entre les briques, prise de vertige. Elle n'aurait pas dû regarder en bas, parce qu'à présent il lui était impossible de regarder ailleurs. Ses genoux flageolaient et son cœur battait à tout rompre.

L'appartement se trouvait au deuxième étage de l'immeuble. Jusqu'à ce qu'elle plonge les yeux dans les abysses de la ruelle en contrebas, Tanya ne s'était pas rendu compte à quel point c'était haut. Pas plus qu'elle n'avait songé à la brutalité de sa chute si elle glissait.

Heurter l'asphalte depuis la hauteur d'un quai de chargement aurait pu briser le dos de Cooper. Le heurter depuis une étroite corniche située à une douzaine de mètres du sol lui romprait tous les os.

Alors qu'il n'était que plaies et contusions, Cooper avait pris ce risque pour la rejoindre. Pourquoi ? Seulement pour la protéger ?

Cet homme prenait vraiment son travail très au sérieux.

Trop, si ce devait être au prix de sa vie.

Elle devait le faire. Elle devait le sauver de sa volonté de la sauver. Afin d'éviter que le courant d'air ne le réveille, elle se contorsionna et tenta de refermer la fenêtre. Elle ne pouvait baisser complètement le châssis, sauf en se penchant, et dans ce cas c'était la chute assurée. Mais la position que cette action exigeait tira sur les muscles tremblants de ses jambes, et ses pieds commencèrent à déraper.

S'accrochant de nouveau aux briques, elle se rétablit sur le ressaut de ciment et, progressant centimètre par centimètre, se dirigea vers l'escalier d'incendie. Trois fenêtres l'en séparaient, ce qui devait représenter environ quatre mètres. Mais pour Tanya, transie de froid et de peur, c'était un kilomètre. Elle pantelait comme si elle venait d'en courir vingt.

Ses mains étaient gelées, engourdies de s'être accrochées aux interstices du mur, lorsqu'elle toucha le garde-fou de l'escalier. Alors, ses doigts dérapèrent sur la barre métallique, elle perdit l'équilibre et ses pieds glissèrent vers le vide.

Avait-elle fait tout ce chemin pour tomber maintenant ? Quand elle avait presque atteint l'escalier d'incendie ? Le tueur serait aux anges ! Il n'aurait plus besoin de lui tirer dessus ni de l'empoisonner.

Tanya allait se tuer elle-même à cause de sa tentative sans doute malavisée de sauver l'homme qu'elle aimait.

16

Cooper n'aimait pas dormir. En général, il était hanté par les rêves de choses horribles qu'il avait vues ou faites, et qu'il était presque capable d'oublier dans la journée. Mais cette fois c'est avec le sourire et un souvenir très agréable qu'il se réveilla.

Le souvenir d'avoir fait l'amour avec Tanya.

Et des mots qu'elle avait prononcés.

« Je t'aime. »

Mais il avait dû les rêver, imaginer qu'elle les lui avait murmurés à l'oreille. Quelques jours plus tôt, elle était encore fiancée et sur le point d'épouser un autre homme. Qu'il soit celui avec qui elle s'était finalement mariée était sans importance. Il n'était que le remplaçant de celui qu'elle aimait vraiment.

Son sourire s'envola, et il força ses paupières lourdes de sommeil à s'ouvrir. Sans doute était-ce en partie à cause des antalgiques qu'il avait pris.

Leur effet s'était dissipé, parce que son dos lui faisait un mal épouvantable, et ses côtes protestaient chaque fois qu'il insufflait un peu d'air dans ses poumons. Avec une grimace, il inspira à fond et balaya du regard la chambre vide.

Elle était partie. L'avait-on kidnappée pendant qu'il dormait ? La fenêtre était entrouverte, or il l'avait fermée après s'être introduit dans la chambre. Certes sans la verrouiller. Son pistolet était toujours dans son holster, près du lit. Il s'en saisit.

Si quelqu'un s'était immiscé dans la pièce durant son sommeil, Tanya ne s'en serait-elle pas servi comme elle avait tenté de le faire la nuit où elle l'avait raté de peu ? Elle était forte. Elle n'aurait pas survécu à tous ces attentats si elle ne l'avait pas été.

Peut-être avait-elle ouvert la fenêtre pour aérer la pièce. Ou parce que son corps à lui était devenu trop chaud du fait qu'il partageait le lit avec elle. Mais, avec l'air frais qui soufflait sur sa peau nue, il ne l'était plus. Il se leva, ramassant ses vêtements jetés en vrac sur le sol, et s'habilla à la hâte, ignorant les pointes de douleur dans son dos et ses côtes.

Ceux de Tanya n'étaient plus là. Comme les rayons du soleil commençaient à peine à filtrer entre les immeubles par la fenêtre entrouverte, il était encore tôt. Le jour venait tout juste de se lever.

En sautant dans son lit, cette nuit, il ne lui avait pas tellement laissé le choix. Cela étant, elle ne l'avait pas repoussé, loin s'en fallait. Sa peau s'échauffa au souvenir de l'ardeur avec laquelle elle lui avait fait l'amour. Oui, elle avait été plus que consentante.

Alors où était-elle ? Il ouvrit la porte et sortit dans le couloir. Le bruit de voix le guida vers la cuisine, où il s'attendait à la trouver avec les autres, installée à la petite table ronde ou adossée à un placard. Assise à la table, Nikki scrutait l'écran de son ordinateur, tandis que Parker téléphonait sur son portable, sa chaise inclinée contre un mur.

Debout contre l'un des placards, les bras croisés, Logan faisait penser à un instituteur surveillant sa classe. Cooper avait toujours pensé qu'étant l'aîné de la fratrie — trois petites minutes le séparaient de son jumeau — il en savait plus que les autres. Sans doute était-ce simplement parce qu'il gardait pour lui ce qu'il savait… Comme le fait que l'assassin de leur père était mort.

Mais ce point-là pourrait attendre. Il était plus préoccupé par les personnes qui n'étaient pas dans la cuisine que par celles qui y étaient. Candace était absente, ce qui le surprenait vu qu'il s'agissait de son appartement. Mais elle pouvait être dans la salle de bains ou dans sa chambre.

Tanya, elle, était partie.

Il le savait à cause du sentiment de vide et de solitude qu'il éprouvait quand bien même ses frères et sa sœur étaient là. Ils se tournèrent vers lui, toujours figé dans l'encadrement de la porte. Il n'y avait aucune surprise sur leurs visages. Tous savaient où il irait après sa fuite de l'hôpital.

Où diable était passée Tanya ?

— Où est-elle ? demanda-t-il sans préambule.

Question plus importante encore : pourquoi étaient-ils tous là quand la personne qu'ils étaient censés protéger n'y était pas ? Quel genre de gardes du corps étaient les membres de Payne Protection ?

— A-t-elle été…

Sa voix se brisa sous l'émotion.

— Enlevée ?

Pendant qu'il dormait paisiblement dans le même lit qu'elle ? Comme protecteur, on pouvait difficilement faire pire !

— Personne ne l'a enlevée, assura Logan. Candace l'a vue s'en aller de sa propre initiative.

— Peut-être en a-t-elle eu assez d'être considérée comme une petite chose fragile, suggéra Nikki. Je suis bien placée pour savoir combien il est insupportable d'être avec des gens qui vous croient incapable de vous débrouiller par vous-même.

— Tu ne l'as pas vue sortir, observa Logan. Il te reste du chemin à faire pour être garde du corps.

Cooper ne pouvait pas plus la défendre que se défendre lui-même d'avoir laissé Tanya leur fausser compagnie.

— Elle n'est pas passée par la porte, protesta Nikki. Elle est sortie par la fenêtre.

Il jura entre ses dents, parce que c'était lui qui lui avait donné l'idée. Et parce qu'il l'imaginait en équilibre précaire sur cet étroit ressaut.

— Elle aurait pu tomber…

Et cette chute l'aurait tuée. Son cœur se contracta à cette perspective. Etait-ce pour cette raison qu'ils étaient tous ici, et non dehors à la protéger ? Parce qu'elle n'était plus de ce monde ?

— Elle n'est pas tombée, assura Logan.

La sensation d'oppression s'atténua dans sa poitrine. Elle n'était pas morte. Elle avait juste filé à l'anglaise.

— Toi aussi tu aurais pu tomber en pénétrant de cette façon

dans la chambre, dit Nikki, les yeux agrandis par la peur. Tomber *encore* ! ajouta-t-elle en insistant sur ce mot.

Ses frères l'avaient donc informée des événements survenus à l'entrepôt.

— Je n'ai rien de cassé, dit-il.

— C'est peut-être au médecin d'en décider, répliqua sa sœur. Tu devrais retourner à l'hôpital.

— Jamais de la vie, grommela-t-il. La seule chose que je vais faire, c'est me mettre à la recherche de Tanya. Ce que vous devriez tous être en train de faire, au lieu de rester ici à vous tourner les pouces.

— Candace la suit, expliqua Logan. Tu peux compter sur elle pour qu'il ne lui arrive rien.

Il n'en était pas aussi convaincu.

— Elle n'est pas aussi maligne que tu le crois, objecta-t-il. La preuve, elle m'a laissé m'introduire dans sa chambre.

— Elle s'y attendait, répliqua Logan. Quand j'ai su que tu avais quitté en douce l'hôpital, je lui ai dit que tu viendrais d'une manière ou d'une autre.

— Mais elle a laissé Tanya sortir…

Lui aussi. La culpabilité lui noua l'estomac. Il s'était endormi quand il aurait dû la protéger.

Logan hocha la tête.

— Elle l'a vue s'engager sur le ressaut du mur. Mais elle n'a pas voulu prendre le risque de l'effrayer et de la faire tomber.

Et elle avait bien fait. Mais Cooper soupçonnait une autre raison. Des ordres de son patron, par exemple…

— Tu voulais savoir où elle allait, n'est-ce pas ?

Logan acquiesça de nouveau.

— Tu ne peux quand même pas la suspecter d'être impliquée dans tout cela.

— Pourquoi pas ?

— Parce qu'elle a failli être tuée à plusieurs reprises.

— *A failli*, répéta Logan, le doigt levé.

— Je croyais que tu soupçonnais Rochelle, lui rappela Nikki d'un ton aigre. Et même Stephen.

Cooper ressentit un pincement de culpabilité. Le sang découvert dans le coffre de la berline noire indiquait qu'un corps
y avait été placé. Celui de Stephen ? Il s'y trouvait peut-être
lorsqu'il avait fait feu sur le véhicule pour le stopper quand il
allait renverser Tanya.

— Pas Tanya, insista-t-il. Elle n'a aucun mobile.

— Elle a le même mobile que tout le monde, rétorqua
Logan. L'argent.

— Elle n'aurait pas pu agir seule, objecta Cooper. Elle ne
conduisait pas la voiture qui lui a foncé dessus. Elle n'a pas
tiré les coups de feu dans son appartement.

— Elle n'a pas agi seule, convint Logan.

— C'est pourquoi tu l'as laissée partir, hein ? Pour voir
non seulement où elle se rendait, mais qui elle allait retrouver.

Logan approuva d'un hochement de tête.

— Ce n'est pas Stephen. Ils étaient sur le point de se marier.

— Oui, mais peut-être a-t-il fait marche arrière au dernier
moment, suggéra Nikki.

Marche arrière à l'idée d'épouser Tanya ? Cooper en doutait.

— Et elle se sera fâchée contre lui, poursuivit sa sœur.

Assez pour le blesser ? Il en doutait encore plus.

— Tu fais fausse route, dit-il.

— Sans doute, agréa Logan.

— Où est-elle ?

Son frère, qui pensait toujours tout savoir, le savait probablement à présent.

— Elle a pris un taxi pour se rendre à la maison de son
grand-père.

Dans le passé, Logan avait détesté cette demeure au moins
autant que lui.

— Pourquoi ?

— Elle lui appartient désormais, lui rappela Nikki.

— Elle s'en moque, fit observer Cooper. De cette maison,
de l'argent…

— Dans ce cas, pourquoi t'a-t-elle épousé ? demanda Logan.

— Pour le cas où il y aurait une demande de rançon

concernant Stephen, répondit-il. Stephen était la première de ses préoccupations.

Ça lui déchirait le cœur de penser que la femme qu'il aimait — et qu'il avait épousée — était amoureuse d'un autre.

— Il n'y a eu aucune demande de rançon, dit Nikki d'une voix douce, comme si elle avait perçu sa souffrance.

Sa tête l'élança au même rythme que les ecchymoses dans son dos, et une sourde douleur battit dans ses tempes tandis qu'il tentait d'assimiler ce que lui disaient les siens. Douter de Tanya ? Maintenant il savait ce qu'elle avait dû ressentir quand il avait émis ses doutes concernant Stephen. Il le savait très exactement, parce qu'il l'aimait.

— Depuis combien de temps y penses-tu ? demanda-t-il à Logan.

Il était fort capable de s'emporter contre son frère quand il avait mal. Il l'avait fait à la mort de leur père.

— Et depuis quand le gardes-tu pour toi… comme beaucoup d'autres choses ?

Parker coupa son portable et le glissa dans sa poche.

— De quoi parles-tu ? Qu'a-t-il gardé pour lui ?

Cooper se tourna vers lui.

— Tu es au courant que l'assassin de papa est mort dans sa prison, n'est-ce pas ?

Parker haussa les sourcils. Apparemment, ça n'avait qu'une importance moyenne pour lui et les autres.

— Oui, mais pas parce qu'il me l'a dit.

— Candace vient de me l'apprendre, confia Nikki.

C'était sans doute aussi par elle que Tanya en avait été informée.

— Pourquoi ni l'un ni l'autre ne m'en a-t-il parlé ? s'enquit-il, s'adressant à ses frères.

— Tu avais assez de préoccupations avec ton mariage et tout le reste, répondit Logan. Et puis pour être franc, je ne pensais pas que ça avait autant d'importance pour vous.

Comme si ça n'en avait pas pour lui. Lorsque le type avait été envoyé en prison, ils s'étaient tous réjouis. Logan était le seul qui n'avait pas pu extérioriser sa colère. Peut-être à présent le pouvait-il…

Cooper évacua cette contrariété beaucoup plus facilement qu'il ne pouvait évacuer les doutes de son frère concernant la femme qu'il aimait.

— Personne ne veut savoir à qui je téléphonais ? demanda Parker.

Avec un large sourire, il annonça :

— L'un de mes indics. Nous avons un nouveau tuyau. Un solide, cette fois.

— Tu disais la même chose du dernier, fit observer Cooper, qui tressaillit sous la douleur dans ses côtes.

— Nous avons retrouvé la voiture, non ?

Il s'en était fallu de peu qu'elle ne l'écrabouille, mais oui, ils l'avaient retrouvée.

— Les techniciens du labo ont fini de l'examiner ? Ils ont trouvé des empreintes ?

— Le sang dans le coffre correspond à celui de la chapelle, expliqua Logan. Du moins, il est du même groupe. Pour l'ADN, il faudra encore attendre.

— Et les empreintes ?

— Les volants de la voiture et du chariot élévateur ont été nettoyés avec soin. Et comme les empreintes de Stephen ne sont enregistrées dans aucun fichier, nous ignorons si celles relevées dans le coffre sont les siennes.

Quelqu'un y avait été enfermé, avait cogné contre le capot, essayé d'en sortir, réalisa Cooper, l'estomac noué.

— Il faut que nous le trouvions.

— C'est peut-être fait, annonça Parker. Mon indic a noté la présence de cette berline à un autre entrepôt avant qu'elle n'atterrisse dans celui où nous l'avons trouvée.

Un autre entrepôt. La douleur se raviva dans sa cage thoracique, comme si ses côtes protestaient.

Il grogna.

— Tu restes ici avec Nikki, ordonna Logan.

— Comme de bien entendu, grommela leur petite sœur.

Logan l'ignora et poursuivit :

— Parker et moi allons y jeter un œil. Seuls, comme nous aurions dû le faire la dernière fois.

Cooper secoua la tête.

— Je vous accompagne.

— Tu n'en as pas encore assez subi ? Tu veux t'achever ? rétorqua son aîné d'un ton sec.

— Je veux aller jusqu'au bout de l'opération, dit-il. Je veux coincer le salaud qui est derrière ces tirs et ces attentats.

— Et si ce salaud est Tanya ?

Bon sang, son frère était encore plus parano que lui.

— Ce n'est pas elle.

Et il avait le sentiment que ce n'était pas non plus Stephen, qu'il avait mésestimé son ami. Il espérait juste pouvoir se racheter sur ce point.

— Cessons de perdre notre temps et suivons cette piste, déclara-t-il.

Restait à espérer qu'elle ne les conduise pas à un cadavre.

Tanya frissonna de froid et d'angoisse. La maison — le mausolée, comme l'appelait Cooper — était close depuis des années. Il faisait glacial à l'intérieur, l'eau et l'électricité avaient été coupées, et une odeur de moisi flottait dans l'air confiné… Exactement comme dans un mausolée.

Peinant à respirer, elle regretta de ne pas avoir pensé à apporter le nouvel inhalateur qu'on lui avait prescrit. Mais le poids de son sac à main aurait suffi à lui faire perdre l'équilibre sur l'étroite corniche.

C'était de justesse qu'elle était parvenue à attraper le garde-fou de l'escalier d'incendie. Ses paumes lui faisaient encore mal de s'être crispées sur le métal froid et rouillé. Elle s'y était agrippée comme à un filin de survie, avant de s'étirer au maximum pour passer de l'autre côté. Ses jambes tremblaient si fort qu'elle se demandait encore comment elle avait réussi à descendre les marches jusqu'à la ruelle.

Elle ne se sentait pas encore très solide, mais tout le mobilier étant recouvert d'un épais plastique elle n'avait aucun endroit où s'asseoir. Quant au dallage de marbre, il devait être beaucoup trop froid pour ses pauvres fesses. Une maigre lumière filtrait d'entre les lourdes tentures tirées devant les fenêtres. L'endroit était aussi engageant que le château de Dracula.

Il était vraiment semblable à un mausolée, sauf qu'il n'y avait ni tombes ni rangées de tiroirs pour urnes funéraires. Celle de son grand-père, toutefois, trônait sur le manteau de la cheminée, son cuivre couvert d'une fine couche de poussière. Etait-il vraiment dedans ? Ou était-il la main invisible derrière toutes les horribles choses qui lui étaient récemment arrivées ?

Elle le croyait bien capable de tenter de tuer Cooper. C'était déjà assez ignoble de lui avoir parlé comme il l'avait fait des années plus tôt, de lui dire qu'il n'était pas assez bien pour elle.

C'était elle qui n'était pas assez bien pour lui. C'était un héros intrépide, alors qu'elle-même n'était qu'une lamentable couarde qui se réfugiait derrière lui.

Une porte grinça, Elle sursauta… Oui, une couarde jusqu'au bout des ongles. Devait-elle se cacher jusqu'à ce qu'elle soit sûre qu'il s'agissait de la personne à qui elle avait téléphoné ? Se saisir de l'urne et s'en servir comme d'une arme ? Elle frissonna à la simple idée de la toucher.

— Tanya ? appela une voix d'homme. Mademoiselle Chesterfield ?

Elle n'était plus Mlle Chesterfield. Elle était Mme Payne. Mais elle n'avait pas eu le temps de procéder au changement légal de nom. Ce qui n'était pas vraiment un souci vu qu'elle n'allait pas le garder.

— Je suis ici, monsieur Gregory.

Des pas feutrés sur le marbre se firent entendre tandis qu'il s'approchait dans le couloir.

— Il est bien tôt, mademoiselle Chesterfield, maugréa-t-il.

Il avait l'air fatigué. Ses yeux étaient cernés, et ses cheveux gris avaient besoin d'un sérieux coup de peigne.

— Nous aurions pu convenir d'une rencontre plus tard dans la journée, ajouta-t-il.

— Merci de me voir maintenant, dit-elle.

Et dans cette maison, ajouta-t-elle *in petto*. Car ainsi elle savait exactement ce qu'elle abandonnait : rien.

— Ça ne pouvait vraiment pas attendre.

— Si vous voulez prendre possession de votre héritage aujourd'hui, ce ne sera pas possible, souligna-t-il. Il est trop important pour vous être attribué dans un délai aussi bref. Et bien sûr, il doit être divisé. La moitié sera placée en fidéicommis pour votre sœur, pour le cas où elle se marierait avant ses trente ans.

— Elle peut tout avoir, déclara-t-elle.

Les attentats à sa vie et à celle de Cooper s'arrêteraient alors, suspectait-elle.

Gregory secoua la tête.

— Elle n'est pas mariée. Votre grand-père a clairement stipulé qu'elle aussi devait l'être pour pouvoir hériter.

— Dans ce cas vous placerez la totalité en fidéicommis à son nom.

Connaissant sa sœur, elle n'attendrait pas longtemps avant de programmer son mariage. Si l'argent était vraiment ce qu'elle voulait.

A moins que ce ne soit Stephen ?

L'avocat se crispa.

— Je… Je ne suis pas sûr d'avoir bien saisi.

— Je dis que je ne veux pas de l'argent de mon grand-père. Je n'aurais jamais dû me marier pour l'obtenir, ajouta-t-elle, submergée par une vague de remords.

— Je pensais bien que c'était pour cela que vous épousiez M. Stephen, dit Gregory. Pour toucher votre héritage. Mais ce M. Payne…

— C'est pourquoi j'y renonce, le coupa-t-elle.

Peut-être était-ce une bonne chose qu'aucune demande de rançon ne lui soit jamais parvenue. Sinon comment la paierait-elle ?

— Vous n'en voulez vraiment pas ? demanda-t-il.

Elle nota que ses épaules et son dos se détendaient soudain, comme s'il était libéré d'un poids.

Mais pourquoi était-il si soulagé ?

— Est-ce que c'est possible ? s'enquit-elle. D'un point de vue technique, j'ai satisfait à la clause voulue par mon grand-père, stipulant que je devais me marier avant mes trente ans.

Son anniversaire était aujourd'hui.

Il écarta l'argument d'un revers de la main.

— Vous pouvez signer un papier indiquant que le mariage n'a jamais été consommé, ce qui l'annulera *ipso facto*.

Elle se sentit rougir.

— Mais s'il l'a été ?

— Ce n'est pas un problème, dit-il, et il y avait dans sa voix quelque chose de dur qu'il n'y avait pas avant.

Pour avoir travaillé avec Benedict Bradford pendant tant d'années, il ne devait pas avoir beaucoup de principes moraux. Mais pouvait-il être…

Etait-il un tueur ?

Peut-être la nature suspicieuse de Cooper avait-elle déteint sur elle. Peut-être, lorsqu'ils avaient fait l'amour…

Parce que ça n'avait aucun sens de douter d'un homme qu'elle connaissait depuis l'enfance. A fortiori quand il n'avait rien à gagner. Mais elle sentait un doigt glacé remonter le long de son échine, et ce n'était pas à cause du froid qui régnait dans la maison. C'était son horrible instinct de prémonition. Celui-ci l'enjoignait de quitter très vite le mausolée, avant de se retrouver dans une urne comme son grand-père.

— Eh bien, soupira-t-elle, si ce n'est pas un problème, je peux m'en aller.

Mais il se plaça entre elle et la porte, et elle n'avait nulle envie de s'approcher davantage de lui.

— Il y a des papiers à signer.

— Je suis certaine que vous ne les avez pas ici, répondit-elle. Vous pourrez toujours me les présenter un autre jour.

L'avocat tapota sa serviette de cuir.

— En fait, je les ai apportés.

Tout cela semblait beaucoup trop calculé.

Elle frissonna, son malaise se muant en véritable peur. Elle était seule avec un tueur. Et ce à quoi elle pensa en premier ne fut pas sa propre sécurité, mais celle de Cooper.

Il ne se le pardonnerait jamais si elle mourait quand il était censé la protéger. Il s'en voudrait amèrement de l'avoir laissée se glisser dehors par la fenêtre pendant qu'il dormait. Elle espérait qu'il l'avait au moins entendue chuchoter qu'elle l'aimait. Parce qu'elle doutait qu'une autre chance se présenterait de lui faire part de ses sentiments.

La serviette d'Arthur Gregory contenait peut-être des contrats, mais elle contenait sans doute aussi une arme.

Elle ne voulait pas attendre qu'il soit trop tard pour le découvrir. Comme elle ne pouvait pas fuir par la porte, elle se retourna et s'enfonça dans la pénombre du mausolée. Mais même si elle trouvait un endroit où se cacher, elle ne pourrait rester là indéfiniment.

Tôt ou tard, l'avocat de son grand-père la trouverait.

17

Des battements douloureux martelaient la tête de Cooper, et la peur lui comprimait le cœur comme un étau. Même si cet entrepôt paraissait plus désert et plus dangereux que celui de la veille, sa sécurité était le cadet de ses soucis. Il s'inquiétait d'abord et avant tout pour Tanya.

OK, Candace était une bonne garde du corps. Mais la personne sur laquelle elle veillait était trop importante pour qu'il puisse faire confiance à quiconque. Il n'aurait jamais dû s'endormir. Mais comme il l'avait fait, peut-être Tanya était-elle plus en sécurité avec Candace.

— Cet endroit est totalement abandonné, dit Logan, sa voix provenant du portable dans la main de Cooper.

Il acquiesça en silence, mais Parker intervint sur la ligne.

— C'est bien ici. C'est l'entrepôt où mon indic a vu la berline noire avec les pneus crevés.

— Dans ce cas, entrons, dit-il.

Cette fois, il n'était pas du côté du quai de chargement. Celui-là était pour Logan. Le mur devant lequel il se trouvait possédait une porte de service, si rouillée qu'il doutait que les gonds la maintiendraient sur le bâti malgré la serrure. D'un solide coup de pied, il la fit céder.

Son arme braquée devant lui, il pénétra dans l'espace obscur. Mais après deux, trois minutes sa vue s'adapta à la faible lumière provenant des trous provoqués par la corrosion dans la tôle du toit.

— Tu vois quelque chose ? demanda Logan.

Cooper entendit des bruits métalliques dans l'écouteur. A

l'évidence, son frère avait du mal avec les portes qui se trouvaient de son côté.

Des coups assourdis leur firent écho. Parker aussi galérait, semblait-il.

Cooper se faufila entre les divers objets laissés dans le bâtiment.

— Des vieilles caisses, répondit-il.

Et des morceaux de métal tordu, ainsi que d'autres débris.

Mais la lumière éclaira une surface de ciment où, curieusement, la poussière avait été balayée. Il s'avança vers la caisse qui s'y trouvait. Les coups entendus plus tôt se firent plus forts.

Ils ne provenaient pas de Parker, mais de l'intérieur de la caisse. Les clous qui fermaient le couvercle n'étaient pas rouillés, comme pour les autres. Nom d'un chien, qu'y avait-il donc là-dedans ?

Il avait vu trop de bombes artisanales en Afghanistan, pour prendre le risque d'ouvrir la caisse. Ça pouvait être un piège, un coup monté, comme avec le chariot élévateur. S'il ouvrait ce couvercle aux clous trop neufs, une explosion pouvait se produire… A l'instar de tant de situations de ce type dont il avait été témoin.

Il hésita, puis colla son oreille au bois. Les coups à l'intérieur répondaient à ceux sous son crâne. Mais il entendit soudain autre chose. Une voix faible, qui appelait…

— Qu'as-tu trouvé ? demanda Parker en le rejoignant.

Cooper rangea son arme dans son étui et concentra son attention sur la caisse.

— Trouve-moi un pied-de-biche, un tournevis, n'importe quoi… Il faut l'ouvrir.

Il essaya de soulever un côté avec les doigts, mais ne fit que s'enfoncer des échardes dans la chair.

— J'ai un pied-de-biche, annonça Logan, s'approchant à son tour.

Il devait s'en être servi pour parvenir à ouvrir les portes du quai de chargement.

Se saisissant de l'outil, Cooper força pour insérer l'extrémité entre le couvercle et le haut de la caisse, puis, dans un grincement qui faisait froid dans le dos, souleva le couvercle de deux ou trois centimètres. Ses frères prirent la relève et l'arrachèrent de leurs quatre mains.

Un homme était recroquevillé dans la caisse, le visage et les cheveux encroûtés de sang. Jadis blonds, ces derniers étaient à présent couleur lie-de-vin. Tant de sang…

Il leva des yeux bouffis vers son sauveur.

— Cooper ?

— Appelez une ambulance ! lança ce dernier à ses frères.

Parker avait déjà son portable collé à l'oreille.

— Ça va sans doute prendre du temps avant qu'elle ne parvienne dans ce secteur de la ville. Ne vaudrait-il pas mieux l'embarquer avec nous ?

Cooper hésitait à le déplacer. Mais, le prenant de court, le kidnappé sortit de lui-même de la caisse, et glissa comme un reptile sur le sol de ciment.

— Stephen, doucement, dit Cooper en s'agenouillant à ses côtés. Ne bouge plus.

Mais Stephen s'agrippa à sa main. Et un profond sentiment de culpabilité étreignit le cœur de Cooper. Comment avait-il pu croire son ami responsable des attentats perpétrés contre lui et contre Tanya ? Comment avait-il pu épouser sa fiancée, alors qu'il était enfermé dans cette caisse de bois ?

Parce que penser Stephen capable du pire lui avait permis de donner libre cours à ses sentiments pour Tanya.

Il se tourna vers Logan.

— Tu as de l'eau dans ta voiture ?

Son frère aîné acquiesça.

— Je vais en chercher, ainsi que la valise de premiers secours.

— Et moi je vais faire signe à l'ambulance, dit Parker.

Il emboîta le pas à son jumeau, laissant Cooper seul avec son meilleur ami.

— Tout ira bien maintenant, assura-t-il.

Le sang suintait encore de la plaie à la tête de Stephen. Son ravisseur avait dû le frapper fort. Assez pour éclabousser de sang les murs de la pièce du marié.

— As-tu vu qui a fait ça ?

Ce n'était pas Tanya, comme l'avaient suspecté ses frères. Il en avait plein le dos de douter de ses amis.

— Non…

Stephen gémit, comme si le son de sa propre voix résonnait douloureusement sous son crâne blessé. Comment avait-il supporté l'écho des coups qu'il donnait à l'intérieur de la caisse ?

— Tu ne sais pas qui est ton agresseur ?

— Si…

Le pouls de Cooper s'accéléra.

— Tu le sais ? Mais tu viens de me dire que tu ne l'as pas vu.

Personne ne pouvait porter une accusation en s'appuyant uniquement sur des suspicions et des doutes. La police et le procureur avaient besoin d'éléments solides, comme le témoignage de témoins visuels.

Stephen voulut de nouveau parler, mais sa voix se brisa. Sa gorge était sans doute aussi desséchée que ses lèvres gercées. Les tripes de Cooper se nouèrent à la pensée des violences qu'il avait subies. Avant d'être placé dans cette caisse pour y agoniser et mourir.

Des bruits de pas pressés se firent entendre. Cooper leva les yeux, espérant qu'il s'agissait des médecins. Mais c'était Logan, avec une bouteille d'eau.

— L'ambulance sera là dans quelques minutes, dit-il.

Il espérait que Stephen tiendrait le coup jusque-là… Après plusieurs jours avec une blessure non soignée et privé d'eau. Otant la bouteille des mains de son frère, il dévissa le bouchon, porta le goulot aux lèvres de Stephen et fit couler un mince filet de liquide dans sa bouche.

Stephen toussa violemment et cracha.

Cooper jura, craignant d'avoir aggravé l'état de son ami. Et si l'eau était entrée dans ses poumons ?

Mais Stephen retrouva son souffle, et sa voix fut plus claire lorsqu'il parla.

— Encore…

Cooper refit couler un peu d'eau dans sa bouche.

Il toussa de nouveau, mais moins brutalement.

— L'ambulance sera bientôt là, déclara-t-il. Les toubibs vont te remettre sur pied en un rien de temps.

— En… sécurité…, murmura Stephen.

— Tu es en sécurité, assura Cooper. Plus personne ne s'en prendra à toi.

S'il avait accepté d'être son garçon d'honneur, il ne lui serait jamais rien arrivé, songea-t-il. La culpabilité le rongeait beaucoup plus que la douleur dans ses côtes et son dos.

— Tu sais qui t'a fait ça ? demanda Logan, toujours inspecteur dans l'âme.

Soucieux de ne pas épuiser Stephen, Cooper répondit à sa place :

— Il ne l'a pas vu.

— A la chapelle, murmura le blessé. Je ne l'ai pas vu à la chapelle…

Logan grimaça de frustration.

— Mais je l'ai vu… Quand il a ouvert le coffre de cette voiture. Je l'ai vu…

— Qui est-ce ? demanda Cooper. Qui t'a fait ça ?

— Arthur Gregory.

— L'avocat du grand-père de Tanya ?

— Nom de Dieu, gronda Logan entre ses dents.

Cooper se tourna vers lui.

— Qu'y a-t-il ? Je croyais que tu le connaissais à peine.

— Ce n'est pas ça.

Un nerf vibrait dans sa mâchoire crispée.

Cooper comprit soudain, et son cœur rata un battement.

— Il est avec Tanya ?

— Candace vient de signaler que Gregory était entré au mausolée, alors qu'elle se trouve à l'intérieur.

— Elle ne l'en a pas empêché ?

Logan secoua la tête.

— Je… Je lui ai conseillé de ne pas le faire.

Cooper le maudit en termes virulents.

— Je ne pensais pas qu'il constituait une menace, se défendit Logan. Quelle serait sa motivation ?

— L'argent, murmura Stephen. Je crois qu'il a… détourné l'argent de Benedict.

Et l'opération serait passée inaperçue si aucune des deux héritières ne s'était mariée avant l'âge de trente ans.

— Dis à Candace d'entrer dans la maison, de protéger Tanya !

Son portable déjà à la main, Logan acquiesça. Mais de l'autre côté l'appareil sonna, sonna…

— Elle ne décroche pas.

— Vas-y, le pressa Stephen. Va… retrouver Tanya.

Parker slaloma entre les caisses, en écartant certaines pour dégager la voie devant la civière que portaient les urgentistes.

— Les voilà !

— Pars, insista Stephen. Dépêche-toi.

Son cœur l'attirait déjà dehors, vers le mausolée et Tanya. Avant de partir, il se tourna vers ses frères.

— Veillez à ce qu'ils prennent bien soin de lui.

— Je viens avec toi, dit Logan. Parker accompagnera Stephen à l'hôpital.

Cooper se fichait de qui faisait quoi tant qu'Arthur Gregory ne touchait pas à un cheveu de Tanya. Mais le mausolée était de l'autre côté de la ville. Ses chances d'y arriver à temps pour la protéger étaient minces, très minces.

Il avait été le dernier des imbéciles de la quitter des yeux… parce que peut-être n'allait-il jamais la revoir.

Vivante.

La poussière lui envahissait les poumons, rendant sa respiration difficile. Son nez la chatouillait, sa gorge la brûlait, mais elle ne pouvait pas éternuer. Elle ne pouvait même pas inspirer à fond, de peur qu'il ne sache où elle se cachait.

Elle s'était faufilée dans un grand placard de l'office. Les genoux collés contre sa poitrine, la tête coincée sous le panneau de chêne du dessus, elle était dans une position très inconfortable. Mais la porte du placard n'étant pas trop épaisse elle pouvait entendre à travers.

Une porte s'ouvrit en couinant… Celle de la cuisine ? En tout cas, c'était assez fort pour qu'elle puisse l'entendre. Une voix de femme l'appela soudain. Elle reconnut celle de Candace.

— Tanya ?

Un objet métallique tomba, heurtant le carrelage de la cuisine. Puis quelque chose de plus lourd s'affaissa dans un bruit mat.

Elle voulait répondre à l'appel, mais quelque chose lui disait que Candace ne pouvait plus l'entendre. Gregory l'avait-il tuée ?

Des larmes lui piquèrent les yeux et lui brûlèrent la gorge, mais elle lutta pour les contenir. Elle ne devait pas révéler sa planque.

— Ça ne sert à rien d'essayer de vous cacher, cria-t-il, sa voix semblant d'une proximité alarmante.

Elle bloqua sa respiration, jusqu'à ce que ses poumons lui fassent mal.

— Je vous trouverai !

Il savait qu'elle avait compris parce qu'elle avait fui. Elle n'aurait pas dû le fuir. Mais elle n'avait jamais été capable de dissimuler ses sentiments qu'à une personne : Cooper. Tous les autres lisaient en elle comme dans un livre ouvert, et ses rares tentatives de mensonges tombaient à plat.

Mais quel intérêt y avait-il à la tuer ? Sa part d'héritage reviendrait à son mari. A moins que l'avocat n'ait l'intention de le tuer, lui aussi.

Si seulement elle avait une arme…

Peut-être que l'objet métallique qu'elle avait entendu tomber était le pistolet de Candace. Si elle pouvait se faufiler dans la cuisine sans se faire voir…

— Où êtes-vous, bon sang ?

La voix de Gregory lui parvenait moins forte, signe qu'il s'éloignait. Puis elle entendit des pas sur le marbre du vestibule… Des pas qui gravirent les marches de l'escalier, pour se déplacer au-dessus de sa tête quelques instants plus tard.

Tanya prit une inspiration, sortit de son placard et se redressa. Des tiraillements désagréables lui parcoururent les membres tandis que le sang affluait de nouveau dans ses veines. Ses jambes menacèrent de se dérober sous elle, et elle dut s'accrocher à un comptoir pour ne pas tomber.

Une fois son aplomb retrouvé, elle traversa l'office sur la pointe des pieds, vers la cuisine. Comme elle l'avait pensé, Candace gisait sur le sol. Le sang coulait sur le carrelage d'une blessure à la tête. Posant deux doigts sur sa gorge, elle chercha son pouls, et soupira de soulagement en le sentant battre.

Puis elle regarda autour d'elle. Si Candace avait eu une arme, elle n'était plus là. Arthur Gregory devait s'en être emparé.

La jeune femme était trop lourde pour que Tanya puisse la bouger. Elle ne pouvait ni la transporter dehors, ni la laisser ici, à la merci de l'avocat.

— Candace ? lui souffla-t-elle à l'oreille. Réveille-toi…

Candace bougea une jambe, mais demeura inconsciente. Dans le mouvement, cependant, le bas de son pantalon s'était relevé, révélant un pistolet attaché à sa cheville.

La main tremblante, Tanya dut batailler un moment avec la lanière du holster, mais parvint à sortir l'arme.

Les bruits de pas sur le marbre se firent de nouveau entendre. Tout près. Il arrivait. Il était là.

Tournoyant sur elle-même, elle braqua le pistolet des deux mains devant elle.

— Au moins cette fois tu as baissé la sécurité, ironisa Cooper. Tu ne me feras donc pas sauter la tête.

— Elle non, mais moi oui, dit Arthur Gregory.

Cooper se tourna vers l'homme, qui était arrivé en silence derrière lui. Pendant la brève seconde où il avait été face à elle, Tanya avait vu son visage. Il n'avait pas semblé très surpris de la menace proférée par l'avocat.

— Personne n'a besoin d'être tué, déclara-t-il, avant de baisser les yeux sur la forme inerte de Candace. Vous n'avez pas tiré sur elle ?

— Il doit l'avoir frappée à la tête, dit Tanya.

Si seulement elle avait pu l'avertir…

— Comme il l'a fait pour Stephen.

— Vous l'avez retrouvé ? demanda-t-elle. Est-il…

— Il est toujours vivant, répondit Cooper. Et bientôt il sera suffisamment rétabli pour témoigner contre vous, ajouta-t-il à l'adresse de Gregory.

L'avocat haussa les épaules.

— Avant que la police ne m'arrête, je serai loin.

— Dans ce cas, partez, suggéra Cooper. Allez-vous-en, maintenant.

— Ça vous ferait plaisir, hein ? Vous n'avez cessé de contrarier mes plans depuis votre retour.

— Ces plans étaient-ils de tuer Tanya ?

— Ce n'est devenu nécessaire que lorsque vous avez décidé de devenir son chevalier servant, répondit Gregory.

En cet instant, Cooper jouait pleinement son rôle de protecteur en se plaçant entre elle et le juriste à l'esprit malade, dont l'arme était pointée sur sa poitrine.

— Tout ce que je voulais, c'était l'empêcher de se marier, expliqua-t-il. Stephen Wochholz ou qui que ce soit d'autre.

Tanya frissonna.

— Vous ne vouliez pas qu'elle hérite de cet argent, dit Cooper.

— Quel argent ? ricana Gregory. Il n'y a plus d'argent.

Tanya en resta bouche bée. Il avait tout détourné.

— Alors c'est fini, dit Cooper. Fichez le camp. Prenez ce qui reste et quittez le pays.

— Je le ferai, assura l'avocat. Dès que je me serai débarrassé de vous.

Tanya s'étrangla, prise de panique.

— Non !

— Pourquoi agissez-vous maintenant comme si vous l'aimiez ? railla Gregory. Il n'y a pas si longtemps, vous vouliez tellement faire annuler votre mariage que vous étiez prête à renoncer à votre part d'héritage.

Cooper se tendit. Etait-il offensé, blessé ?

— Vous vous en êtes pris à Stephen, et avez plusieurs fois

tenté de tuer Cooper, dit-elle, essayant d'expliquer le pourquoi de son attitude.

C'était pour lui, pour le protéger.

— Plusieurs fois tenté de le tuer ? J'ai juste fait tomber une voiture sur lui.

— Mais les coups de feu ? Devant l'immeuble de Stephen, sur son frère, que vous avez dû prendre pour lui...

— J'ai tiré sur votre appartement, mais c'était pour vous supprimer, après qu'il m'a empêché de vous renverser, répondit-il d'un ton hargneux. Il intervenait toujours pour vous sauver... La crise d'asthme, l'empoisonnement à l'arachide. Pour ce dernier, votre sœur vous a aidée. Peut-être devrais-je aussi m'occuper d'elle, avant de quitter le pays.

— Personne d'autre n'a besoin de souffrir, dit Cooper. Stephen va s'en remettre. Vous n'avez tué personne. Il n'y aura donc aucune charge pour meurtre contre vous.

— Seulement des tentatives de meurtre, observa l'avocat. Et détournement d'héritage. Un meurtre ne changera pas grand-chose. Et pour toutes les fois où vous avez contrarié mes plans, j'ai vraiment envie de vous tuer, Cooper Payne.

— Non ! hurla Tanya.

Mais son arme était déjà levée.

Arthur Gregory pressa la détente.

18

Le hurlement de Tanya résonna dans les oreilles de Cooper. La terreur dont il était chargé lui glaça le sang. Mais ce n'était pas le sien qui s'étalait sur le carrelage blanc de la cuisine. Arthur Gregory gisait sans vie devant lui, une balle dans la tête.

— Tout le monde est OK ? demanda Logan derrière lui.

Cooper avait accaparé l'attention de l'homme afin que son frère puisse intervenir le cas échéant. Et comme l'avocat avait pressé la détente de son pistolet, il avait une chance fabuleuse que Logan soit un tireur de premier ordre. Sinon il aurait un trou dans le cœur, un vrai, pas un trou symbolique.

— Ouais, répondit Cooper. Ça va.

— Tu pourrais te montrer un peu plus reconnaissant, l'asticota Logan en s'agenouillant devant Candace pour tâter son pouls.

C'était ainsi que sa famille affrontait les situations de crise : avec humour. Sans lui, ils n'auraient jamais survécu à la mort du père. Logan avait déployé tant d'efforts pour traverser cette épreuve que dissimuler ses émotions était devenu chez lui une seconde nature. Il les gardait enfermées au fond de lui.

— Son pouls est solide.

— *Je* suis solide, murmura Candace en revenant à elle. A la lutte, je te bats à plates coutures.

— C'est bien qu'il t'ait frappée à la tête, gloussa Logan. Elle est dure comme du bois !

Cooper espérait que son cœur l'était également. Parce qu'il était clair que les sentiments qu'elle éprouvait pour Logan n'étaient pas partagés. Son grand frère ne pouvait pas être aussi doué pour dissimuler ses émotions.

Si lui-même avait trouvé Tanya effondrée sur le sol, il n'aurait pas été capable de plaisanter, et ses mains auraient trop tremblé pour tirer avec la maîtrise dont Logan avait fait preuve. Il ressentit un élan de sympathie pour Candace : il savait combien il était douloureux de ne pas être aimé par la personne que l'on aime.

Tanya voulait tellement divorcer qu'elle était prête à renoncer à sa part d'héritage.

Elle lui empoigna les épaules par-derrière.

— Cooper, est-ce que ça va ? demanda-t-elle.

Il se libéra de sa prise et, comme il l'aimait de toutes ses forces, se retourna et avança sa main vers elle… Mais, au lieu de l'attirer entre ses bras comme il mourait d'envie de le faire, il fit disparaître les toiles d'araignées et la poussière qui s'accrochaient à ses cheveux.

— Comment te sens-tu ?

Elle poussa un gros soupir.

— Bien… Quand j'ai compris, j'ai fui, je me suis cachée…

— Qu'avais-tu en tête pour venir le retrouver ici, seule ?

Mais il le savait. Elle avait en tête de se séparer de son mari. Et elle ne s'était pas souciée de ce que cela lui coûterait. Y compris sa vie ?

— A ce moment-là, j'ignorais que c'était lui qui était derrière toute l'affaire…

— Mais tu n'aurais pas dû sortir sans une escorte, lui rappela-t-il.

Ses tripes se nouèrent de frayeur rétrospective. Il n'osait penser à ce qui aurait pu lui arriver, n'osait se l'imaginer gisant dans son sang, tuée d'une balle ou d'un coup violent à la tête…

— C'est difficile de veiller sur quelqu'un qui refuse votre protection, ajouta-t-il.

— C'est terminé maintenant, dit-elle. Je n'ai plus besoin que tu me protèges.

— C'est vrai, convint-il.

Il était évident qu'elle n'avait plus besoin de lui.

— Terminé ? répéta Logan. Gregory a seulement reconnu

avoir tiré sur ton appartement. Il a avoué tout le reste, alors pourquoi aurait-il menti pour les autres fois ? Parker s'est bel et bien fait tirer dessus devant l'immeuble de Stephen.

— Toi aussi tu t'es fait canarder, rappela Cooper, dont les élancements se réveillaient sous son crâne.

— C'est vrai, mais je me faisais passer pour toi.

Malgré sa migraine, il secoua la tête.

— On peut aisément vous prendre l'un pour l'autre, Parker et toi. Mais j'ai davantage de mal à croire que l'on puisse vous confondre avec moi.

Alors peut-être que ces tirs devant chez Stephen étaient vraiment destinés à Parker, et n'étaient pas simplement dus au fait qu'il était sorti le premier.

— Tu penses qu'il y a quelqu'un d'autre ? demanda Tanya en frissonnant. Que Gregory aurait eu un complice ?

Candace était parvenue à s'asseoir et à s'adosser au mur derrière elle.

— Il est plus vraisemblable qu'il s'agit de quelqu'un qui n'a rien à voir avec toi, déclara-t-elle.

Tanya se tourna vers Cooper, les yeux écarquillés.

— Il y a une tierce personne qui veut te tuer.

— Non, pas moi, dit-il. Je viens juste de rentrer au pays.

Et ses ennemis n'auraient pu le suivre jusqu'ici.

— Nous sommes face à une autre affaire, déclara Logan. Une affaire qui ne te concerne pas, ajouta-t-il pour Tanya.

Une pointe de déception la traversa. En disant cela, il lui rappelait qu'elle n'était pas réellement un membre de sa famille. Son mariage avec Cooper n'avait que deux jours d'existence, et elle avait décidé d'y mettre fin.

Un ululement de sirènes se fit entendre à l'extérieur.

— Dès que la police aura pris nos dépositions, je t'emmène voir Stephen à l'hôpital, dit Cooper.

— Oh ! Stephen…

Elle leva des doigts tremblants et ôta une autre toile d'araignée de ses cheveux.

— Il s'en sortira, vraiment ?

— S'il a pu survivre à une blessure ouverte à la tête et à plusieurs jours de claustration dans cette caisse, c'est qu'il est costaud.

Elle couvrit sa bouche de sa main, comme pour réprimer un nouveau cri.

— Et je suis sûr qu'il ira encore mieux une fois que nous aurons divorcé et que tu pourras l'épouser.

Elle aimait beaucoup Stephen, mais elle ne voulait pas l'épouser. Elle voulait rester l'épouse de son mari, parce qu'elle était amoureuse de lui. Manifestement, ce n'était pas réciproque. Cooper n'était même pas allé avec elle à l'hôpital. Il l'avait envoyée accompagner Candace dans l'ambulance.

Après que cette dernière eut été emmenée par les médecins pour examens, Tanya avait trouvé la chambre de Stephen. Dès qu'elle fut entrée, elle tendit la main pour saisir la sienne.

— Non ! s'écria aussitôt Rochelle, depuis l'autre côté du lit, où elle était assise.

Stephen poussa un cri. Tanya recula. La chair de ses doigts était à vif. Il avait dû gratter quelque chose jusqu'au sang. La caisse dans laquelle Cooper l'avait trouvé enfermé, comprit-elle...

Elle frissonna en songeant aux horreurs que son ami si cher avait dû subir. A cause d'elle.

— Je suis navrée. Tellement navrée.

— Tu peux l'être, lança Rochelle d'une voix dure. Tu as fait tout cela pour rien. L'argent s'était déjà envolé.

Nikki devait l'avoir appelée et mise au courant pour Gregory. C'était lui l'auteur des attentats contre Stephen et elle. Et il avait agi seul. En retroussant les manches de sa veste, Cooper avait découvert les griffures. Et les examens avaient déterminé que la bombe lacrymogène de la chapelle avait été transportée dans son attaché-case.

Des larmes de regret montèrent aux yeux de Tanya.

— Ce n'est pas ta faute, dit Stephen. C'est moi qui ai eu l'idée de ce mariage.

Rochelle arrondit les yeux.

— Quoi ?

— C'est la vérité. Ta sœur ne voulait pas de l'argent. Mais j'ai attiré son attention sur tout ce qu'elle pouvait faire avec, tous les gens qu'elle pouvait aider.

Les lèvres de Rochelle s'étirèrent sur le premier vrai sourire que Tanya ait vu sur son visage depuis son enfance.

— Bien sûr que c'était ton idée. Tu es un homme tellement gentil.

Stephen tendit l'une de ses mains meurtries et lui toucha la joue.

— Toi aussi tu es gentille.

Sa sœur, gentille ? Quelle sorte d'antalgique lui avaient-ils administré ?

Rochelle gloussa comme la petite fille qu'elle avait jadis été, avant de devenir une adulte revêche et agressive.

— Je suis une teigne, rétorqua-t-elle. Tanya peut te le dire. J'ai été une véritable garce avec elle.

— Tu ne savais pas, répondit Stephen. J'aurais dû te le dire.

— Tu étais au courant ? demanda Rochelle à Tanya.

Celle-ci fronça les sourcils, complètement perdue. Sa sœur était-elle soûle ?

— C'était *son* idée.

— Je ne te parle pas de ça, répliqua-t-elle en riant de nouveau. Je te parle de ses sentiments…

— Ça t'ennuie si je lui parle seul à seul ? demanda Stephen.

— Pas du tout, répondit Rochelle, avant de sortir de la chambre d'un pas léger, comme si elle flottait à vingt centimètres au-dessus du sol.

— Qu'as-tu à me dire ? s'enquit Tanya, dès que la porte se fut refermée sur elle.

— J'aime ta sœur.

— Tu quoi ?

Elle n'avait jamais rien remarqué de romantique, ni même d'ambigu, entre eux.

— J'aime Rochelle, dit-il.

Elle était stupéfaite.

— Quand tu as disparu, j'ai bien vu qu'elle en était très affectée, mais…

— Je ne l'ai compris moi-même que lorsque j'étais enfermé dans cette caisse, avoua-t-il. Son visage était celui que j'avais le plus envie de revoir, sa voix celle que j'avais le plus envie d'entendre.

Tanya poussa un soupir triste, rêvant que quelqu'un l'aime de la même façon. Et que cette personne soit Cooper.

— Je te demande pardon, dit-il.

— Pourquoi donc ? répliqua-t-elle. Toi et moi avons toujours été des amis. Des amis intimes, mais seulement des amis.

— Toi, Cooper et moi… *Los tres amigos*, lança-t-il en plaisantant. Mais lui et toi étiez plus que cela. Il t'a épousée.

Elle hocha la tête.

— Uniquement pour que je puisse hériter et payer la rançon dans le cas où ton ravisseur m'en aurait demandé une.

— J'ai cru comprendre qu'il avait eu quelques doutes sur mon rôle dans toute cette histoire, reprit Stephen.

Apparemment, Rochelle lui avait raconté dans le détail tout ce qui s'était passé durant son absence.

— Il avait donc peut-être une autre raison de t'épouser.

— Ma protection, répondit-elle. Arthur Gregory a tenté de me tuer.

— Mais tu aurais aimé que ce soit réel, n'est-ce pas ? Tu aimes Cooper. Tu l'as toujours aimé.

Hélas, c'était sans espoir. Plus encore que lorsqu'ils étaient adolescents.

— Ça n'a pas d'importance, dit-elle d'une voix crispée par l'émotion. Parce qu'il ne m'aime pas. Il ne m'aimera ja…

Elle se laissa tomber sur le siège à côté du lit et se mit à sangloter, les épaules secouées de spasmes.

Stephen lui caressa les cheveux de sa main blessée.

C'était elle qui aurait dû le réconforter après tout ce qu'il avait enduré. Mais comme d'habitude, c'était l'inverse qui se produisait.

— Je t'aime vraiment beaucoup, dit-elle.

Un bruit lui fit tourner la tête vers la porte… où se tenait Cooper. Avant qu'elle ne puisse l'appeler, il tourna les talons et repartit, la porte se fermant toute seule derrière lui. Il avait pensé qu'elle était amoureuse de Stephen, c'était clair. Mais en quoi cela lui importait-il puisqu'il ne l'aimait pas ?

— Tu n'as pas voulu être mon garçon d'honneur, mais tu veux que je te rende un service ! s'exclama Stephen en claquant la porte du bureau, pour s'avancer vers la table de travail.

Cooper faisait officiellement partie de l'équipe de Payne Protection, et en tant que membre de la famille et employé il s'était vu attribuer un bureau. Une pièce lambrissée de bois sombre, plus petite que celle de Logan ou Parker, mais plus grande que le cagibi dévolu à Nikki.

— Après tout, ce divorce doit t'arranger, toi aussi.

C'était ce que pensait Cooper après ce qu'il avait vu et entendu deux jours plus tôt dans sa chambre d'hôpital.

Son vieil ami s'était rétabli très vite. Sans doute parce que quelqu'un l'attendait. Mais il avait toujours un bandage à la tête pour protéger les points de suture qui avaient fini par stopper le sang. Et des cernes sombres soulignaient ses yeux, des yeux écarquillés de stupeur.

— Tu penses que ça m'arrange de te préparer des formulaires de divorce ?

— Je croyais que tu voulais que je divorce de Tanya, confessa Cooper avec amertume.

Peut-être n'avait-il pas l'esprit aussi ouvert qu'il le pensait, car il ne parvenait pas à être heureux pour ses amis.

— Pourquoi ? demanda Stephen.

— Pour que tu puisses l'épouser.

Nikki avait filé de son bureau dix minutes plus tôt pour retrouver Tanya et Rochelle à la chapelle, afin de procéder aux préparatifs du mariage avec leur mère. Apparemment, Tanya était si impatiente d'épouser Stephen qu'elle avait oublié qu'elle était toujours mariée avec lui.

Mais lui n'avait pas oublié. Il n'avait rien oublié d'elle. Le parfum de ses cheveux. Le goût de ses lèvres. Le plaisir infini qu'il éprouvait lorsqu'il plongeait en elle, la chaleur et la fermeté de son corps se lovant contre lui…

C'était comme s'ils ne faisaient qu'un, exactement comme l'avait dit le révérend James en prononçant les paroles nuptiales. Mais Cooper ne l'avait plus revue depuis qu'il l'avait entendue déclarer son amour à un autre homme.

Stephen ricana.

— Tout le monde disait que tu ne serais plus le même après ton engagement chez les marines et tes missions sur le terrain…

Oui, il avait changé. Mais pour l'essentiel il avait réussi à ne pas se laisser déstabiliser par ses souvenirs de guerre et ses cauchemars. Même si Stephen s'apprêtait à épouser la femme qu'il aimait, il demeurait son ami. Aussi le reconnut-il aussitôt.

— C'est vrai, je ne suis plus le même.

Stephen secoua la tête.

— Faux. Tu es resté l'idiot que tu as toujours été.

— Idiot toi-même, rétorqua-t-il. Tu viens à mon bureau pour m'insulter ?

— Tu m'as fait venir par un stupide message vocal qui me demandait de préparer les papiers de votre divorce.

Cooper haussa les épaules.

— D'une annulation, dans ce cas. Je signerai ce que veut Tanya.

— Tu sais ce que veut Tanya ?

— Oui, toi.

Stephen ricana de nouveau.

— Elle te l'a dit ?

Cooper réfléchit, tentant de se remémorer leur conversation.

— Elle… elle a dit à Gregory qu'elle voulait divorcer.

— Elle t'a dit cela ?

Ses côtes et son dos lui faisaient moins mal, mais c'était comme si la douleur s'était déplacée sous son crâne.

— Pourquoi me poses-tu toutes ces questions ?

— Parce que je veux m'assurer que tu sais vraiment ce qu'il y a dans le cœur de Tanya, et que tu ne te contentes pas de présumer.

« Je t'aime… »

Mais il n'avait fait que rêver qu'elle lui murmurait ces mots à l'oreille. Il était parfaitement éveillé lorsqu'il l'avait entendue déclarer ses sentiments à Stephen.

— Je ne présume pas, persista-t-il. Je sais.

— Est-ce que tu sais ce qu'il y a dans *ton* cœur ?

Cooper renifla. Etait-il obligé d'avoir cette conversation avec l'homme qui allait épouser la femme qu'il aimait ?

— J'ignorais ce qu'il y avait dans le mien, poursuivit Stephen. Je l'ignorais, jusqu'à ces journées passées dans cette caisse, où j'ai eu le temps de réfléchir.

— Es-tu en train de me suggérer de m'enfermer dans une caisse ?

Stephen grimaça.

— C'est trop tôt ? persifla Cooper.

— Un peu, répondit Stephen, avant de se fendre d'un large sourire. Tu m'as manqué, mon pote.

Et parce qu'ils étaient amis, il devait s'y résoudre.

— Prépare-moi ces papiers.

Stephen hocha la tête d'un air réprobateur.

— Si c'est vraiment ce que tu veux, je le ferai.

Cooper eut l'impression qu'une lame de couteau lui traversait le cœur.

— Très bien…

— Mais pas avant que tu n'aies parlé à Tanya.

— Ce n'est pas nécessaire.

— Ça l'est, si tu veux que je te rende ce service, dit Stephen. C'est un service pour un autre.

— En parlant à Tanya, je te rendrais service ?

Stephen sourit de nouveau.

— Oui. Et ce service ne peut pas attendre. Il faut que tu lui parles maintenant.

— Mais elle est à la chapelle.

En train de préparer leur mariage…

— Exactement. Allez, grouille. Tu as déjà perdu assez de temps comme ça. Parle-lui, ensuite tu me diras si tu veux toujours que je te prépare ces papiers.

Il ne le voulait pas. Il ne voulait pas divorcer de Tanya. Mais il ne pouvait pas rester marié à une femme qui aimait un autre homme.

Il était temps de mettre un point final à cette comédie.

19

Tanya avait le plus grand mal à se concentrer sur l'organisation du mariage, dont les autres discutaient dans le petit bureau jaune baigné de soleil de Penny Payne. Les mots de Cooper — ceux du message laissé sur la boîte vocale de Stephen — ne cessaient de résonner dans sa tête.

« Je voudrais que tu me prépares les formulaires de divorce. »

Il lui avait promis qu'il mettrait fin à leur mariage, et Cooper Payne était un homme de parole. Elle se sentait passablement hypocrite à organiser un mariage quand le sien arrivait à sa fin.

Rochelle lui donna un petit coup à l'épaule.

— J'ai besoin de ton avis, dit-elle. Tu es ma demoiselle d'honneur.

— Dame d'honneur, corrigea Penny. Ta sœur est mariée.

Elle n'allait plus l'être très longtemps si Cooper allait jusqu'au bout de son idée.

Rochelle se mit à rire, ce qui arrivait maintenant assez souvent. Elle était, semblait-il, dans un état d'euphorie perpétuelle.

— Si ma dame d'honneur faisait un peu plus son boulot, je serais plus jolie.

— Tu seras magnifique, assura Tanya. Tu *es* magnifique, je dirais même rayonnante.

Sa sœur piqua un fard.

— OK. Tu es une excellente dame d'honneur.

Tanya avait été si touchée qu'elle lui demande cette faveur qu'elle faisait tout son possible pour aplanir leurs rancœurs et leurs incompréhensions, et instaurer enfin une vraie relation de sœur à sœur. Pour garantir le bonheur de Rochelle, elle devait mettre de côté sa souffrance et son sentiment d'échec.

— Je suis tellement contente pour vous deux, dit-elle.

Rochelle se pencha vers elle et lui serra la main.

— Tu pourrais être heureuse, toi aussi.

— Je te l'ai dit, je le suis.

— Tu l'es pour Stephen et moi. Je veux que tu le sois pour toi-même. Et si tu disais à Cooper ce que tu ressens pour lui ?

Elle l'avait fait. Mais, dans sa lâcheté, elle le lui avait juste chuchoté à l'oreille.

— C'est sans importance…

— Pourquoi donc ?

— Parce qu'il ne ressent pas la même chose pour moi.

— Que ressens-tu pour mon fils ? demanda Mme Payne avec un grand sourire qui laissait entendre qu'elle connaissait, sans doute depuis toujours, la réponse à sa question.

— Oui, que ressens-tu ? intervint la voix de Cooper.

Son ton suggérait qu'il ne le savait pas. Il ne devait pas avoir entendu ce qu'elle lui avait murmuré à l'oreille cette nuit-là.

— Je te l'ai dit, répondit-elle.

— Pendant que je dormais.

Donc, il avait entendu.

— Mais je te l'ai dit, insista-t-elle.

Rassemblant son courage, elle lui posa enfin la question que depuis de longues années elle brûlait de lui poser.

— Et toi ? Que ressens-tu pour moi ?

Elle retint son souffle, le cœur battant.

Et attendit…

Une onde de chaleur envahit le cou de Cooper lorsqu'il se rendit compte que toutes ces femmes le fixaient. Sa mère. Sa sœur. Tanya…

Elle avait vraiment prononcé ces mots. Il ne les avait pas imaginés. Elle l'aimait.

— Je t'ai entendue dire la même chose à Stephen.

— J'aime Stephen, clarifia-t-elle. Mais comme un ami. Pas comme Rochelle l'aime, ni comme il aime Rochelle.

Et à cet instant il comprit.

— C'est leur mariage que vous êtes en train de préparer.

Rochelle eut un sourire espiègle.

— Tu croyais qu'elle projetait d'épouser Stephen ? Elle n'est pas bigame, pour l'amour du ciel !

— Cooper l'a appelé pour lui demander d'établir les papiers de divorce, révéla Tanya.

— Il m'a dit qu'il ne le ferait qu'à condition que je vienne d'abord te parler, avoua-t-il.

— Donc, c'est uniquement à cause de Stephen que tu es ici.

Il était en train de la perdre. Il le sentait, la sentait s'éloigner de lui.

— Lorsque tu m'as soufflé ces mots, demanda-t-il, avaient-ils le même sens que pour Stephen ?

Elle le fit attendre. Son corps était tendu, et ses lèvres pincées comme si elle se demandait si elle allait lui répondre ou non. Si elle ne le faisait pas, il ne pourrait lui en vouloir. Ne lui avait-il pas dit qu'il n'était venu ici que pour obtenir les formulaires de divorce ? Il lui faudrait beaucoup de courage pour se dévoiler la première. Mais Tanya était beaucoup plus forte qu'il n'y paraissait.

— A aucun moment, je n'ai ressenti pour Stephen ce que je ressens pour toi, dit-elle enfin. Toi et moi n'avons jamais été uniquement des amis. Du moins, pas à mes yeux.

— Aux miens non plus, reconnut-il.

Elle attendit de nouveau.

Et il hésita. Auparavant, il n'avait jamais été lâche. Il n'avait pas hésité à s'engager chez les marines. Il n'avait pas froid aux yeux dans les combats. Mais maintenant il hésitait parce que Tanya pouvait lui faire beaucoup plus de mal qu'une balle de fusil ou qu'un obus. Elle avait prononcé les mots, mais cela ne voulait pas dire qu'ils avaient un avenir ensemble.

— Ton grand-père avait raison, cette année-là. Je n'avais rien à t'offrir. Je n'en ai pas plus aujourd'hui.

— Oh si, répliqua-t-elle. Simplement tu ne le veux pas.

— Je n'ai pas d'argent.

— Moi non plus, lui rappela-t-elle. Mais je m'en sors très bien sans.

— N'est-ce pas pour l'héritage que tu voulais épouser Stephen ?

— Elle avait des projets pour cet argent, dit Rochelle, répondant à la place de sa sœur. Elle voulait aider les gens.

Bien sûr qu'elle voulait aider les gens. Pas étonnant qu'il l'aime autant.

— Elle n'en a pas besoin pour les aider, observa-t-il.

Rochelle approuva d'un hochement de tête.

— Au fait, il en reste un peu, annonça-t-elle. Stephen a déniché les comptes bancaires offshore d'Arthur Gregory. Et il y a déjà une offre pour la maison de grand-père.

Tanya se tourna vers sa sœur, l'air stupéfait.

— Qui voudrait de cette lugubre bicoque ?

— Un entrepreneur de pompes funèbres.

Tanya éclata de rire.

Elle hériterait d'une certaine somme maintenant, songea Cooper, puisqu'elle s'était mariée avant ses trente ans. Serait-elle suffisante pour lui redonner son rang dans un monde qui n'était pas le sien ?

— Je n'ai pas besoin d'argent, déclara-t-elle, comme si elle avait lu dans ses pensées.

En réalité, sans que personne ne le sache, lui-même en avait plus qu'elle. Parce qu'il avait vécu avec trois fois rien, il avait investi l'essentiel de sa solde, et avec les primes qu'il touchait à chaque réengagement il s'était constitué un joli pécule.

— Et d'amour ? demanda-t-il. As-tu besoin d'amour ?

Elle émit un petit bruit étranglé, et ses beaux yeux verts s'arrondirent de surprise et d'espoir.

— Est-ce que…

— Je t'aime ?

Il hocha la tête.

— Seulement de tout mon cœur et de toute mon âme.

— Eh bien, si c'est tout…

Bondissant de sa chaise, elle lança les bras autour de son cou, avant de l'embrasser sur la joue, sur le menton, sur le nez…

— Je t'aime ! Je t'aime !

— Ouais, d'accord, dit Nikki, feignant l'indifférence malgré le pétillement dans son regard. Dis-nous plutôt quelque chose que nous ne savons pas depuis Mathusalem.

Cooper éclata de rire.

— Je veux le refaire.

— Quoi ?

— Je veux te réépouser.

— Un second mariage ? demanda sa petite sœur. Toi, je parie que tu connais quelqu'un qui tient une chapelle à mariages !

— Comment le sais-tu ?

Penny se mit à glousser, comme elle le faisait à chaque joute humoristique entre ses enfants. Ç'avait d'ailleurs été leur raison d'être, à l'origine : faire rire maman.

Tanya ôta ses bras de son cou.

— Mais nous ne pouvons pas !

Une bouffée de panique le saisit. Avait-elle changé d'avis ? Ses sentiments pour lui n'étaient-ils pas assez solides pour qu'elle l'épouse de nouveau ?

— Nous ne pouvons pas parasiter le mariage de Rochelle, objecta-t-elle. C'est *son* jour.

— Eh oui, enfin, soupira sa sœur, avant de se tourner vers elle. Mais nous avons toutes les deux pris notre temps pour en arriver là, fit-elle remarquer. Pourquoi ne pas marcher ensemble vers l'autel ? Le révérend consacrera en même temps nos deux unions.

Deux couples se tenaient, solennels, devant l'autel. Et il y avait les deux garçons d'honneur, si semblables dans leurs smokings noirs que Tanya fut incapable de les différencier l'un de l'autre. Jusqu'à ce que Parker lui adresse un clin d'œil.

Avec Rochelle, elles se partageaient l'unique demoiselle

d'honneur. Nikki tenait leurs deux bouquets. Petit et simple, celui de Tanya se composait de quelques roses jaunes, tandis que celui de Rochelle était un volumineux foisonnement de couleurs et de textures.

Sa robe aussi échappait à la tradition. Courte, d'un froissé étudié, elle était aussi vermeille que les joues souriantes de celle qui la portait.

Comme Rochelle avait eu le temps de dénicher cette robe, Tanya aurait pu de son côté en trouver aussi une nouvelle. Mais elle en avait voulu une en particulier. Et Dieu merci, les urgentistes ne l'avaient pas abîmée.

Elle portait donc la splendide robe de dentelle piquetée de perles de Mme Payne — ou plutôt de *maman*, comme cette dernière avait exigé qu'elle l'appelle désormais.

Durant les quelques jours qu'il avait fallu à Mme Payne — *maman* — pour régler les détails de la cérémonie conjointe, Tanya s'était inquiétée à l'idée de parasiter le mariage de Rochelle.

Mais sa petite sœur affichait un bonheur qu'elle ne lui avait jamais vu. De même que Stephen, lorsque vint le moment de lui passer la bague au doigt.

Puis arriva le tour de Cooper. Il prit sa main dans la sienne. Un délicieux frémissement lui parcourut la peau à ce contact… et devant l'intensité avec laquelle il la couvait de ses yeux bleus.

— Par cette bague, je te prends pour épouse, répéta-t-il en glissant l'anneau d'or serti de diamants sur son annulaire.

Elle s'émerveilla de sa beauté. Elle avait beau connaître Cooper depuis l'enfance, il était encore capable de la surprendre. Comme lorsqu'il ajouta ses propres vœux :

— Je t'aimerai et te protégerai jusqu'à mon dernier jour, Tanya Payne.

Tanya Payne.

— J'aime le son de ces mots, murmura-t-elle. Je t'aime, je t'ai toujours aimé, et je t'aimerai toujours. Tu es mon meilleur ami, mon âme sœur, mon tout…

Cooper cligna des paupières, comme s'il avait lui aussi les yeux embués. D'émotion. Et d'amour.

— Stephen et Rochelle, Cooper et Tanya, je vous déclare maintenant maris et femmes, dit le père James en étouffant un petit rire.

Tandis que Stephen embrassait son épouse, Cooper baissa la tête vers Tanya et couvrit ses lèvres avec une telle douceur, une telle tendresse, qu'elle ne put retenir ses larmes.

— Il y en aura d'autres plus tard, promit-il tout bas, afin qu'elle seule puisse l'entendre.

Allait-elle pouvoir patienter jusque-là ?

La réception se passa dans un tourbillon de bonne chère, de danse et de rires. C'était le mariage dont elle avait toujours rêvé. Et il était d'autant plus merveilleux qu'elle pouvait le partager avec sa sœur, ses amis et sa nouvelle famille.

Parker la fit tournoyer sur la piste de danse.

— Ce mariage est à mourir d'ennui, se plaignit-il avec un sourire en coin. Personne n'a été kidnappé, ni mitraillé ni empoisonné.

Tanya poussa un profond soupir de soulagement, heureuse que rien de tout cela ne soit arrivé. Parce que Cooper et elle semblaient y être abonnés jusqu'ici.

— Je ne sais pas de quoi tu parles, répliqua-t-elle, adoptant spontanément le penchant des Payne pour l'ironie. C'est le jour le plus excitant de ma vie.

Cooper l'arracha aux bras de son frère et la prit dans les siens.

— Il va le devenir encore plus, annonça-t-il. Nous partons sur-le-champ pour notre lune de miel.

Rochelle et Stephen s'étaient déjà éclipsés, impatients d'entamer une vie commune qui avait failli leur être retirée. Tanya chassa de son cœur ses remords et son sentiment de culpabilité. Le passé était le passé. Tout le monde était heureux et en sécurité.

— J'espère que tu n'as pas oublié de prendre quelques pièces de cette lingerie sexy, dit Cooper.

— Oh ! J'ai quelque chose d'unique à ton intention.

— *Tu* es unique.

Elle referma les bras sur le cou de son mari, tandis qu'il la soulevait pour la transporter jusqu'au rez-de-chaussée. Une

fois dans la nef, il traversa le vestibule et sortit sur le perron
de la chapelle. Logan et Nikki les attendaient sur les marches.
Ils éclatèrent de rire, et jetèrent en pluie des poignées de riz à
leur passage. Parker les suivit, tout en les aspergeant également
de grains.

Un SUV était garé le long du trottoir. Sur la vitre arrière,
quelqu'un avait écrit « Just Married » au blanc à chaussures. Et
un chapelet de boîtes de soda vides était accroché au pare-chocs.

— Bande d'idiots ! lança Cooper d'un ton jovial à sa famille.

Tanya se laissa aller à l'hilarité générale, plus heureuse
qu'elle ne l'avait jamais été.

Jusqu'à ce que des coups de feu éclatent…

Cooper plongea sur elle pour les protéger tous deux derrière
le véhicule. Mais ses frères et sa sœur se tenaient sur les marches
du perron, exposés à la fusillade.

Des pneus hurlèrent tandis que la voiture d'où provenaient
les tirs disparaissait au coin de la rue. Tanya se dégagea des
bras de Cooper et se retourna.

Logan couvrait Nikki de son corps sur les marches, mais
Parker n'était plus là.

— Parker ! s'écria Cooper en se précipitant vers eux.

Une main s'éleva des épais buissons qui bordaient l'escalier.
Il l'empoigna et sortit son frère du feuillage.

— Ça va ?

— Ouais, ouais, répondit ce dernier d'un ton confiant, tout
en époussetant son smoking. Logan m'a poussé là-dedans après
avoir fait se coucher Nikki.

Il tourna les yeux vers son jumeau, comme s'il s'attendait
à l'une de ces piques dont ils étaient coutumiers. Mais tout
humour avait, semblait-il, quitté Logan.

— Je suis désolé, dit-il à son frère et sa sœur, avant de
reporter son attention sur les jeunes mariés. Je suis désolé…

Tanya secoua la tête.

— Je croyais que c'était terminé. Arthur Gregory est mort.
Mais peut-être avait-il un complice.

— Vous n'êtes pas concernés, leur assura-t-il. Je suis le seul visé. Il s'agit d'une vengeance…

— Tu sais qui c'était, dit Cooper.

Il acquiesça.

— Et je vais m'en occuper. Vous deux, partez pour votre lune de miel.

Il les gratifia tous deux d'une étreinte, puis les poussa vers le SUV.

— Allez-vous-en avant que la police n'arrive. Vous avez fait assez de dépositions ces derniers jours pour toute une vie.

Cooper obéit à son frère et aida Tanya à grimper sur le siège passager. Puis il contourna le véhicule et s'installa derrière le volant. Elle lui serra le bras.

— Tu es sûr ? demanda-t-elle. Si tu veux rester pour l'aider, notre lune de miel peut attendre.

— Notre lune de miel a déjà trop attendu, dit-il. A cause de mon orgueil et de mon obstination.

Il jeta un coup d'œil par la vitre à sa famille — à *leur* famille.

— Quand j'étais chez les marines, reprit-il, ils m'ont fait confiance pour prendre soin de moi-même. Je fais confiance à Logan pour se protéger et protéger les autres.

Logan les salua de la main tandis qu'ils s'engageaient sur la route. Les regardant par la vitre arrière, Tanya ne put s'empêcher de se demander si elle ne les voyait pas pour la dernière fois.

Cooper saisit sa main et mêla ses doigts aux siens.

— Il ne leur arrivera rien, promit-il. Ce sont des Payne.

Elle lui sourit.

— Toi aussi tu es une Payne. Tu es ma vie.

— Notre mariage est réel, soupira-t-elle avec soulagement.

— Ouaip. Et nous allons le consommer, sois-en sûre. Autant de fois que nous en aurons envie.

Elle éclata de rire. Il avait raison. Sa famille pouvait prendre soin d'elle-même. Ils le faisaient d'ailleurs depuis des années. Et, à partir de cet instant, Cooper et elle allaient passer le reste de leur vie à veiller l'un sur l'autre.

— Je t'aime, murmura-t-elle.

— Pardon ? Je n'ai pas entendu, la taquina-t-il, faisant référence à une certaine nuit.

— Je t'aaaiime ! cria-t-elle.

— Mariés depuis quelques heures à peine, et déjà elle me crie dessus, ronchonna Cooper.

Tanya s'esclaffa de nouveau, et imagina leur futur ensemble, comme elle l'avait si souvent fait étant adolescente. Sauf qu'à présent ce n'était plus un fantasme. C'était réel. Ils se disputeraient sans doute de temps à autre, mais ils riraient aussi beaucoup. Et compte tenu de leurs jobs respectifs le danger ne serait pas exclu de leur vie. Comme il l'avait promis, il la protégerait. Et elle ferait en sorte qu'il sache toujours combien elle l'aimait.

Même si elle devait le lui crier.

JENNA RYAN

Le château des brumes

BLACK ROSE

HARLEQUIN

Titre original : NIGHT OF THE RAVEN

Traduction française de CHRISTINE MAZAUD

1

Los Angeles, Californie

Un frisson d'effroi parcourut McVey. Il était enfermé dans un sombre grenier et l'air y était irrespirable : une odeur encore plus écœurante que du chou recuit, mélange de bois vermoulu, d'humidité et de poussière. Toutes les deux secondes, un coup de tonnerre claquait et des éclairs, comme des langues, léchaient un rideau de fumée grise.

McVey se tenait tapi dans un coin sombre du grenier et épiait deux personnes. Elles étaient à peine visibles dans la fumée. L'homme serrait et desserrait les poings. La femme tournait autour d'un feu en marmonnant des mots incompréhensibles.

Puis elle obligea l'homme à ingurgiter une chose noire dégoulinante.

Le tonnerre gronda, deux coups très violents, et il ne resta plus que la femme et la fumée. L'homme avait disparu, comme volatilisé.

Cela n'annonçait rien de bon, songea McVey.

Affolé, il chercha désespérément un moyen de se sauver avant que la femme l'aperçoive et l'oblige à avaler la même chose noire que l'homme.

Les yeux fermés, les cheveux et les vêtements en bataille, elle grommelait et titubait dans la fumée qui devait la prendre à la gorge. Soudain, elle se figea, dans la lumière d'un éclair. Lentement, elle tourna la tête, telle une chouette en pleine nuit.

McVey en eut la chair de poule.

Le regard de la femme se posa sur lui et elle lâcha l'objet qu'elle tenait, pointant vers lui un doigt dégoulinant.

— Toi ! accusa-t-elle d'une voix éraillée. Tu as vu ce qui s'est passé entre papa et moi !

La terreur envahit un peu plus McVey. C'était énorme, ce qu'elle venait de dire. Énorme et en même temps incompréhensible. A moins que… Non, ce n'était pas possible !

— Tu n'as rien à faire ici, mon enfant.

Elle avança vers lui.

— Tu ne sais donc pas que je suis folle ?

Folle ? Sans aucun doute. Mais pourquoi l'appelait-elle *mon enfant* ?

Il baissa les yeux vers ses jambes : de petites bottines lui enserraient les mollets. Cela n'avait aucun sens !

Le tonnerre ébranla de nouveau la maison. Un craquement lui fit relever la tête. La femme le regardait en souriant. Elle était incroyablement belle, et il la connaissait. Ou plutôt, il la reconnaissait.

Elle pointa de nouveau un doigt vers lui, ce qui rompit le charme.

Se tournant vers la table de nuit, il chercha son arme. Mais il n'y avait pas de table de nuit, et l'éclair qui suivit éclaira une main qui n'était pas la sienne. Qui ne pouvait être la sienne. Elle était trop petite, trop blanche, beaucoup trop délicate.

— N'aie pas peur, *mon enfant*.

La voix de la femme était douce et lisse comme un fil de soie. Ses affreux vêtements et ses cheveux se noyaient dans de l'eau stagnante.

— Je ne te veux pas de mal. Je vais seulement faire disparaître ce que tu crois avoir vu.

Mais de quoi parlait-elle ? s'alarma McVey. Il n'avait qu'une envie : sortir de cet endroit avant que le doigt répugnant le touche.

Il fit un mouvement de côté, espérant profiter de l'obscurité pour s'échapper.

Mais des éclairs illuminèrent soudain la pièce, et les yeux gris de la femme le détaillèrent d'un air mauvais.

— Il n'y a pas d'issue, le prévint-elle.

Visiblement agacée, elle lui agrippa les poignets.

— Je ne veux pas te faire de mal. Tu sais que je n'en ai jamais fait à personne.

Il n'en était pas certain du tout et commença à se débattre. La femme ricana atrocement.

— Jeune fou, tu oublies que je suis ton aînée. Que je suis aussi plus forte et infiniment plus méchante que ta mère.

Sa mère ?

— Viens avec moi ! ordonna-t-elle, l'obligeant à sortir de son recoin.

Comme elle le forçait à se lever, il tituba et lui marcha sur la robe.

— Pourquoi suis-je…

Sa propre voix le surprit : elle ne sonnait pas comme d'habitude.

La femme lui adressa un petit sourire triste.

— Crois-moi, Annalee, ce que je vais te faire, ce soir, c'est pour ton bien.

Un nouveau coup de tonnerre réveilla McVey en sursaut. Il avait les cheveux dans les yeux et un filet de sueur lui coulait dans le dos.

Dehors, une rafale de vent agita l'enseigne lumineuse de la façade.

Par réflexe, McVey chercha son revolver sur la table de nuit.

Encore ce fichu cauchemar ! Depuis deux semaines, il le faisait sans cesse. Chaque fois qu'il s'endormait, il devenait en rêve une petite fille portant des robes longues et des bottines, comme autrefois. Et chaque fois la même femme apparaissait, une femme qui voulait lui faire tout oublier.

Se redressant dans son lit, il rejeta les couvertures et prit une décision : celle de tenir la promesse qu'il avait faite à son vieux père sur son lit de mort.

Il avait alors dix-neuf ans.

Et si, pour cela, il devait tourner le dos aux personnes avec lesquelles il travaillait depuis… heu… peu de temps, ce ne serait pas un drame.

Oui, il allait partir tout de suite, dès ce soir, tenir sa promesse et changer le cours de sa vie.

Peut-être que, de cette façon, le cauchemar finirait par disparaître ?

2

Jackson, Mississippi,
quinze ans plus tard

Un coup frappé à la porte fit sursauter Amara. Depuis plusieurs semaines, elle avait perdu son calme. L'angoisse revenait sans cesse et, quand elle ouvrit au lieutenant Michaels, la peur grimpa encore un peu plus.

Le policier avait une mine de chien battu.

— Chad est mort, annonça-t-il.

Amara vacilla et dut s'appuyer au mur. Si on avait tué Chad, elle était la prochaine sur la liste.

Un frisson d'horreur la traversa.

Tout ça à cause de Jimmy Sparks !

Elle avait témoigné au procès de celui-ci, à charge. Jimmy Sparks avait été condamné et, en quittant le tribunal, il lui avait lancé :

— Ceux qui sont responsables de mon incarcération paieront ! Ma famille y veillera !

Sur le moment, Amara n'avait pas pris la menace au sérieux. Compte tenu de sa santé précaire, Jimmy Sparks ne sortirait probablement jamais de prison.

Mais quelque temps plus tard un des autres témoins à charge, Harry Benedict, avait été retrouvé mort. C'était le lieutenant Michaels, déjà, qui était venu la prévenir.

— Ne paniquez pas, avait-il aussitôt ajouté, brassant l'air devant lui. Rappelez-vous que Harry avait près de vingt ans de plus que Jimmy.

Cette explication officielle n'avait pas franchement convaincu Amara.

— Allons, lieutenant ! Malgré ses soixante-dix-neuf ans, Harry était un athlète en superforme. L'année dernière encore, il a traversé tout le Maryland à pied.

— Justement ! C'est pour cela qu'il a été terrassé la nuit dernière par un infarctus.

L'officier de police avait de nouveau balayé l'air devant lui.

— Je vous le répète, vous n'avez aucune raison de paniquer.

— Je ne panique pas. Mais quand même... Jimmy Sparks est le boss d'une grande famille de criminels. Une dizaine de proches travaille pour lui. Et il nous avait menacés à la fin de son procès. Alors, êtes-vous vraiment sûr que Harry est mort de cause naturelle ?

Le policier avait souri :

— Le labo est formel, c'est une défaillance cardiaque. L'homme avait un terrain, Amara. Ces dernières années, il avait déjà eu deux alertes très sévères.

Les semaines suivantes, Amara n'avait cessé d'y penser. Elle s'était jetée à corps perdu dans le travail pour oublier. En vain. La disparition de Harry la renvoyait aux imprécations proférées par le truand.

Et voilà qu'on retrouvait Chad mort !

Avec Harry et elle, il était le troisième à avoir témoigné contre Jimmy Sparks. Ce ne pouvait être un hasard.

Le lieutenant Michaels dut lire dans ses pensées, car il ajouta :

— C'est un suicide, Amara ! Le médecin légiste est formel.

— Ah non ! lança-t-elle en tremblant.

Comme le lieutenant s'apprêtait à poursuivre, elle leva la main pour l'arrêter.

— Vous savez comme moi qu'il est facile de déguiser un meurtre en suicide... Et n'essayez pas de me convaincre du contraire.

— Bien sûr. Mais dans le cas de Chad Weaver onze amis l'entouraient quand il s'est écroulé. C'est arrivé chez lui. Au cours d'une soirée qu'il avait lui-même organisée. Personne d'étranger ne s'était invité, la drogue et l'alcool qu'il a absorbés étaient à lui.

Les yeux plissés, elle le fixa.

— Chad se droguait ?

— Oui, et il buvait. De l'alcool fort. En fait, il s'est mis à boire après le procès de Jimmy Sparks et les menaces contre vous trois. Comme témoins, vous étiez… heu… vous êtes… clean.

Il se reprit.

— On n'a rien à reprocher à aucun de vous trois.

— Effectivement. Rien.

Amara sortit sur le balcon pour respirer un peu mieux.

— Je tombe du ciel, lieutenant. Quel genre de drogue prenait Chad ?

Le policier se gratta le nez.

— De l'ectasie, surtout. Un peu de coke, aussi. Il avait dû fumer de l'herbe dans la journée.

Amara haussa les épaules.

— Qui sait si ces substances n'avaient pas été trafiquées avant qu'il les achète ? Comment…

— Ecoutez, Amara, l'interrompit le lieutenant, apparemment offusqué par son ton sarcastique.

Mais elle ne lui laissa pas le temps de parler :

— C'est normal de se poser cette question, lieutenant. Quand on achète sa came à des dealers au coin de la rue, on ne sait pas à qui on a affaire. Ce ne sont pas des fréquentations respectables, si vous voyez ce que je veux dire. Quelqu'un peut très bien avoir glissé un poison dans la drogue de Chad.

— Le médecin légiste affirme qu'il s'agit d'un…

— Je sais ce que vous allez dire. Je l'ai déjà entendu. D'un décès accidentel.

— D'un suicide.

Non sans mal, elle se força à sourire.

— On en aura bientôt le cœur net, non ?

Elle réussit à garder son sang-froid et continua.

— Je vous vois venir, Michaels. Vous allez essayer de me

faire croire que la police n'a aucune raison de me protéger parce que le médecin légiste n'a pas pu se tromper.

L'inspecteur fit la moue.

— Infarctus massif pour Harry. Petit plaisir très privé pour Chad. Personne, à part vous, n'a entendu la menace de Jimmy. Les médias aimeraient sûrement mettre leur nez dans l'affaire, mais ils ne s'y risqueront pas parce qu'ils sont très bien informés et connaissent les liens de Jimmy Sparks avec diverses autorités… Evidemment, la question risque d'être soulevée, mais ceux qui la poseront mourront avant même d'être nés ! Après tout, rien ne prouve l'implication de Sparks dans l'affaire.

— Bien sûr. Cependant…

Amara poussa un soupir.

— Au risque de sembler parano, je vais vous demander que faire pour éviter de me retrouver un jour au… frigo.

Le policier déglutit visiblement.

— Vous devez disparaître. Quittez cette ville et filez en lieu sûr.

Amara eut besoin d'une minute pour encaisser la nouvelle.

— Et où voulez-vous que j'aille ?

Michaels jeta un coup d'œil dans la rue, puis éloigna Amara de la balustrade en fer forgé.

— Vos parents vivent en Amérique du Sud, non ?

— En Amérique centrale, plus exactement. Ils sont médecins et exercent là-bas depuis deux ans, auprès d'enfants. J'aimerais autant leur épargner ce souci…

— Vous avez de la famille dans le Maine, aussi ?

— Quoi ? Oui, enfin… non.

— On va dire oui, alors.

Il l'entraîna à l'intérieur, ferma la porte à double battant et tira les rideaux.

— Voilà ce que nous allons faire. Vous allez préparer vos bagages, passer les coups de téléphone que vous voulez, je vous conduirai ensuite à l'aéroport de La Nouvelle-Orléans.

Il lui fit un sourire quelque peu emprunté.

— S'il y a une chose que je sais faire, c'est semer les criminels.

La tête d'Amara se mit à tourner.

— Je suis convaincue que les *amis* de Jimmy Sparks planquent déjà à l'aéroport.

— Non, Amara. On est à Jackson, ici. Et je connais le bonhomme. Il ne va pas mettre une meute à vos trousses mais une seule personne.

— C'est vrai qu'il suffit d'une personne pour que je m'étouffe en avalant une patte de crabe ou que je tombe raide morte sur le trottoir à cause d'un caillot dans la tête qui se sera dissous comme par miracle avant même que... Mince ! Je dis des bêtises !

Elle se tourna vers lui, un doigt pointé sur son torse.

— C'est non, lieutenant ! Je ne vais pas mettre toute ma famille en danger à cause d'un voyou. Et vous le savez bien.

— Il le faut pourtant et vous allez obéir ! Je connais votre dossier. Les membres de votre famille vivent pour la plupart dans le Maine. Une petite ville entourée de bois, loin de tout : Raven's Cove. Il n'y a pas plus sûr pour vous en ce moment. Personne n'ira vous chercher là-bas.

Elle le fixa quelques secondes et corrigea.

— C'est Raven's Hollow. Je vais appeler ma grand-mère et lui expliquer ce qu'il se passe. Mais si elle hésite, ne serait-ce qu'une seconde, j'irai ailleurs.

— D'accord. Prenez juste ce dont vous avez besoin.

Ce dont elle avait besoin, songea Amara, c'était d'une machine à voyager dans le temps. Hélas, elle n'avait que son téléphone portable, le numéro de sa grand-mère et un espoir qui s'amenuisait au fil des minutes : que personne ne vienne la chercher à Raven's Hollow.

3

McVey suivait avec passion le match à la télé entre les Chicago Cubs et les Dodgers, ses chouchous. Il n'écoutait que d'une oreille son adjoint au téléphone. Jake Blume, déjà hargneux d'habitude, s'emportait à l'autre bout de la ligne :

— Ça va être la mêlée générale si on ne sépare pas les supporters des deux villes. Encore trois jours et les hooligans des deux bords vont se mettre dessus.

Un ton plus bas, il gronda :

— J'ai déjà stoppé des bagarres dans deux établissements, ce soir, chef. Qu'est-ce que vous voulez que je fasse pour les dégâts ?

McVey se pencha un peu plus vers la télé.

— Cours, bon Dieu ! s'exclama-t-il à l'adresse du joueur de base-ball qui venait de lancer la balle.

— Vous voulez que je file du bar en courant, chef ? Je ne suis pas une mauviette, vous savez.

— Je parlais à la télévision…, expliqua McVey.

Dépité par le jeu de son équipe favorite, il avala une longue gorgée de bière et baissa le son.

— Bon, on parle de quoi, là ? Quel bar ? Quels dégâts ?

— C'est au Red Eye, à Raven's Hollow. Ah, cette bon Dieu de ville… Je me demande pourquoi on se crève la paillasse pour eux, tout ça pour que leur chef de la police aille se bronzer la tronche au soleil de Floride pendant quinze jours !

— C'est son voyage de noces, Jake.

McVey ne put s'empêcher de rire.

Son adjoint ne semblait pas du même avis.

— Tout beau, tout nouveau. Faut qu'il en profite. Ça ne durera pas ! Parole de célibataire endurci à un autre.

— Endurci ? Jamais… Ah, ça, c'est une balle, lança-t-il à l'arbitre en gros plan sur l'écran.

— Si je dérange…

— Pas du tout.

McVey coinça sa canette de bière entre ses genoux et se frotta les yeux.

— Je suppose que les dégâts ne vont pas chercher loin.

— C'est vous qui le dites, chef. Vous savez comme moi comment les bagarres dégénèrent vite dans les bars.

— Dans ce cas, tu donnes un avertissement à celui qui a donné un coup de poing en premier, tu dis aux autres de payer et de se tenir tranquilles et tu rappelles à tous que c'est toi qui es de service ce soir, pas moi.

— Ce qui veut dire ?

— Que tu te mets souvent en pétard, que c'est tolérance zéro et qu'entre les deux villes c'est six cellules qui ne demandent qu'à être occupées.

— Très juste, répondit Jake qui retrouvait manifestement le sourire. Je peux même les menacer de les mettre au trou ?

— Comme t'as envie… Quand ce sera fait, reviens à Raven's Cove. Je te relèverai à l'aube.

Sur ce, McVey raccrocha et se rapprocha du poste. Mais son équipe avait sorti deux balles, et il se rassit, pensif.

Depuis quatorze mois qu'il était à Raven's Cove, il n'avait fait son mauvais rêve que cinq fois. C'était pénible mais moins que ce qu'il avait connu pendant six ans dans la police de Chicago et pendant huit ans à New York. Dans ces deux villes, c'était au moins une fois par mois qu'il faisait ce rêve. Enfermé dans un grenier envahi par la fumée, il distinguait une femme, qu'il connaissait sans la reconnaître vraiment, qui lui disait qu'elle allait effacer tous ses souvenirs. Ce n'était pas pour ce rêve, somme toute nébuleux, qu'il avait décidé de quitter la ville. Ses motifs étaient plus sérieux et … Tiens, était-ce le parquet qui venait de craquer en haut ?

Sa canette dans la main, à mi-course entre ses genoux et sa bouche, il tendit l'oreille un moment.

Mais il n'y eut pas de nouveau bruit.

Aussi, il but une longue et savoureuse goulée de bière, puis porta de nouveau son attention sur l'écran.

Une balle frappée par les Dodgers lui redonnait espoir quand le grincement des gonds d'une porte, quelque part à l'intérieur de la maison, lui fit lever les yeux au plafond.

Bon, se dit-il. *Je ne suis pas tout seul.*

Ce bruit sonnait d'autant plus comme une menace qu'il avait récemment reçu deux e-mails assez désagréables, deux e-mails qui insinuaient qu'un homme plein de secrets, comme lui, devrait se méfier de ce qui se tramait dans l'ombre.

Aussitôt debout, il coinça son arme dans sa ceinture et se dirigea vers l'escalier du fond.

Le vent qui n'avait cessé de souffler durant la journée, avec la violence d'un ouragan, se fracassait contre les vitres. Malgré ce vacarme, il y eut un nouveau grincement. Son *visiteur* avait des progrès à faire pour entrer sans se faire remarquer ! songea McVey.

Mais, à son tour, il posa le pied sur une marche branlante et, comme elle craquait, jura.

L'intrus l'entendit probablement car, en haut, la porte cessa de couiner.

McVey, arme au poing, monta quand même l'escalier. Le visiteur se trouvait certainement dans la cuisine, ce qui voulait dire qu'il pouvait soit filer par où il était entré — la porte du fond — soit attendre et voir ce qui allait se passer.

Dans tous les cas, McVey avait l'avantage car il vivait dans cette maison depuis deux semaines et en avait bien mémorisé le plan.

Une autre porte se mit à grincer. Le visiteur s'était déplacé, en conclut McVey.

À la fois excité et inquiet, il attendit. Les petites villes côtières, plutôt endormies, avaient été animées ces derniers temps. Malheureusement, une fois l'agitation passée, elles étaient redevenues… comment dire ?… totalement mortes. A part les rixes dans les bars — qui se multipliaient — et les rivalités entre deux clans — aussi jaloux l'un que l'autre des légendes qui les auréolaient — il ne se passait pas grand-chose.

Une nouvelle rafale de vent fouetta la fenêtre. De l'air humide balaya le visage de McVey, ce qui l'étonna. Autre surprise, il y avait de la lumière dans le vestibule. Décidément, son visiteur était particulièrement stupide et bien mal renseigné… Entrer par effraction dans la résidence, fût-elle provisoire, du chef de la police… Quel crétin !

Mais mieux valait quand même se méfier.

Sans faire de bruit, McVey continua donc d'avancer. Une ombre passa alors que le vent — était-ce vraiment le vent ? — refermait brutalement la porte de la cuisine. Un bang retentissant ébranla les murs. Malmenée par une bourrasque d'une puissance inouïe, la charpente gémit.

McVey planta son arme dans la ceinture de son jean et décida d'agir. Mais en douceur. Au lieu de sauter sur l'intrus, comme il l'aurait fait normalement, il l'attrapa par la taille.

Ils pivotèrent tous les deux, sauf que McVey perdit l'équilibre et tomba. Lourdement. Seul. Et sur le dos.

Dans sa chute, sa tête heurta la table de la cuisine, son épaule le coin d'une chaise de bois massif. A moitié groggy, il réussit tout de même à se relever. Sa proie lui administra alors un coup de coude dans les côtes et lui griffa la joue.

Il empoigna la main qui se levait pour lui asséner encore un coup et, fort de ses muscles, prit l'avantage.

— Bouge pas ou…

Il n'en dit pas plus. Son instinct de flic reprenant le dessus, il bloqua le genou qui s'apprêtait à le frapper à un endroit très sensible et jura :

— Bon Dieu !

Serrant les dents, des coups de gong dans le crâne, il dévisagea le visage incrédule et furieux tendu vers lui. Une femme ! Et pas n'importe laquelle : celle de ses cauchemars !

Prise de peur, pas pour elle mais pour sa grand-mère qui vivait dans cette maison depuis plus de soixante-dix ans, Amara commença à se débattre. Mais il la cloua au sol, les mains au-dessus de la tête et les poignets serrés dans ses griffes. Elle tenta un nouveau coup de genou. Sans résultat. Alors, elle se cambra pour tenter de se libérer et le mordre ou n'importe quoi d'autre.

— Je vous tue si vous lui avez fait du mal, dit-elle haletante. Cette affaire me concerne moi, pas ma famille. Vous devriez le savoir, bon sang !

Il esquiva un nouveau coup.

— Je ne sais qu'une chose, jeune fille, c'est que vous êtes entrée par effraction dans une maison où vous n'avez rien à faire.

— Vous non plus. Vous n'avez aucun droit à être ici. Et d'abord, où est ma grand-mère ?

— Justement si, j'ai le droit d'être ici. Quant à votre grand-mère, qu'est-ce que j'en sais !

Amara crut défaillir.

— Quoi ? Elle est… morte ?

— Non. Pas que je sache. Maintenant, ça va comme ça, je suis chez moi, ici.

Incapable de bouger, Amara le fusillait du regard. Ils étaient toujours presque collés l'un à l'autre.

— Vous mentez. J'ai parlé à Nana hier soir. Elle n'a fait aucune allusion à la présence d'un homme chez elle.

Il abaissa la tête et sourit, l'air moqueur.

— Votre grand-mère ne vous dit peut-être pas tout, ma belle !

— Je déteste vos insinuations. Si elle avait eu un invité ou, je ne sais pas, moi, un locataire, elle me l'aurait dit. Maintenant, jurez-moi que vous ne lui avez rien fait.

— Que voulez-vous que je lui fasse ? Je ne dévore pas les vieilles dames pour me coucher ensuite dans leur lit et sauter sur leurs jolies petites-filles.

— Très drôle ! Mais pas rassurant du tout !

— N'aie pas peur, Petit Chaperon rouge…

Elle se mit à trembler.

— Allez, calmez-vous. On va repartir à zéro et s'expliquer. Pour commencer, je m'appelle Ethan McVey et il n'y a …

— Aucune raison pour que vous occupiez la maison de ma grand-mère.

— Sauf qu'elle me l'a passée.

Il se releva un peu pour lui laisser de l'air.

— Si mes informations sont justes, elle se trouve quelque part dans les Caraïbes avec deux amies, et un très vieux monsieur qui va vers ses cent deux ans.

— Vous voulez parler de…

Elle pouffa de rire.

— Ne me dites pas que Nana a emmené le vieux Romney Blume dans les Caraïbes ?

— Il paraît que si. J'ignore si c'est vrai, sa vie privée ne me regarde pas. Vous, en revanche, ce que vous faites ici, dans ma cuisine, me regarde.

— Vous voulez dire dans la cuisine de ma grand-mère.

— J'ai payé mon loyer, mon amie. Ici, c'est chez moi. Et le badge sur la table est également à moi. Mais apparemment vous ne l'avez pas remarqué.

Elle fronça les sourcils.

— Le badge ? Vous êtes flic ?

— Flic ? Très exactement chef de la police. De Raven's Cove.

Amara tentait de rassembler les pièces du puzzle.

— Vous venez de dire que vous avez payé votre loyer. Si vous êtes flic, pourquoi vous louez la maison de ma grand-mère ?

— Parce que ce qu'elle m'avait loué en premier était en mauvais état. Problèmes de plomberie et d'électricité. Ils sont en train de réparer.

L'explication fit sourire Amara.

— Ce n'était pas le Black Rock Cottage, par hasard ? Au départ, il y a cinquante ans, c'était une ruine que mon grand-père a retapée et que Wrecking Ball Buck Blume, alias Crésus, a rénovée l'année dernière.

— Ça doit être ça.

— Dans ce cas, pardon de vous avoir griffé.

Il poussa un soupir.

— Puis-je vous demander maintenant de ne plus vouloir faire de moi un eunuque ?

— Je vais voir.

— Vous m'inquiétez, Petit Chaperon rouge.

— Mettez-vous à ma place. J'ai ma grand-mère au téléphone hier et elle ne me parle de rien.

— Vous estimez normal d'arriver comme ça chez elle et d'entrer sans frapper !

— J'ai frappé, mais personne n'a répondu. Comme Nana cache une clé sous le pot de fleurs, au pied de l'autre escalier, je l'ai prise.

Enfin, il lâcha ses poignets mais resta à califourchon sur elle, un genou de chaque côté de ses hanches. Ouf ! Elle n'avait plus sa figure — une belle gueule d'ailleurs — à quelques centimètres de son visage.

— Si je comprends bien, reprit-elle, Nana ne vous a rien dit de la clé de secours et elle ne m'a rien dit de votre présence. Double omission.

Elle gigota un peu sous lui et regretta aussitôt son mouvement.

— Heu… Vous permettez ?

Il se releva enfin.

— Merci, fit-elle.

— Je vous en prie. Le problème, c'est que j'ai la tête qui tourne.

Encore méfiante, elle accepta la main qu'il lui tendait pour l'aider à se relever.

— Je peux ausculter votre tête si vous voulez.

— Pourquoi ?

— Parce que vous êtes peut-être blessé.

— Ça, c'est certain, Chaperon rouge ! Mais… vous êtes médecin ?

— Je suis chirurgien. Chirurgie réparatrice.

— Sérieusement ?

Il partit en riant vers la porte.

— Vous gagnez votre vie en ravalant des façades et en remontant des fesses ?

— Très élégant, rétorqua-t-elle, faussement blessée.

Malgré son insolence, ou peut-être à cause d'elle, cet homme commençait à lui plaire. Et son charme, à produire sur elle certains effets…

— Ce qui compte, c'est ce que ça rapporte ! ajouta-t-elle.

— Si vous le dites !

Amusée, elle pointa un doigt vers lui.

— Pour en revenir à ces oublis bizarres, pourquoi croyez-vous que Nana a omis de me dire que quelqu'un occupait sa maison ?

— La communication était peut-être mauvaise ?

C'était plutôt le temps qui lui avait manqué, la faute au lieutenant Michaels qui l'avait empêchée de s'éterniser au téléphone. Non content de lui arracher l'appareil de la main, il l'avait fait asseoir à toute vitesse à l'arrière de sa voiture et s'était dépêché de démarrer.

Amara observa les poutres, en l'air, dans lesquelles le vent réussissait à s'engouffrer.

— Ma mère aurait parlé de *mauvais présage* et m'aurait dit de ne pas venir.

— Ah ?

Le policier — McVey, si elle avait bien entendu — prit son téléphone et tapa un numéro tout en marchant.

— Elle donne dans la voyance ou ce genre de baliverne ?

— Si vous voulez savoir si elle croit dans certaines légendes du pays, c'est oui. Absolument.

— Parce que… il y en a plus de deux ?

Elle haussa les épaules.

— Il y en a plus de deux cents, mais, pour la plupart, elles dérivent des deux principales. La famille Blume est attachée à la légende de son ancêtre Ezéchias qui se serait mué en corbeau.

— Ça, je l'ai compris.

— Les Blume affirment que ce sont les sorcières Bellam qui sont à l'origine de cette métamorphose.

— Les Bellam sont vos ancêtres, c'est bien cela ?

— Ma grand-mère a renié ce nom de famille.

— Entre autres choses. Mais laissons cela de côté. Hier soir, votre grand-mère, à condition que vous soyez bien sa petite-fille, Amara, m'a adressé un message assez étrange.

— Et vous ne l'ouvrez que maintenant ?

— S'il vous plaît, Chaperon rouge ! C'est mon jour de congé aujourd'hui et ce portable est mon téléphone personnel. J'ai eu du travail. Le vent a arraché quatre volets que j'ai passé le plus clair de la journée à réparer et à remettre en place.

Il tourna son portable vers elle de sorte qu'elle puisse lire le message sur l'écran.

— Selon grand-mère Bellam, vous vous êtes mise dans de sales draps. Fallait pas vous mêler de faire condamner le baron du crime.

Le message lu, Amara scruta le policier. Il avait un regard magnétique, d'une profondeur insondable.

— Dans de sales draps. Brrrr… ça fait peur. Ecoutez, il est tard, finalement je ne suis pas chez moi ici. J'ai de la famille dans la région, je vais bien trouver un oncle, une tante ou un cousin pour m'héberger cette nuit.

Préférant mettre de la distance entre eux, elle se dirigea vers la porte.

— J'ai laissé ma voiture de location au bout de l'allée. Elle est garée dans le sens de Raven's Hollow. Ça tombe bien, c'est là qu'habitent les proches que j'aime le plus. Je ne vais donc pas vous importuner plus longtemps ; je vais aller frapper à leur porte.

Elle fourragea dans le sac qu'elle portait à l'épaule et sortit une clé.

— Je la remets sous le pot de fleurs. Nana a le chic pour s'enfermer dehors. Cela lui arrive au moins trois fois par an.

McVey posa son portable sur le comptoir et l'accompagna.

— Oubliez la clé pour l'instant, Amara. J'ai besoin de savoir ce que c'est que cette histoire de « sales draps ».

— Oh… Une affaire peu glorieuse.

— Je suis policier. Je suis habitué au sordide. Quant aux histoires farfelues et à ceux qui y croient, cela ne me dérange pas non plus, si cela peut vous rassurer.

Cela ne la rassurait pas du tout. Et que McVey soit en pleine lumière n'arrangeait pas non plus ses affaires. Dès le premier coup d'œil, elle l'avait bien jaugé. Ce type était superbe et plus encore… Tellement qu'elle ne trouvait même pas les mots.

De longs cheveux noirs, des yeux couleur noisette grillée qui vous crucifiaient et des pommettes très hautes. Il aurait fallu être de marbre pour rester insensible. Il y avait aussi sa silhouette, longiligne, élancée. Elle aurait dû en profiter davantage quand, sans le faire exprès, il l'avait chevauchée.

Oh ! Où allait-elle pêcher des idées pareilles ?

Il fallait qu'elle se calme. Il était hors de question que son imagination l'égare. Hors de question que l'espoir de faire l'amour avec un sex-symbol comme lui ne l'entraîne sur le sentier vertigineux du fantasme.

Jimmy Sparks, le parrain d'une famille de pervers qui ne comptaient plus le nombre d'assassinats à leur actif, voulait sa peau. Impossible, donc, de retourner à La Nouvelle-Orléans et de continuer à travailler. Quant au lieutenant Michaels, elle ne pouvait décemment pas lui demander d'en faire plus pour elle. Sa grand-mère ne se trouvait pas à Raven's Hollow. Restait le policier de Raven's Cove qui la trouvait sans doute encombrante et devait déjà songer à la livrer aux parents et amis de Jimmy pour se débarrasser d'elle.

— Je suis désolée de ce qui s'est passé, dit-elle en reculant vers le vestibule. Je ne m'attendais pas à trouver…

— Un loup dans la chaumière de grand-mère, enchaîna-t-il.

Il continua d'avancer.

— J'attends toujours votre histoire, Chaperon rouge. S'il y a une partie qui vous gêne, sautez-la. Commencez par ce qui vous dérange le moins.

— Pour commencer, soyez aimable de m'appeler Amara. Vous vous en rendez compte vous-même, je n'ai pas les cheveux rouges, je suis brune. C'est un détail qui a son importance dans l'histoire de ma famille.

— Il va falloir que vous m'expliquiez car je n'y comprends rien, sauf que vous descendez d'une sorcière Bellam.

— Oui, mais de quelle sorcière ? C'est toute la question. La plupart des Bellam connaissent leurs origines. Leur arbre généalogique remonte jusqu'à Nola. Seule une poignée d'entre nous a du sang de Sarah, une sœur moins connue.

Grâce au ciel, il s'arrêta de marcher, puis demanda :

— Si Nola et Sarah étaient sœurs, elles ont le même sang. Je ne vois pas où est la différence.

— Nola Bellam était mariée avec Ezéchias Blume. Enfin, elle l'était, jusqu'à ce qu'Ezéchias, pris d'un accès de folie meurtrière, tue tout le monde autour de lui. La légende des Blume dit qu'il s'est repenti, mais que toutes ces morts l'ont métamorphosé en corbeau extralucide. S'il était devenu un oiseau, comment Nola a-t-elle pu se retrouver enceinte ? La seule possibilité, c'est qu'Ezéchias avait un frère, Ezéchiel, et que ce frère l'a violée et accusée d'être une sorcière. Il l'a ensuite pourchassée et a tenté de la faire disparaître.

— C'est bien compliqué.

— C'est aussi ce que je pense. D'autant plus que Sarah, la sœur, avait un faible pour Ezéchiel.

— Et ce « faible » s'est concrétisé par un bébé ?

— Vous voyez que vous comprenez ! Sarah a eu une fille qui a eu une fille, et ainsi de suite… Nola aussi, bien sûr, mais pas avec Ezéchias. Même dans la légende, les humains ne fraient pas avec les corbeaux. En résumé, qu'il y ait eu viol ou pas, Nola a donné naissance à un enfant qui n'était pas un Blume. Alors que la fille de Sarah en était une.

Amara se pencha un peu vers le policier.

— Je pense que vous avez eu le temps d'apprendre que les Blume et les Bellam sont brouillés depuis… heu… depuis toujours, en fait. Raven's Cove contre Raven's Hollow, la légende contre la raison ! Bref, où une Bellam avec du sang Blume se situe-t-elle dans l'histoire ? Jette-t-elle des sorts ou est-elle une victime ? Et à laquelle des deux villes appartient-elle ? Vous imaginez le dilemme… génétique !

McVey la regardait avec curiosité.

— Vous n'allez pas commencer à me faire peur avec vos histoires bizarres, s'il vous plaît.

— Non, parce que je n'ai pas le temps. Mais dommage !

— Connaissant Jimmy Sparks, j'aurais tendance à vous donner raison.

Elle cessa de tourner la poignée de la porte.

— Vous le connaissez ?

— On s'est croisé une fois ou deux. Enfin… façon de parler. Disons que j'ai eu l'occasion de tirer sur lui une fois ou deux.

— Vous avez tiré sur Jimmy Sparks, le roi des règlements de comptes ? Et vous êtes encore là pour le dire ? Toujours en vie.

— Oui, toujours en vie parce que j'ai eu une veine insensée. J'étais un bleu à l'époque, mais je visais mieux que mon équipier qui a eu la mauvaise idée de tirer dans les pneus de la voiture de Sparks. C'était la nuit. Il était tard. On venait d'assister à un échange de coups de feu pour le moins illégal entre lui et un rival.

— Et alors ?

— Je lui ai crevé deux pneus, puis un de ses passagers nous a tiré dessus. Ce type a blessé mon partenaire et m'a touché à l'épaule. Mais, bizarrement, notre rapport a disparu et l'affaire a été classée sans suite. Avant la fin de la nuit, nous avons été priés d'oublier cet incident.

— Sacré Jimmy ! Quel veinard !

— C'est de l'ironie, Chaperon rouge ?

— De l'étonnement.

— Peu importe. Revenons à nos moutons. Racontez-moi pourquoi l'un des enfants les moins aimés de ce pays vous veut du mal à vous, descendante d'une sorcière du Maine.

— C'est simple. Je suis en partie responsable de son incarcération. Mon témoignage l'a, semble-t-il, énervé !

— C'est pour cela que vous êtes ici ? Parce qu'il vous cherche des noises ? s'enquit McVey.

Il parut ensuite réfléchir un instant.

— Cela m'amène à une dernière question.

Sans qu'elle s'en rende bien compte, il avança vers elle, prit son menton dans sa main et lui repoussa la tête en arrière, comme pour bien la voir.

— Nom d'un chien, pourquoi votre bobine me trotte-t-elle dans la tête depuis quinze ans ?

4

McVey ne s'attendait pas à ce qu'elle lui réponde. Pourquoi même lui avoir posé la question ?

C'était si étrange : elle ressemblait à la femme qui hantait ses rêves et pourtant, plus il la détaillait, moins elle lui ressemblait.

De nombreux détails les différenciaient. Amara était plus brune que rousse. Ses traits étaient plus délicats. Elle avait des yeux gris tirant sur le noir, des hanches rondes, des fesses hautes et musclées et des jambes — oh, ces jambes ! — il n'en avait jamais croisé d'aussi longues.

Il s'attardait sur cette partie de son corps quand, lui tapotant le torse, elle le fit sortir de ses songes.

— Que voulez-vous dire par « votre bobine me trotte dans la tête depuis quinze ans » ? Qu'est-ce que c'est que cette question ?

Il esquiva.

— N'en tenez pas compte. C'est mon choc à la tête !

Elle parut soudain franchement méfiante.

— Etes-vous sûr que ma grand-mère est aux Caraïbes ? Et pas enfermée dans un placard, en haut ?

— Aux Caraïbes ? Vous me donnez des idées ! Mais ce n'est pas vraiment le moment.

Son portable sonna alors dans sa poche et il l'en sortit.

— Oui, Jake ?

— On a un problème, chef.

Son adjoint semblait agité, ce n'était pas bon signe. Mais surtout le fond sonore — des bruits sourds, chutes ou coups, les cris, la casse — était alarmant.

— Encore une bagarre de bar qui a dégénéré ?

— C'est pas ma faute, expliqua Jake en hurlant pour couvrir le vacarme. J'ai juste dit à ces sorcières d'enfourcher leurs balais et de rentrer chez elles.

— Tu sais que tu es à Raven's Hollow ? En territoire Bellam.

— C'est pas ma faute à moi si les gens d'ici sont des malades avec leurs histoires d'ancêtres.

— Ça sent le roussi, marmonna McVey.

Très énervé, Jake reprit.

— Raven's Cove a existé en premier, c'est un fait acquis. Pourquoi est-ce qu'on se prend la tête pour une bande d'alcooliques qui se flattent d'avoir pour ancêtre une sorcière qui a réussi à transformer mon arrière-arrière-… je ne sais plus très bien… grand-père en oiseau ?

Qu'est-ce que c'était que cette conversation ?

McVey se tourna vers Amara. De toute évidence, elle écoutait attentivement.

— Donne-moi un quart d'heure, Jake, et je suis là.

Il remit son téléphone dans sa poche et se pencha pour ramasser son arme.

— Désolée, McVey, mais je vous avais prévenu, lança Amara.

— Pas vraiment. Vous m'aviez dit que ceux de votre famille qui vivent à Raven's Hollow étaient les moins agressifs. Ce n'est pas ce que dit Jake Blume.

— Je vous parie vingt dollars que c'est lui qui a commencé.

C'était possible, inutile de discuter. Il rengaina son arme.

— Qu'est-ce que vous voulez que je vous dise ? On me l'a imposé.

Amara leva les yeux au ciel.

— C'est un baril de poudre, ici. Celui qui vous a conseillé d'accepter le poste a oublié de vous le dire. Raven's Cove, c'est un enfer pour les chefs de la police.

Mais il avait plus important à faire que de discuter.

— Je vais avoir besoin de vos clés de voiture, Chaperon rouge.

Sans se gêner, elle piqua un doigt dans sa chemise.

— Seriez-vous en train de me dire, chef McVey, qu'on vous

a donné un adjoint mais pas de véhicule de fonction ? Vous vous êtes fait avoir dans les grandes largeurs.

— C'est ce que je commence à penser.

Et ça commence à m'échauffer, pensa-t-il.

— Les clés, c'est pour déplacer votre voiture si elle bloque mon pick-up. Connaissant Jake comme je le connais, je crois qu'il est temps qu'on y aille.

— On ?

— Oui, vous venez avec moi.

— Pardon ?

— Vous êtes dans de sales draps, vous l'avez déjà oublié ?

La laissant pester, il la prit fermement par les épaules et la dirigea vers le vestibule.

— Faites-moi confiance. J'ai bien l'intention de régler cette affaire au plus vite. Néanmoins, je sens que vous êtes intelligente et que vous n'êtes pas particulièrement enthousiaste à l'idée de rester seule, ici, à attendre qu'un proche de Jimmy Sparks vienne vous cueillir.

— Ici ? Je ne sais pas encore où je vais rester attendre.

— Très bien. Vous voulez trouver un endroit à Raven's Hollow ? Je vous signale qu'il fait nuit, que dehors c'est la tempête et que vous ignorez si les gens de votre famille sont chez eux ou en train de saccager le bar appartenant à un Blume, à Raven's Hollow.

— Vous voulez parler du Red Eye ?

Il la lâcha pour prendre son badge sur la table.

Amara souffla lourdement.

— Oncle Lazarus va être fou… si le bar lui appartient toujours, du moins, ce qui est probable compte tenu qu'il achète tout ce qui se présente et ne vend jamais rien. Jamais rien sauf, peut-être, comme son ancêtre Ezéchias, son âme.

— Je crois comprendre que vous n'aimez pas beaucoup votre oncle.

— Il n'est pas question d'aimer ou de ne pas aimer. Oncle Lazarus est un grippe-sou et un rabat-joie. C'est un vieux grincheux qui vit reclus. Vous l'avez sans doute croisé depuis votre arrivée.

— Une fois. Et je ne l'ai pas oublié.

Comme ils sortaient, une rafale de vent fit voler ses cheveux qu'elle remit en place d'un revers de main.

— Pourquoi ? Vous l'avez verbalisé parce qu'il traversait en dehors des clous ?

McVey coinça le trousseau de clés entre ses dents, le temps d'attacher son badge à sa ceinture et de vérifier son arme.

— Je l'ai arrêté parce qu'il était en état d'ébriété et troublait l'ordre public.

— Vous voulez dire qu'il était ivre ?

— Complètement cuit.

— Il semait la pagaille ?

— Il a fait irruption dans un bar du port de Raven's Cove, a traversé la salle en titubant et frappé un coursier.

Il fit à Amara un signe vers la droite.

— Mon pick-up est par là.

— Je le vois… Mais racontez-moi la suite.

— Il n'y a pas de suite, juste deux coups de poing. Le second dans la mâchoire du livreur. Votre oncle a eu de la chance que le garçon ne porte pas plainte. J'imagine que votre oncle a pratiqué la boxe quand il était plus jeune.

— Il a fait beaucoup de choses. Mais s'attaquer à un client dans un bar, ivre, ça, jamais.

Elle se tut un instant et reprit :

— A-t-il dit pourquoi il avait fait ça ?

— Le coursier avait déposé une enveloppe chez lui plus tôt dans la journée. Quatre heures plus tard, le malheureux avait encore les yeux révulsés. Lazarus lui avait collé un marron. A la suite de quoi, votre oncle a fait un scandale dans le bar. Il a menacé les clients du poing, a éclaté de rire comme un cinglé et s'est finalement écroulé face contre terre.

— Et au final, vous l'avez enfermé dans une cellule de dégrisement.

— Oui.

— Vous avez mis Lazarus Blume en prison et vous êtes toujours à Raven's Cove ? Vous êtes toujours chef de la police ?

Adossée à la portière du pick-up, elle lui piqua de nouveau un doigt dans le torse.

— Je suppose qu'il n'y est pas resté longtemps… Ce n'est pas juste… Parce que c'est un homme, il s'en tire à bon compte, alors qu'une femme aurait écopé de…

— Qu'est-ce que vous racontez ?

— Vous avez très bien entendu. Vous l'arrêtez et c'est tout. Aucune conséquence, il n'est pas inquiété. Personne ne dit rien.

Elle planta encore une fois le doigt dans sa chemise.

— Je vais vous dire pourquoi je trouve que c'est injuste. Un jour, je suis sortie en douce de chez ma grand-mère. Oh ! Juste une fois, avec mon amie. On voulait voir ce que faisait sa grande sœur avec son chéri. C'était la coqueluche de toutes les filles. Bien sûr, elle ne voulait pas qu'on les voie. Oncle Lazarus nous a surprises, il m'a ramenée manu militari chez ma grand-mère et m'a punie. J'ai dû nettoyer son écurie tout l'été sans mettre le nez dehors.

Elle soupira, ouvrit sa portière et monta dans le pick-up.

— J'aurais dû lui jeter *deux* mauvais sorts.

McVey s'installa au volant et se tourna vers elle. Les bras croisés, elle boudait.

— Vous lui avez jeté un… Qu'est-ce que vous lui avez fait ?

Elle décroisa les bras, se tortilla les doigts sur les genoux.

— J'ai fait ce que n'importe quelle Bellam dans ma situation aurait fait. J'ai jeté un sort au petit gâteau qu'il mange tous les soirs avant d'aller se coucher. Il a eu mal à l'estomac les trois jours suivants. Des parents m'ont raconté qu'ils l'avaient entendu rire comme un dératé pendant que le médecin l'examinait. Moi, je ne l'ai plus entendu, ni revu de tout l'été. C'est un solitaire, il l'a toujours été, mais Nana m'a dit qu'après cette histoire d'indigestion il avait tout d'un fantôme. J'ignore si c'est vrai. J'avais quatorze ans quand c'est arrivé et je ne l'ai revu qu'une fois, à un enterrement.

McVey démarra.

— Je note qu'on est rancunier dans votre famille.

— Moi, je note que la rancune d'oncle Lazarus ne s'exerce jamais contre les hommes mais toujours contre les femmes.

Une bourrasque fit tanguer le pick-up. Au même moment, un bruit sec claqua au-dessus de leurs têtes. Sans doute du bois qui se brisait, songea McVey. La lumière qui éclairait la terrasse de la maison s'éteignit puis se ralluma.

— Ça ne me dit rien de bon, murmura Amara.

Une rafale encore plus violente cassa une branche qui atterrit sur le plateau du pick-up.

— Pourvu qu'il n'en tombe pas sur le toit de votre grand-mère, déclara McVey.

Il tendit son portable à Amara.

— Pouvez-vous appeler mon adjoint et lui dire que je serai en retard ?

— Je peux aussi vous aider à dégager la route si vous…

Elle n'eut pas le temps d'en dire plus. Trois coups de feu éclataient, juste derrière eux.

Amara voulut se retourner, mais McVey lui appuya sur la tête.

— Restez cachée au fond.

Et il dégaina.

La main toujours sur la tête d'Amara, il risqua un coup d'œil dans la vitre arrière. En vain.

— Qui est-ce ? demanda Amara, repoussant sa main.

— Aucune idée. J'ai un autre revolver dans la boîte à gants. Il est chargé. Prenez les clés.

Il déverrouilla sa portière.

— Pour l'instant, ne vous relevez pas, à moins que vous n'ayez envie d'aller sucer les pissenlits par la racine comme vos aïeux Bellam, ou Blume, je ne sais plus, je m'y perds.

— Non, McVey !

Elle agrippa son bras pour le retenir.

— Je ne veux pas que vous preniez une balle à cause de moi.

— Pas de panique, Chaperon rouge. Il y a une chance sur deux pour que ces coups de feu n'aient pas été tirés par un sbire du parrain.

Il partit tellement vite qu'Amara n'eut pas le temps de lui en demander plus.

Elle le suivit quelques secondes du regard et il disparut. Probablement était-il tombé dans un terrier donnant sur un monde imaginaire où les chefs de la police ressemblaient à des rock stars.

— Au fait, marmonna-t-elle tout haut, s'adressant à sa grand-mère absente, pourquoi tu ne m'as pas dit, hier soir, quand je t'ai appelée, qu'il y avait quelqu'un chez toi ?

Mais ce n'était pas le moment de s'interroger, il fallait qu'elle réfléchisse. On venait de tirer sur eux. Trois coups de feu. Elle n'avait rien vu mis à part la lune et des millions d'étoiles. Pas de lumière d'une quelconque lampe torche.

D'ailleurs, McVey en avait-il emporté une ?

— Faites vite, chef !

L'appel de Jake Blume fit sursauter Amara. Elle faillit lâcher le portable avec lequel il l'avait appelée.

— Vous êtes là, McVey ? s'égosilla l'adjoint. Allez, répondez, qu'est-ce que vous fichez ?

— McVey est occupé, indiqua Amara tout en sortant la clé du démarreur. Moi, je suis Amara. Nous sommes encore chez Shirley Bellam.

— Ce que vous fricotez là-haut dans les bois, mon chef et toi, c'est pas mon idée du boulot. En tout cas, rends-lui son téléphone.

Amara essaya d'ouvrir la boîte à gants avec une des clés du trousseau.

— Si se faire tirer dessus, c'est fricoter dans les bois, comme tu dis, alors oui, je fricote. Ton chef, monsieur l'adjoint, joue les Rambo dans la nature. Il court après un tireur. Crois-moi, il a encore plus de travail que toi en ce moment.

— On parie ?

A l'autre bout de la ligne, l'adjoint fit un drôle de bruit avec sa bouche.

— T'es Amara, c'est bien ça ?

Il y eut un bruit sourd, comme un coup de poing.

— Tu ne serais pas la punaise qui venait ici tous les ans en été, par hasard ? Parce que, si c'est ça, je peux te dire que t'as effrayé mon petit frère avec tes histoires de corbeaux. C'est bien toi qui lui disais que tu leur parlais ?

— Et même si c'est moi, qu'est-ce que ça peut faire ?

— Ça fait qu'on est cousins.

Compte tenu de son ton pour prononcer le mot « cousins », il n'aimait pas du tout cette idée, comprit Amara.

Quelque part derrière elle, trois nouveaux coups de feu retentirent. Elle essaya une deuxième clé, qui fonctionna. Soulagée, elle prit le 9 mm automatique dans la boîte à gants.

— Si je me rappelle bien, poursuivit l'adjoint, t'es une Bellam.

Agacée, elle considéra le téléphone.

— Je t'ai dit qu'on est en train de me tirer dessus ? Ça fait la sixième balle.

— Des coups de fusil ? C'est peut-être le vieux Owen qui croit que des morceaux de ciel vont tomber sur sa cabane. Le pauvre vieux, il n'a plus toute sa tête. Cela fait des années que ça dure.

Drôle de monde, décidément, pensa Amara.

— Le vieux Owen est-il capable de faire la différence entre McVey et la chute d'un bout de ciel ?

— J'ai dit que ça *pouvait* être Owen, rectifia Jake. Ça peut aussi bien être un de tes cousins — un de ceux qui vivent reculés dans les bois — qui canarde un gibier à plume.

Elle serra le portable dans sa main et marmonna :

— Vraiment, vous êtes tous dérangés dans le pays.

De nouveau, il y eut un grognement et un bruit sourd, un coup sans doute.

— C'est toi qui dis ça ? s'emporta Jake Blume. Toi, la fille qui murmure à l'oreille des corbeaux ? Bon, je veux parler à…

Trois coups de feu explosèrent. Aussitôt, Amara se tourna sur son siège vers l'arrière du pick-up.

— C'est un monde de fous, ici ! pesta-t-elle. Plus tard, monsieur l'adjoint.

Elle reposa le portable et empoigna le 9 mm, puis se glissa

hors de la voiture. Les branches agitées par les rafales de vent gênaient la visibilité. Comment repérer la planque du tireur dans ces conditions ?

Amara s'enfonça dans le bois.

Se sentant protégé par l'obscurité, Jimmy Sparks allait-il commettre une erreur ? Mais ce n'était peut-être pas lui ? Peut-être avait-il lancé un homme de main à ses trousses ?

Il faisait de plus en plus noir et elle avançait le cœur battant.

Soudain, un bruit de branche cassée la stoppa net. Tournant la tête de droite et gauche, elle se prit les cheveux dans les ronces.

Elle avait presque fini de les démêler quand une voix, derrière elle, la fit sursauter.

— Qu'est-ce que vous faites là ?

Reconnaissant la voix, elle baissa son arme.

— Oh ! McVey !

— Vous êtes folle ou quoi ?

— Ne me regardez pas comme ça ! J'ai compté, il y a eu neuf coups. Aucun ne venait ni d'un pistolet ni d'un revolver. Vous pourriez être mort à l'heure qu'il est ou en train de vous vider de votre sang quelque part dans un fourré.

— J'aurais aussi pu vous tirer dans le dos. Il n'y a qu'un abri sûr ici, c'est mon pick-up. Compris ?

— Je m'en souviendrai la prochaine fois que je me retrouverai seule au milieu de nulle part et qu'on me tirera dessus.

Il lui posa une main sur l'épaule, mais elle le repoussa.

— En votre absence, j'ai parlé à votre adjoint. Il pense que ça pourrait être un certain Owen qui tirait. Ce vieux monsieur aurait eu peur que le ciel ne lui tombe sur la tête.

McVey balaya l'endroit du regard. Au fond se dessinait la clairière.

— Non, ce n'est pas Owen, reprit McVey.

— Il a aussi évoqué un éventuel chasseur. Un Bellam, à la recherche d'un oiseau à faire au barbecue.

— Voyons, Chaperon rouge, ici, la nuit, dans les bois, on ne trouve que des chouettes et, même au gril, c'est de la carne.

Amara sourit et changea son arme de main.

— Si ce n'est ni Owen, ni un chasseur de chouettes, il ne reste que le parrain ou un membre de la redoutable famille Sparks. Vous êtes d'accord ?

Il scrutait toujours la clairière.

— Pas forcément. Réfléchissez, Amara. Sparks ne prendrait pas le risque de vous éliminer de façon aussi voyante. Il pique parfois des rages folles qui lui font faire n'importe quoi. Pourquoi croyez-vous qu'il loue les services de tueurs à gages, au sang-froid, pour faire le sale boulot ? C'est pour cette raison, justement.

— Dites, McVey, si un tueur nous guette, on ne devrait peut-être pas rester à discuter comme ça.

— Il est parti.

Il balaya une nouvelle fois la clairière des yeux puis regarda Amara.

— S'il était toujours là, nous serions déjà morts.

— Vous avez raison. Décidément, depuis le début de cette histoire, je suis complètement déboussolée. Dites-moi maintenant, qui est derrière ces coups de feu, à votre avis ?

— Je n'en sais rien pour l'instant. Ce que je sais, c'est que le tueur a un fusil, qu'il a tiré neuf balles et qu'il s'est enfui.

— Comment savez-vous qu'il est parti ?

— J'ai entendu sa voiture. Une grosse cylindrée.

— Vous en êtes sûr ?

Il la prit par le cou.

— La seule chose dont je suis sûr, Amara, c'est que nous allons devoir régler très vite cette situation. Sinon, cela risque d'empoisonner nos relations.

— Pardon ?

Le pick-up était loin, elle n'avait nulle part où aller, aucun moyen de s'échapper.

— Non, McVey ! Vous ne pensez pas que j'ai assez de problèmes comme cela sans que vous veniez me parler de… de faire l'amour. Car c'est bien de ça qu'il s'agit ?

Il lui fit un sourire qui la désarma.

— Non, je ne pensais pas vraiment à faire l'amour, Chaperon rouge, mais je peux me laisser circonvenir…

Elle le repoussa violemment.

— Vous m'ennuyez, McVey.

Et vous me faites des choses qui me… Qui me quoi ?

Elle n'en savait trop rien ou, plutôt, elle le savait trop bien et ne voulait pas l'admettre. Pas déjà. C'était trop tôt, tout allait trop vite. Elle n'était pas prête. Elle ne savait plus…

— Et vous, ma chère, cela fait quinze ans que vous m'encombrez l'esprit.

— Ah non, pas encore ça !

— Je n'en ai pas l'intention.

Les yeux fiévreux, il baissa la tête.

— Si vous voulez que j'arrête, Chaperon rouge, dites-le tout de suite.

— Non, McVey, il ne faut pas… Je ne…

Elle soupira, agacée.

— Je vous déteste.

Et elle lui prit le visage entre ses mains, happant la bouche la plus désirable qu'elle ait jamais vue.

Le lieutenant Arthur Michaels monta dans son appartement d'Algiers en se massant la nuque. Il revenait de l'Arkansas où il avait rendu visite à un vieil ami. Celui-ci lui avait offert une chambre pour la nuit et un nom. Willy Sparks.

Une rumeur circulait selon laquelle Willy était encore plus rusé qu'un renard, plus curieux qu'une fouine et si habile qu'il pouvait empoisonner un ennemi sans que les médecins légistes les plus doués du pays ne décèlent la cause du décès. Au point qu'ils en arrivaient à se demander — toujours selon la rumeur — pourquoi le cadavre étalé sous leurs yeux ne se relevait pas et ne sortait pas tout bonnement de la pièce.

A propos de pièces… Le petit papier qu'il avait discrètement coincé dans l'embrasure de sa porte n'avait pas bougé. Soulagé

— bêtement, sans doute —, le lieutenant entra, enleva sa veste et ouvrit la fenêtre.

Un de ses voisins donnait une fête. Ils écoutaient du jazz. Ça swinguait. Un son énorme de trompette et de saxo. C'était joyeux mais bruyant. Une odeur de gombo le fit saliver. Pris d'une envie indicible de boire une bière bien fraîche, il se dirigea vers la cuisine mais, en homme prudent, il décida de se contenter d'un grand verre d'eau. Il prit donc la carafe dans le réfrigérateur.

Un souffle d'air lui frôla la nuque.

En moins d'une seconde, il dégaina, se retourna et visa… Personne ! Bizarre, il aurait juré que…

Il cligna plusieurs fois les yeux, baissa le bras.

Il battit encore des paupières. Les murs de la pièce devinrent tout flous. Il ne sentit plus ses doigts. Son arme tomba à terre.

— Fils de…

— Ah, ah, ah.

Un doigt menaçant s'agita devant ses yeux.

— Pas de gros mots, lieutenant, ou je vais devoir outrepasser les ordres et te faire vraiment bobo avant que tu meures. Tout le monde le sait, la mère de Willy Sparks n'est pas ce que tu t'apprêtais à dire d'elle.

Michaels ne pouvait plus bouger que les yeux.

Il s'écroula. Des mains plongèrent dans ses poches et le retournèrent sur le dos comme une poupée de chiffon. Il y eut des *bip, bip, bip* entrecoupés de bruits de trompette. Puis un ricanement au-dessus de lui.

— Tu as un portable dernier cri, c'est bien pratique ! Raven's Hollow, Maine. C'est tout au nord, ça. Tu sais quoi, lieutenant, paraît que l'eau du Maine est plus sûre à boire que celle d'ici, à Big Easy. Ah, ah !

Le téléphone tomba par terre. De l'eau gargouilla dans la tuyauterie. Chez le voisin, la musique continuait. Il y eut un *clic*. La porte de son appartement venait de se refermer. Et Michaels songea à des corbeaux…

5

Dix minutes après leur baiser, les effets en troublaient encore Amara. Ce n'était pourtant pas la première fois qu'elle embrassait un homme, mais cette ardeur, cette fougue… Jamais elle n'avait éprouvé pareille émotion.

Elle jeta un regard en coin à McVey. Agrippé à son volant, il ne disait rien. Etait-il dans le même état qu'elle ? Difficile de le savoir.

Et puis, c'était quoi, cette histoire de visage qui le hantait depuis quinze ans ?

Comme ils approchaient de Raven's Hollow, il se décida enfin à la regarder.

— Je vois que vous êtes ennuyée, Chaperon rouge. Je le vois et je le sens. Je vous ai beaucoup troublée…

Elle le toisa d'un air ironique.

— Arrêtez de vous vanter, McVey. J'ai vécu une soirée étrange. J'étais déchirée entre vous embrasser et vous frapper. Vous avez de la chance, je suis une pacifiste.

— C'est pour cela que j'ai reçu quatre coups dans ma joue gauche ?

— C'est vous qui m'avez agressée en étant chez ma grand-mère. Vous louez peut-être sa maison mais je ne le savais pas en entrant.

— En entrant *par effraction*…

Sa remarque la fit sourire.

— Lorsqu'on entre quelque part avec une clé, il n'y a pas effraction. Néanmoins, pour répondre à votre question, oui, je suis ennuyée, et pas pour la raison que vous imaginez…

Elle abaissa le pare-soleil pour vérifier son apparence dans le miroir de courtoisie. Elle avait les cheveux en bataille et fourragea dans son sac à la recherche d'une brosse.

— … mais parce que ça m'a plu.

— Je sais.

Bien qu'agacée par son ton suffisant, elle s'arrangea pour ne pas le montrer.

— Je sais que vous savez et c'est ça qui m'ennuie. Maintenant, dites-moi…

Elle se brossa les cheveux et poussa un cri.

— Aïe, ils sont pleins de nœuds… Oui, reprit-elle en s'acharnant sur ses mèches, dites-moi, vous ne mangez pas le soir ?

— Non, rarement.

Il tourna dans Main Street, fit demi-tour et s'arrêta en stationnement interdit.

— Je vous suggère de rester derrière moi quand nous entrerons. Je vois deux vitres cassées.

— J'en vois même quatre. Celui ou celle qui les a brisées doit s'attendre à nettoyer des écuries ! Oncle Lazarus est intraitable quand on esquinte son bien.

— Votre famille fait peur, vous le savez ?

— Quelle branche ?

— A vous de décider.

Ils fermèrent la voiture à clé et approchèrent de la porte d'entrée.

— Je vous rappelle que vous devez rester derrière moi, précisa McVey. A moins que vous ne soyez une magicienne qui se sort de toutes les situations… Sinon, collez-vous à moi.

Le bar était éclairé par des lumières rouges plus ou moins tamisées. Du verre cassé grinçait sous les pas.

C'est oncle Lazarus qui va être content ! se dit Amara.

A gauche de l'entrée, derrière une longue file de billards, étaient entassées une bonne dizaine de chaises et de tables brisées. Au milieu de cette désolation, des clients continuaient de s'insulter. Il y avait même des taches de sang par terre et sur certains clients.

— C'est pas trop tôt, chef !

Un grand gaillard, légèrement dégarni sur le front, mal rasé et les yeux très noirs, se fraya un chemin dans la foule. Il portait un holster sur son T-shirt marron et fit la grimace quand il aperçut sa cousine Amara.

— Si t'es pas content, je te suspends, l'avertit McVey sans même le regarder. Je suppose que vous vous connaissez tous les deux.

— Oui, je sais qui c'est. Elle n'a pas changé depuis la nuit où mon frère Jimbo a piqué une crise à cause d'elle, quand ils étaient là-haut, dans la montagne aux corbeaux.

— Je ne pense pas qu'elle l'ait fait exprès.

Comme des gens s'étaient approchés et prenaient le parti de l'adjoint, Amara s'expliqua :

— J'avais seulement voulu lui faire peur et ça a marché…

— Jimbo avait un an et demi de moins que toi, gronda Jake.

— Il faisait aussi vingt kilos de plus et il me dépassait de vingt-cinq centimètres. Il voulait même que je me jette du haut de la falaise.

— Tu n'avais qu'à dire non.

— C'est ce que je faisais, mais il n'arrêtait pas de dire qu'il n'aimait pas ce mot. Saute, ce mot-là, oui, il n'avait que lui à la bouche.

Jake haussa les épaules.

— C'était un gosse.

— Moi aussi, j'étais jeune.

— Il croit encore que ses cousins Bellam — ces gens-là me hérissent le poil — peuvent parler aux corbeaux et leur faire faire ce qu'ils veulent. Putain de sorcière !

Commençant à perdre son sang-froid, Amara le fusilla du regard.

— Ne me cherche pas, Jake. Je suis plus âgée aujourd'hui et moins patiente.

Jake montra les dents mais en resta là.

— Ça va comme ça, intervint McVey.

La foule commençant à se disperser, il changea de sujet.

— Tu en as arrêté combien ? demanda-t-il à Jake.

— Six. Comme vous n'arriviez pas, j'ai appelé les Harden en renfort.

— Ah ? Les policiers de Raven's Hollow. Les jumeaux.

— Exactement.

Un visage, à l'autre bout de la salle, attira soudain l'attention d'Amara.

— Tiens, voilà ma cousine Yolanda !

McVey écarquilla les yeux. Aussi précisa-t-elle les choses.

— Quand on commence à essayer de comprendre qui est parent de qui dans la région, ça devient vite compliqué. Pour que les choses soient simples, dites-vous que Nana et moi sommes le lien entre deux familles qui se haïssent.

— Je crois comprendre, en effet, que les Blume et les Bellam sont en délicatesse, persifla McVey.

— Je dirais plutôt qu'ils sont à couteaux tirés, rectifia Amara.

Un homme au visage vérolé cria par-dessus l'épaule d'Amara :

— C'est les Blume qui ont commencé ! Il y en a un qui a accusé Yolanda de couper la bière avec de l'eau !

Amara donna un coup de coude à McVey.

— C'est Yolanda Bellam qui tient le bar ?

— Plus ou moins… Oui, Frank, je t'ai entendu… A votre tête, Amara, je me doute que Yolanda et vous vous n'êtes pas amies.

— Pire que ça. Si j'avais su qu'elle était là, j'aurais laissé le tueur me tirer dessus tout à l'heure.

Tranchant sur les grosses voix masculines, une voix haut perchée se fit entendre.

— Amara ? Pas possible ! C'est toi ?

Sa cousine parlait comme une petite fille, elle avait des boucles blondes attachées sur les côtés et, mis à part le brillant à lèvres rose, on aurait dit un chérubin.

Oui, un chérubin, pensa Amara en essayant de sourire à sa

cousine dont les yeux étonnés, d'un bleu tendre, accentuaient encore le côté angélique.

— Yolanda ! Ça alors ! Ça fait… Combien de temps ? Un bail !

Sa cousine bouscula un homme qui se trouvait sur son passage, balança son torchon sur son épaule et, les bras grand ouverts, s'approcha.

— Ma cousine Ammie est de retour ! Et voyez comme elle est gentille. Elle m'amène le plus beau des cadeaux.

Sur ces mots, les bras toujours grand ouverts, Yolanda poussa Amara et se jeta au cou de McVey.

— Comment va le plus beau gosse de la côte Est, ce soir ?

Elle changea brusquement de tête, prit l'air tragique.

— Vous les ferez payer, n'est-ce pas, McVey ? J'ai déjà demandé à votre adjoint mais je n'ai rien pu obtenir de lui. Ah celui-là, il est borné !

Amara fronça les sourcils. Tout compte fait, ce McVey n'était peut-être pas l'homme fiable qu'elle imaginait.

Mais McVey réagit. Après avoir détaché les bras de Yolanda de son cou, il fit un clin d'œil à Amara et partit vers les billards où trois hommes aux bras tatoués tenaient leurs queues de billard comme des battes de base-ball.

Dépitée, Yolanda se tourna vers Amara :

— Tu rabotes toujours les mentons ? Tu remontes toujours les fesses ?

Amara garda son sang-froid et sourit.

— Pourquoi ? Tu veux te faire refaire ? Mais tu aimerais que ce soit gratos. Que je te fasse une faveur, en somme ?

— Si c'était le cas, ce n'est pas à toi que je la demanderais.

— Ça, je l'ai compris !

Yolanda serra les poings.

— Je peux te faire un œil au beurre noir, tu sais.

— Moi aussi, sauf que c'est inutile, tu as déjà du mascara qui bave.

— J'ai… Oh ! Zut !

Yolanda passa un doigt sous son œil droit et le regarda.

— C'est encore un de ces imbéciles de Blume qui m'a lancé sa bière à la figure !

Elle passa son index gauche sous son œil gauche et grogna.

— Dis donc, Amara. Qu'est-ce que tu viens faire ici… après quinze ans ?

— Je voulais voir Nana.

— Si c'est ça, tu peux prendre le prochain avion pour les Caraïbes !

Amara ne put retenir un soupir :

— Ça suffit, Yolanda, faisons la paix. Si McVey dit qu'il te veut, il est à toi. Et sois heureuse.

Sa cousine parut soudain se radoucir.

— Tu ne peux pas rester chez Nana.

— C'est ce que je me dis.

— Tu ne peux pas non plus rester avec Larry, ni avec moi.

— Larry, ton frère ? Celui qui se promène nu, la nuit ?

Les plafonniers s'éteignirent puis se rallumèrent. Un frisson parcourut Amara.

— Ce vent ! C'est agaçant ! maugréa Yolanda.

Puis elle revint à leur conversation :

— Un petit corbeau m'a dit qu'il y avait un méchant procès en cours là-bas, dans ton pays. Il paraîtrait que tu aurais vu quelqu'un mourir… et pas sur ta table d'opération.

Malgré son air gentil, sa cousine n'était qu'une peste. Amara, qui n'était pas dupe, ne se laissa pas impressionner.

— Oui, j'ai même témoigné.

Comme la lumière s'éteignait de nouveau, elle ajouta :

— Au fait, comment va oncle Lazarus ?

— Lui ? gronda Yolanda. Toujours aussi radin. Il me paie des nèfles pour tenir son foutu bar, mais c'est un Blume. Il n'y a rien à attendre d'eux.

Elle prit un air pincé.

— On raconte que tu as témoigné contre un type très puissant et très dangereux qui serait le chef d'une famille impliquée dans toutes sortes de sales trucs, c'est vrai, ça ? J'ai entendu parler de racket, d'armes, de drogue… d'assassinats…

— Oh ! Grand-mère, comme vous avez de grandes oreilles…

C'était la voix de McVey, de retour après avoir manifestement calmé les joueurs de billard.

Il désigna la foule des clients.

— Il y a plein de visages que je ne connais pas, Yolanda. Ils sont déjà là pour le festival de la Nuit du Corbeau ?

A ces mots, Amara fut prise de panique.

— On est le… Quel jour sommes-nous ? Le combien ?

— Le 10 mai, répondit McVey. Pourquoi ?

— Oh ! Pour rien. J'ai juste raté un… rendez-vous.

Zut, zut, zut, comment avait-elle fait pour oublier la foule d'étrangers qui allait converger, en voiture, à bicyclette, en car ou en stop vers Raven's Hollow pour le festival de la Nuit du Corbeau ?

Ce festival avait lieu une fois par an et s'étalait sur trois jours. C'était la réponse de Raven's Hollow au festival de Raven's Cove qui avait lieu, lui, tous les trois ans.

Mais, que ce soit le festival de Raven's Cove en automne ou celui de Raven's Hollow au printemps, les deux manifestations attiraient un nombre impressionnant de fanatiques, amateurs de magie et de paranormal, jeteurs de sorts de tous poils, tous dotés d'une bonne dose d'irrationnel pour ne pas dire de folie.

C'était le pire moment, réalisa Amara, pour se trouver dans l'une ou l'autre de ces deux villes.

Yolanda lui décocha un méchant sourire :

— Je suppose que tu préférerais être aux Caraïbes ? Tu n'as qu'à le dire et je vais te trouver un vol sur mon ordinateur.

Brusquement, un sifflement couvrit toutes les voix dans la salle. Yolanda tapa du poing sur le bar.

— Je ne suis pas un chien, on ne me siffle pas, Jake Blume. Qu'est-ce que tu veux ?

Il agita le téléphone qu'il venait de décrocher du mur.

— C'est le patron. Il est d'une humeur de dogue.

— Je déteste ce bonhomme, marmonna Yolanda. Et lui aussi. Tu te rappelles les araignées, Amara ?

Après un regard mortel à sa cousine, elle reprit le torchon qu'elle avait sur l'épaule et disparut dans le flot des clients.

— Elle avait mis un pot plein d'araignées dans mon lit, expliqua Amara à McVey. Je dis *elle* mais, en fait, si l'idée venait d'elle, c'est Jake et Larry qui l'avaient mise en œuvre.

— Dans votre lit ?

— Sous les couvertures, au fond du lit. Elle leur a dit d'enlever le couvercle pour que les araignées courent partout. Elles étaient énormes. C'était horrible. J'ai toujours refusé de dormir dans cette chambre, ensuite.

— Vous avez raconté l'incident à votre grand-mère ?

— Non.

— Puis-je savoir pourquoi ?

— Parce que tous les trois, mais surtout Jake, ont une peur panique des serpents.

Elle balaya la salle d'un geste circulaire du bras.

— Ils ont fini de se bagarrer ?

— Pour l'instant.

Il montra les robinets de cuivre d'où coulait une bière à la pression.

— Vous prenez quelque chose avant de partir ?

— Les poisons sont l'arme des sorcières, McVey, et Yolanda est une Bellam. Merci quand même pour la proposition.

— C'est la perspective du festival qui vous perturbe, c'est ça ? Vous l'aviez oublié ?

Elle croisa les bras sur sa poitrine et les frotta.

— Oui, je l'avais oublié. La menace de Sparks me fait doublement peur. Je n'ai assisté qu'une fois au festival de Raven's Hollow et je peux vous dire qu'il est aussi peu civilisé que celui de Raven's Cove.

— Je traduis : Tyler Blume a fait exprès de programmer son voyage de noces en ce moment pour être sûr d'échapper à ces festivités.

— Si vous avez eu l'occasion de le rencontrer, vous le connaissez ! De son côté, Jake est dans son élément.

Au-dessus d'eux, les plafonniers ne cessaient de vaciller.

— Oh ! Cette lumière ! Ça me porte sur les nerfs. Je n'avais pas besoin de ça.

Deux *bip* tintant dans son sac, elle plongea la main pour prendre son portable tandis que McVey enlevait sa chope à un homme.

— Ça va comme ça, Samson. Tu as déjà trop bu. Tu cherches quoi, là ? Que je te mette au trou avec tes copains ? Allez, fiche-moi le camp, rentre chez toi.

Furieux, l'homme devint tout rouge.

— Je vais demander à ma femme de te jeter le mauvais œil si tu me rends pas ma bière, McVey.

— Fais ça et je dis à Chaperon rouge de te jeter un sort en échange.

— Ma femme a une tante qui est une Bellam.

L'homme pointa un menton qu'il voulait menaçant.

— Et alors ? s'enquit McVey.

Amara, qui fixait son portable, se pétrifia. Un message s'était affiché à l'écran. Le message d'un homme qui avait juré de n'entrer en contact avec elle qu'en cas d'urgence.

— Dégage, Samson !

Donnant la chope au serveur, McVey prit la main d'Amara et lut ce qui était affiché sur son portable. Un nom qu'Amara, terrifiée, ne voulait plus jamais ni voir, ni entendre. Un nom qui lui donnait froid dans le dos. Willy Sparks.

McVey reposa sur son bureau la liste des inspecteurs de police de La Nouvelle-Orléans. Puis il releva la tête. Telle une bête en cage, Amara faisait les cent pas dans la pièce en s'acharnant sur son téléphone portable. De son côté, Jake marmonnait contre les frères Harden.

— Dites, chef, pourquoi on n'enfermerait pas ces alcoolos dans les cellules de Raven's Cove ? Ils viennent quand même de là-bas ! Pourquoi on les garderait ici, à Raven's Hollow ?

— La paperasse, Jake. On en aura trois fois plus si on les

trimbale là-bas, ou si on les dispatche. Et le boulot, ce sera pour toi.

L'adjoint regarda son fusil, regrettant manifestement de ne pouvoir l'utiliser.

— Je pourrais très bien trouver du boulot à Bangor, vous savez.

— Si ça te chante…

A bout de patience, McVey coupa court, empruntant sa technique à l'ami d'un ami policier de La Nouvelle-Orléans.

— Samson m'a adressé trois textos depuis qu'on a quitté le Red Eye, dit-il d'un ton détaché. Il veut que je lui rembourse la bière que je l'ai empêché de boire.

Amara marchait toujours.

— Samson doit fréquenter oncle Lazarus, ironisa-t-elle. Dites, McVey, ça ne répond toujours pas chez le lieutenant Michaels. J'ai appelé sur son portable et sur sa ligne fixe au moins dix fois. Personne.

McVey se contenta de pousser un soupir. Pourquoi parler ? Ils savaient l'un comme l'autre à quoi s'en tenir.

Et en effet, une heure plus tard, des collègues du Mississippi contactèrent McVey. Le lieutenant Michaels était mort.

— On l'a trouvé allongé sur le dos, par terre, les yeux au plafond, précisa l'interlocuteur de McVey. Il serrait son BlackBerry dans les mains.

— Cause du décès ?

— Compte tenu des circonstances, je serais tenté de penser qu'il s'agit d'une drogue, inconnue de nos services, qui fait croire à une attaque. La police scientifique travaille en ce moment dans l'appartement. Ils relèvent tout ce qu'ils peuvent relever. Je vous tiendrai au courant des résultats.

La communication terminée, Amara se frotta le front avec son portable.

— Michaels est mort parce qu'il m'a aidée à quitter La Nouvelle-Orléans. C'est ma faute.

— Non, répondit McVey. Si on raisonne comme cela, Willy continuera de descendre des policiers et des civils jusqu'à la fin des temps.

— Merci pour votre soutien, vous êtes trop aimable.

— Vous n'avez pas besoin de mon soutien, Amara. Vous avez envie de frapper, de cogner. Si je vous dis que ce n'est pas de votre faute, vous me direz que ça aurait dû être vous parce que c'est vous que Jimmy Sparks voulait éliminer.

— Il le voulait. Et il le veut toujours.

— C'est exact. Maintenant, si son neveu, ou son cousin, ou son filleul, vous avait tuée à la place de Michaels, cela changerait quoi ? Il serait payé, il irait peut-être se bronzer aux Caraïbes ou je ne sais où pendant quelque temps en attendant que tonton Jimmy ne lui désigne une nouvelle cible. En fait, je parie que Willy Sparks est soit en route, soit déjà arrivé à Raven's Cove ou à Raven's Hollow. Bref, dans celle des deux villes que Michaels avait entrée dans son portable.

Amara semblait dubitative.

— Il avait dit qu'il avait codé ma destination et mon numéro de téléphone.

— Il y a codé et codé, Chaperon rouge. On a retrouvé son téléphone, c'est donc qu'il n'a ou qu'ils n'ont pas eu besoin de le prendre.

— Comme si le tueur avait toutes les infos avant de partir.

Elle ferma les yeux.

— Mon ex est un geek. Il est capable d'entrer dans tous les systèmes.

— Les geeks peuvent être des tueurs, comme les autres, Amara.

— C'est ce que je constate.

Des yeux, elle fit le tour du bureau.

— Je n'ai pas envie de rester attendre ici que Sparks arrive. Je veux m'en aller.

McVey consulta son portable et hocha la tête.

— OK. Soyons concrets, si vous le voulez bien. Vous partez. Willy arrive. Pour commencer, il est furieux. Puis il s'arrête et réfléchit. Et en vrai pro, il trouve une idée en or pour vous faire revenir.

— Il fait du mal à des membres de ma famille.

— Mettez-vous à sa place. Vous ne feriez pas pareil ?

— Heu… Non.

— On parle d'un tueur, ici, Amara. Mettez-vous dans sa tête.

Comme elle ne répondait pas, il reprit.

— Ecoutez-moi. Je vais vous faire deux propositions. A vous de décider. Soit je vous emmène chez votre grand-mère, soit vous passez la nuit avec Jake, sur un bat-flanc, dans l'arrière salle.

— Vous parlez d'un choix ! Comme je crois Jake capable de me vendre pour une poignée de lentilles, entre deux maux, je choisis le moindre. Vous.

— Excellent choix, dit-il en riant.

6

A en croire la légende locale, le vent qui soufflait sur la route de Raven's Hollow était l'écho du râle qu'avait poussé Sarah Bellam en mourant. Une ultime protestation, supposait Amara, contre le sort injuste qui lui avait été réservé.

Enfant, Amara adorait qu'on lui raconte les histoires de Sarah. Là, le dernier endroit où elle avait envie de se trouver était cette bande de goudron étroite et tortueuse qui menait, après une série de virages en épingle à cheveux, à la limite nord des bois. Le vent y hululait dans les sapins avec des accents de sorcière en furie.

Arrivée à une fourche, elle s'arrêta. A gauche, la route qui grimpait vers Bellam Manor était raide à donner le vertige. La première fois qu'elle avait vu le manoir, elle avait quatre ans. Son style gothique, les hauts gables de la façade et les étroites fenêtres à arbalétrière l'avaient impressionnée.

— C'est un château ! s'était-elle exclamée.

Oui, mais un mauvais château. Sarah y était née, y avait grandi et, disait-on, c'était aussi là qu'elle avait passé, enfermée, la plus grande partie de sa vie. Dans le pays, on l'avait cataloguée. C'était *le diable*. Et le qualificatif était tenace. Des décennies plus tard, Sarah incarnait toujours le mal.

Ce qualificatif allait comme un gant à Jimmy Sparks, songea Amara. Hélas, même de sa prison, ce monstre avait un tel pouvoir qu'il réussissait à faire assassiner tous ceux qu'il jugeait importuns.

L'image du visage du lieutenant Michaels, qui passait et repassait devant ses yeux, lui faisait mal. Etait-il mort à cause d'elle ou Jimmy Sparks avait-il décidé d'avoir sa peau, de toute façon ? Le saurait-elle un jour ? Et cela changerait-il quelque chose ?

— Dites-moi, Chaperon rouge, est-ce le vent, la mort de Michaels ou moi qui vous tourmente ?

La question de McVey réveilla l'affreux souvenir qui commençait à s'estomper.

— Le pire, c'est la mort de Michaels, répondit-elle. Mais pourquoi vous intéressez-vous autant à ce que je ressens ?

— C'est mon métier qui veut ça.

— Votre métier ne vous impose pas de jouer les chiens de garde. Vous pouviez me confier à des membres de ma famille, à Yolanda par exemple ou à son frère, l'extravagant Larry.

— Vous voulez parler du somnambule qui circule nu en ville ? Le garçon qui travaille en hiver dans une station de ski du Colorado ?

— Il fait partie de l'équipe de surveillance de la montagne. Son job consiste à déclencher les avalanches avant que des plaques de neige ne se décrochent. Nana raconte qu'il s'est retrouvé à l'hôpital avec des gelures aux pieds après une de ses virées nocturnes en tenue d'Adam. Je pense qu'il s'y connaît en explosifs. Vous l'avez rencontré ?

— A plusieurs reprises, dont quatre fois la nuit.

— Le malheureux ! Mais vous n'avez pas répondu à ma précédente question.

— Si, je l'ai fait. Je ne me débarrasse pas des gens. Je ne suis pas un sadique.

— Vous êtes quoi, alors ? Je suis sûre que vous n'êtes pas ce que les gens en général pensent de vous.

Il sourit. Un sourire délicieux — malicieux aussi — qui la ravit, l'excita même.

— Je vous vois venir ! Vous essayez de me faire parler, mais ça ne marchera pas, Chaperon rouge.

— Peu importe. De toute manière, vous vous êtes déjà trahi. Vous avez dit qu'il n'y a qu'une chance sur deux pour que ce soit un sbire de Sparks qui ait tiré les coups de feu qu'on a entendus chez Nana. Mais si ce n'est pas ça, c'est qui ?

— Peut-être une ex qui m'en veut.

— Peut-être Yolanda ! renchérit Amara. Non, je plaisante. Qu'est-ce que vous dites de ces coups de feu ? On en a entendu neuf, trois salves de trois. Vous pensez que le nombre signifie quelque chose ? Qu'il y a un lien entre ce chiffre et le fait que vous m'avez dans la tête depuis quinze ans ? Soit dit en passant, cela fera quinze ans en juin prochain que je ne suis pas revenue à Raven's Hollow.

— Ah ? dit-il en la regardant.

— Arrêtez de faire ces yeux-là… Je finis par me demander si je suis en voiture avec un homme ou avec un alien tombé d'une autre planète. Je suis peut-être vieux jeu, mais me dire que j'ai la tête d'une femme qui vous hante depuis des années, ce n'est pas très délicat. Surtout pour une première rencontre. Si du moins c'est la première…

— Je vais vous raconter une histoire. Un jour, j'ai fait la connaissance d'une superbe rousse. C'était à l'occasion d'un mariage. Ses traits sont un peu flous aujourd'hui, mais je me rappelle l'avoir trouvée sublime. La réception avait lieu à Albany. Je jouais de la guitare par-dessus Keith Richards dont le disque passait en sourdine.

Sans trop savoir pourquoi, elle eut envie de rire.

— Vous, en gratteur de guitare ? Je ne vous crois pas !

— Vous me croirez si je vous dis que vous êtes tout le temps présente dans un de mes rêves ? Un cauchemar, en réalité, que je fais très souvent depuis mes dix-neuf ans.

— Bizarre, puisque nous ne nous connaissions pas.

Elle se tut et reprit, méfiante.

— Vous n'êtes pas un Bellam, par hasard ? Cherchez bien dans votre passé sombre et mystérieux.

— Si j'en suis un, ce sera difficile à prouver. Je suis ce qu'on appelle un enfant trouvé. Ou tout comme.

Le cœur d'Amara se serra. Pauvre McVey, il avait dû souffrir dans son enfance.

— Vous avez été adopté ?

— En un sens, oui.

— Je vois que vous esquivez. Mes questions vous ennuient ?

— Non, mais je ne vous en dirai pas plus pour le moment. Quant au rêve que je fais, croyez-moi, c'est une expérience que je ne souhaite à personne.

— Ce n'est pas flatteur pour moi.

— Vous êtes une harpie, une espèce de vieille chouette. Ça, c'est au début…

— De mieux en mieux…

— Vous fredonnez une mélopée et avancez vers un feu dans une pièce pleine de fumée. Ensuite, vous faites disparaître un homme et vous me dites que vous allez effacer tous mes souvenirs. A ce moment-là, sans doute que vous le faites, car, chaque fois, mon rêve se termine là.

Une pomme de pin rebondit sur le pare-brise. Effrayée, Amara se tourna vers McVey.

— Je sais que je peux paraître bizarre, parfois, mais je ne suis pas responsable de vos rêves. Je ne psalmodie pas autour de feux de camp et je n'efface pas les souvenirs qu'ont les hommes.

— Je ne suis pas un homme dans mon rêve.

— Un garçon, alors ?

Chahuté par une violente rafale, le pick-up fit une embardée à gauche qui terrorisa Amara.

McVey regarda le ciel.

— Si vous avez un pouvoir sur les éléments, Chaperon rouge, c'est le moment ou jamais.

— Je ne vois pas ce que vous voulez dire… Oh là là, c'est un arbre que je vois là-bas ?

Les yeux écarquillés, elle fixait un chêne déraciné tombé entre la maison de sa grand-mère et ses dépendances.

— C'est impressionnant. Il était plus que centenaire.

— Il a raté de peu le toit de la maison, dit McVey. A un mètre près, elle était par terre.

Sans quitter les racines des yeux, il sortit son portable de sa poche.

— Oui, Jake ?

Le laissant parler avec son adjoint, Amara descendit de voiture. Des branches avaient éraflé le mur de la maison, mais rien de grave. Par chance, sa grand-mère n'était pas là.

Toujours au téléphone, McVey s'approcha pour constater l'étendue des dégâts tandis qu'Amara allait à sa voiture. Elle avait besoin de la trousse à pharmacie qui était dans sa valise. Après ce qui s'était passé entre eux, c'était peut-être dangereux de toucher McVey mais, puisqu'elle lui avait griffé la joue, lors de leur corps-à-corps, elle devait le soigner.

Du bout des doigts, elle repoussa les cheveux qui lui volaient dans les yeux.

— Il y a des dizaines de soi-disant sorcières à Raven's Hollow, mais pas une qui soit fichue d'arrêter ce maudit vent, pesta-t-elle.

Levant les yeux vers le ciel, elle continua de ronchonner.

— Une bonne rafale sur Bangor ferait du bien à tout le monde !

En guise de réponse, le vent hurla de plus belle et, telle une main géante, la projeta contre la portière de sa voiture. Lâchant ses cheveux pour ouvrir sa portière, ses doigts se figèrent sur la poignée. La gorge sèche, elle appela.

— McVey !

Evidemment, il ne pouvait pas l'entendre. C'était tout juste si elle s'entendait elle-même. Mais elle voyait. Et ce qu'elle avait devant les yeux, c'était un homme. Un homme effondré sur le volant de sa voiture de location. Des cheveux blonds, longs, dissimulaient en partie son visage, il portait une chemise sans manches mais, plus frappant que tout, il ne bougeait pas.

— McVey ?

Elle se pencha pour voir s'il respirait.

— McVey !

Comme l'homme ne réagissait toujours pas, elle ouvrit la portière. Alors, comme un serpent qu'on dérange, il se redressa brusquement. Ses yeux brillaient.

— Salut, beauté.

Sourire inquiétant aux lèvres, il ramena sa main droite devant lui et fit pivoter son poignet, dégainant une lame. Un couteau menaçant.

Rapide comme l'éclair, Amara claqua la portière et fila à toutes jambes. Les pires images se télescopaient dans sa tête. Y avait-il du sang sur la lame ? Sur lui ?

Elle passa à toute vitesse devant les buissons. Encore dix mètres et elle serait sur la terrasse de la maison qui était éclairée.

— McVey !

La lumière de la terrasse s'éteignit. Tout était noir brusquement. Elle marcha sur une branche tombée à terre et dut ralentir.

— Aïe ! McVey !

Derrière elle, des mains l'empoignèrent aux épaules. Elle ne réfléchit pas, n'hésita pas, se retourna. Elle décrocha les mains qui la tenaient et flanqua le coup de genou le plus violent qu'elle put en haut des cuisses de l'agresseur.

Un juron fusa.

— Vous êtes folle ou quoi ? Amara, c'est moi !

Il l'attrapa par le cou et la fit pivoter sur elle-même, la maintenant son dos contre son torse.

— Avez-vous perdu la tête ?

Elle pointa le doigt vers sa voiture.

— Un type. Là. Dans mon auto. Avec un couteau.

Elle enfonça les ongles dans son poignet.

— Je crois qu'il y a du sang.

Il la lâcha.

— Restez là.

— Pardon ? Non. C'est vous qui êtes fou. Il peut être n'importe où.

— Alors, restez bien derrière moi.

Elle obéit. Mais elle était si près de lui qu'elle le heurta lorsqu'il s'arrêta.

Il ne dit rien, lui passa une lampe de poche et, tapotant sa hanche, s'assura qu'elle se tenait bien derrière lui. Il avait dégainé mais, comme il visait le sol, elle comprit : l'individu s'était volatilisé.

McVey contourna le chêne qui s'était abattu et poussa Amara vers la maison.

— Je suis éreintée par cette soirée, reconnut celle-ci.

— Heureusement, le groupe électrogène semble avoir pris le relais, dit McVey.

Arrivés sur la terrasse, ils s'arrêtèrent.

— J'aimerais bien croire que le type que j'ai vu est le cinglé qui habite dans le coin, mais le couteau me fait penser que ce n'est pas lui.

L'air lasse, elle hocha la tête.

— Vous avez une idée, McVey ?

— Aucune qui soit digne d'intérêt.

— Balivernes !

Elle se pencha vers sa joue.

— Ça vous fait mal ? Ça doit piquer ? Ça devrait cicatriser vite. Ce n'est pas profond.

— Chez moi, ça cicatrise toujours vite.

Elle esquissa un sourire.

— Ce qui veut dire qu'on vous a déjà griffé ?

— J'étais policier à Chicago avant de venir ici. Je peux vous dire qu'on en voit de toutes les couleurs là-bas, coups de poing, coups de pied, coups de feu… coups de griffes. On voit de tout dans les cités.

— J'imagine qu'en comparaison Raven's Hollow, c'est du gâteau.

— Cela dépend de ce que l'on entend par *du gâteau*. Rien que ce soir, en l'espace de cinq heures, je me suis fait griffer, boxer, tirer dessus.

— C'est sûr, Samson rêvait de vous en mettre une bonne dans la figure, au Red Eye.

Ils entrèrent dans la cuisine.

— J'aurais peut-être dû accompagner Tyler et Molly en Floride.

— Ce n'est pas trop tard.

Furtivement, il fixa sa bouche.

— Si.

De toute manière, il ne l'aurait pas fait. Et c'était un sujet sur lequel il ne tenait pas à s'attarder.

Elle lui passa le doigt sur la joue, autour de la griffure.

Il frissonna. Etait-ce fou de vouloir céder à son plaisir et de faire l'amour avec elle, là, comme ça, sur le carrelage de la cuisine ? Son corps criait d'envie mais sa raison disait non.

— Vous devriez monter, dit-il, la suppliant en silence de s'éloigner avant qu'il ne devienne le grand méchant loup qu'il avait joué toute la soirée.

Il fit quelques pas en arrière et, brusquement, au mépris de ses résolutions, happa sa bouche.

A la seconde, le monde cessa d'exister. Jamais il n'avait éprouvé quelque chose d'aussi fort. Tout se dissolvait sauf la femme qu'il tenait dans ses bras et qu'il embrassait furieusement. Cette femme qui injectait en lui le venin de la drogue qu'elle était. Etait-ce bien ? Etait-ce mal ? Peu importait ! Il avait perdu le contrôle de ses sens.

Soudain, alors que sa volonté n'était plus que lambeaux, il réussit, dans un sursaut de raison, à se reprendre et, d'une main ferme, la repoussa.

— Hou ! s'exclama-t-elle. Quel baiser ! D'habitude, je ne fais pas ça. Je n'embrasse pas les hommes que je viens de rencontrer. Et, de toute manière, je n'ai jamais embrassé personne comme ça.

Elle se mordilla les lèvres.

— Et vous ?

— Moi ? En général, j'évite d'embrasser les hommes !

La remarque la fit rire.

— Vous voulez bien monter, Amara ? Tout de suite. Car je ne vais pas pouvoir me retenir.

Des étoiles brillaient dans les yeux d'Amara. Des étoiles qui scintillaient comme des diamants.

— Moi non plus, murmura-t-elle en le prenant par la chemise.

Il lui fit lâcher prise. C'était peut-être la maison de Mère-Grand, mais il n'avait pas encore régressé à l'état animal. Il n'était pas le grand méchant loup. Pas encore.

Des images passèrent alors devant ses yeux. Des coups de feu. Un grand couteau de cuisine. Un regard inquiétant. Il réfléchit. Petite décharge d'adrénaline.

Il laissait à Amara une heure pour se remettre et autant pour lui.

Après avoir vérifié ses armes, il enfila une veste sombre et s'enfonça dans la nuit.

L'endroit était facile d'accès. En un quart d'heure, il atteignit la clairière. Balayant le sommet des rochers avec sa lampe, il se surprit à sourire. Un sourire sardonique. Malgré le hurlement du vent, le *clac* d'un fusil qu'on arme le fit piler.

Caché dans l'ombre, il appela :

— Tu veux me tuer, Westor, vas-y. Je n'ai pas l'intention de finasser avec toi.

— Va te faire voir !

La voix, celle d'un homme, sortait de l'ombre, à quelque vingt mètres à gauche.

— Ça fait plus d'un an que tu joues au plus malin avec moi, McVey. Ici et là-bas. J'ai fait ma petite enquête ce soir, mon pote. Il y en a qui croient que t'es un homme d'honneur, que t'es prêt à les défendre. Mais toi et moi on sait que c'est pas comme ça. Tu vendrais ta grand-mère si t'en avais une, pour te remplir les fouilles. Même moi, tu me vendrais, contre une poignée de cerises. Pas vrai, mon gars ?

— On va faire simple, je vais t'arrêter pour avoir tiré au fusil sur la petite-fille de ma propriétaire.

— Fais ça et je la descends. T'auras qu'à ramasser les morceaux. Un petit oiseau m'a dit qu'elle a de gros soucis et qu'elle pourrait bien finir six pieds sous terre, et rapido !

— Un corbeau.

McVey scruta l'obscurité.

— Il n'est question que de corbeaux noirs dans ce pays.

— De corbeaux et de sorcières, précisa Westor.

Il y eut un deuxième *clac*. Westor devait manipuler son fusil.

— Je ne sais pas pourquoi je ne t'ai pas encore tué, McVey.

T'es venu à Los Angeles il y a quelques mois et t'as décidé de mettre ma sœur en taule pour la remettre d'aplomb.

McVey continua à avancer dans l'ombre en contournant les sapins.

— Pourquoi je ferais ça après quinze ans de silence ?

— J'sais pas.

Au son de sa voix, Westor était déstabilisé.

— J'sais pas et je m'en fous.

Il s'était ressaisi. Sa voix était plus ferme, agressive même.

— Des privés sont venus la chercher, il y a six semaines. Elle a eu peur et s'est sauvée comme un lapin au volant de sa bagnole. Pas loin. Elle s'est enroulée autour d'un poteau. Il a fallu trois heures et demie pour dégager l'épave et la désincarcérer. Les pompiers l'ont emmenée direct à la morgue.

Ça, McVey ne l'avait pas su. En revanche, il connaissait le penchant de la sœur de Westor pour l'alcool. Elle y réglait les problèmes de la vie, les grands et les petits.

— J'avais qu'elle, McVey.

La douleur dominait désormais la révolte.

— C'est pas une coïncidence. T'es arrivé à L.A. et deux jours plus tard les flics déboulaient chez ma sœur.

— J'ignorais qu'elle était morte, Westor. Je suis désolé. Mais je n'y suis pour rien, je te jure, je n'étais pas dans le coup.

— Moi, je te dis que si et je suis venu ici pour te le dire en face.

McVey s'accroupit et écarta les branches d'un buisson qui aurait pu cacher une demi-douzaine d'hommes. Il allait dégainer quand apparut, à travers la frondaison, le rayon laser du fusil de Westor.

McVey opta alors pour le corps-à-corps.

— T'as qu'à penser à ce que ça te ferait de perdre quelqu'un que t'aimes. La petite madame avec qui je t'ai vu ce soir, par exemple.

Malgré les nœuds qui lui tordaient l'estomac, McVey choisit cet instant pour agir. Westor le vit sans doute bouger, mais il ne réagit pas assez vite. McVey lui passa le bras autour du cou et serra. Privé d'air, les yeux révulsés, Westor éructa et finit par lâcher son fusil.

McVey desserra son étreinte. Westor se dégagea en toussant très fort.

— OK, t'as gagné, McVey. Mais on n'y voit plus rien. Un arbre peut tomber et nous tuer tous les deux, mais *bof*, si je sais que tu te tues avec moi, ça vaut le coup, non ?

— Si tu le dis ! Maintenant, pour ce qui est de recevoir un arbre sur la tête, tu repasseras.

Westor cessa de se débattre et leva les yeux.

— Où est passé le vent ?

— Tombé. Mort.

— Comme ça ?

Westor commença à s'esclaffer, mais l'effort le fit tousser de plus belle.

— C'est pas vivant, le vent. Ça ne meurt pas, c'est pas comme une personne. Une personne comme ta jolie madame. Ha ha !

McVey se pencha à l'oreille de Westor, menaçant.

— Je vais te dire un truc. Et t'as intérêt à écouter. S'il arrive quelque chose...

Il empoigna le bras de Westor et le serra de toute sa force.

— Tu m'entends ? S'il arrive quelque chose à Amara, je te trouve et je te tue.

Toujours à court d'air, Westor tendit le cou en l'air.

— Ce sera pas juste parce que, à ce que je sais, il y a des chances pour que ta dame passe sous un bulldozer.

— Qui t'a dit ça, Westor ? Quel oiseau ?

— La fille du bar où il y a eu la bagarre n'aime pas trop ta dame à ce que j'ai cru comprendre. L'a dit à quelqu'un au téléphone qu'un drôle de zigue, Sparks qu'il s'appelle, lui court après, et pas pour ce que tu crois.

— Dans ce cas, tu ferais peut-être bien de songer à filer.

— Je filerai quand je serai prêt et pas avant. Je me suis pas tapé toute cette route pour venir te faire la révérence, McVey. Je veux te voir mourir de honte, parce que tu sais que je suis là et que je sais qui t'étais, comment tu vivais et sur qui t'as marché pour t'en sortir.

Il eut un rictus à mi-chemin entre le rire et la grimace.

— C'est pas que ta petite dame soit désagréable à regarder.

McVey lui pinça le bras et le lâcha.

— La fille du bar m'a dit…

Il poussa brutalement Westor devant lui.

— … que ma petite dame, comme tu dis, a du sang de sorcière dans les veines. Une longue lignée de sorcières, si ça te dit quelque chose. Trois cents ans de sorcellerie !

Westor était tombé à genoux et se tenait la gorge. Il recommença à tousser.

— Tu vas pas me faire croire que t'avales ces sornettes !

McVey ramassa le fusil et le passa à l'épaule.

— Je crois ce que je vois. Amara voulait que le vent cesse de souffler et t'as pu voir qu'il s'est arrêté. Alors je te pose la question, qu'est-ce qui se passera si elle veut te voir disparaître ?

7

Quand Amara se réveilla, un corbeau la regardait, depuis le rebord de la fenêtre. L'animal se mit à croasser. Pour sa première journée dans le Maine, cela commençait bien, songea Amara.

Elle n'avait pas trouvé d'araignées dans son lit en se couchant la veille au soir et les corbeaux, malgré toutes les superstitions qui leur étaient attachées, ne lui avaient jamais fait peur.

McVey, c'était autre chose. Elle avait rêvé de lui, des rêves torrides qui s'étaient terminés en apothéose. Ils faisaient l'amour dans une clairière, à l'abri d'un bois sombre et de rochers pointus. Si l'endroit était d'un confort discutable, leurs ébats, eux, avaient été fabuleux.

La tête pleine de ces images érotiques, elle passa sous la douche puis s'habilla. Des boots noires, un jean un peu élimé et un pull anthracite, de la même couleur que ses yeux.

En ce qui concernait le décès du lieutenant Michaels, les intentions de Willy Sparks et l'inconnu au couteau, elle y repenserait plus tard. Pour l'heure, elle avait le cœur léger et allait préparer deux cafés.

Mais avant de sortir de la chambre son regard croisa celui du corbeau. Il semblait observer chacun de ses gestes et, quand elle posa une main sur la poignée de la porte, l'oiseau s'envola en poussant un drôle de cri.

Etrange, se dit-elle.

A l'étage, il n'y avait pas trace de McVey et aucun bruit ne parvenait de la cuisine. A 8 heures du matin, un jeudi quelque peu brouillardeux, il devait être en train de régler leur compte aux ivrognes qui avaient saccagé le bar de Lazarus, la veille au soir, supposa Amara.

Mieux valait pour eux que ce soit McVey, plutôt que son oncle, qui les punisse.

Toute à cette réflexion, elle poussa les portes battantes, monta les deux marches et là, pila sur place.

— Oncle Lazarus !

Elle se força à sourire.

— Quelle… bonne surprise !

Elle écarta les mains devant elle comme pour implorer son pardon.

— Je vous le dis tout de suite, je ne suis pas mêlée à la bagarre d'hier soir, au Red Eye.

— Ça ne m'a même pas effleuré, ma nièce. Je t'ai appris à donner des coups de pied… bien placés si possible… mais des coups de poing, jamais. Tu t'en tirerais avec les doigts cassés.

— C'est sûr.

Ne sachant plus que dire, elle se tut mais, le silence s'éternisant, elle reprit :

— Un café, oncle Lazarus ?

— Le café est la boisson du diable.

Bizarrement, sa mauvaise foi la détendit.

— Si je me rappelle bien, tu disais souvent à Nana que j'étais diabolique, c'est sans doute pour cela que je ne peux pas démarrer la journée sans ma dose de caféine.

— Peut-être.

Il tenait ses yeux noirs de rapace braqués sur elle. Il ne bougeait pas, son visage était impassible. Malgré la dureté de son regard, qui n'avait évidemment pour but que de l'intimider, elle ne cilla pas.

Cinq secondes plus tard, elle se leva, fit le tour de la table pour aller prendre le café que McVey avait passé un peu plus tôt.

Lazarus Blume l'avait toujours fascinée et, quinze années plus tard, rien n'avait changé. Physiquement, il avait peut-être les joues plus creuses, mais il lui faisait toujours penser à un pèlerin avec ses habits d'étoffe grossière, sa barbe grisonnante et ses cheveux qu'une rafale de vent ébouriffait sans cesse.

Bien décidée à prendre la situation à la légère, Amara revint s'asseoir près de lui avec sa tasse.

— Il y avait un corbeau au bord de ma fenêtre, ce matin, oncle Lazarus. Il me fixait comme toi en ce moment. Pour un peu, j'aurais juré que c'était toi incarné en oiseau.

— Et moi je te réponds que, comme les Bellam, tu me racontes n'importe quelle sottise pour éviter de parler d'autre chose.

— Normal puisque j'en suis une, de Bellam.

Cette fois, il s'agita.

— Mais tu es aussi une Blume, ne l'oublie pas.

— Maman…

— T'a donné le nom que lui avait donné sa mère. Je sais comment fonctionnent les Bellam. Je sais aussi que trois personnes qui ont témoigné en même temps que toi à La Nouvelle-Orléans sont mortes et que celui qui tire les ficelles a organisé ces meurtres du fond de sa prison.

— C'est probable. Mais difficile à prouver.

— C'est pour cette raison que tu es revenue à Raven's Hollow.

Alors qu'elle allait répondre, il agita devant elle un doigt accusateur.

— Et ne va pas dire que tu n'es pas chez toi, ici. Ta mère a grandi et s'est mariée ici, et toi tu y as passé dix étés de suite avec ta grand-mère. Tu descends comme nous tous des Pères Pèlerins qui ont débarqué sur ces rivages pour s'inventer de meilleures conditions de vie.

Si elle ne l'arrêtait pas tout de suite, il allait lui rappeler toute la genèse de sa famille. Or, cette histoire, elle la connaissait par cœur, de A à Z.

D'autorité, elle changea de sujet.

— Il paraît que tu t'es fait arrêter récemment, oncle Lazarus…

Elle marqua un temps d'arrêt puis ajouta :

— Pour ivresse et trouble à l'ordre public.

Il inspira profondément.

— J'avais mes raisons.

Comme c'était une gentille, elle se radoucit.

— J'en suis sûre. Tu sais mieux que n'importe qui que j'ai fait des bêtises moi aussi.

Comme elle était malicieuse aussi, elle lui rappela l'épisode du couple d'amoureux qu'elles avaient espionné, son amie et elle.

— Tu t'en souviens, oncle Lazarus ?

Il opina.

— Mon écurie n'a jamais été aussi bien nettoyée depuis ! Dire que tu fais de la chirurgie esthétique, maintenant !

— De la chirurgie réparatrice.

Sa tasse de café serrée dans ses mains, elle se pencha vers son oncle.

— Pourquoi es-tu là, oncle Lazarus ? Je sais que tu ne m'aimes pas.

— Que je ne t'aime pas ? Où as-tu pêché ça, grande sotte ?

L'air agacé, il tambourina sur la table.

— Tu sais bien que tu es la seule personne qui me fasse rire.

— C'est vrai ? Je t'ai fait rire ? Quand donc ?

— Rappelle-toi l'été de tes quatorze ans, quand je t'ai punie pour t'être sauvée de la maison. Ta grand-mère a dit que tu m'avais jeté un sort.

Amara retint un soupir. Pourquoi cette journée qui commençait à peine semblait-elle tout d'un coup surréaliste ?

— Non, je ne t'ai pas jeté de sort… enfin, si… J'ai jeté un sort à ce que tu allais grignoter avant de te coucher. Pas à toi.

De nouveau, il opina.

— Ça prouve que tu as de l'initiative. C'est une qualité que j'apprécie.

— Ça a surtout démontré que j'avais de l'aplomb. Aujourd'hui que je suis médecin, je pense que les maux d'estomac que tu as eus ensuite n'avaient rien à voir avec moi.

— Peut-être. N'empêche, j'ai dégusté.

Amara but une gorgée de café.

— Tante Maureen croyait à la légende Bellam. Elle m'a encouragée à mémoriser quelques formules à prononcer quand je jetterais des sorts. Nana et elle les tenaient d'un livre qu'elles avaient déniché dans le grenier de Bellam Manor. Nous, nous tous, voulions que le frère de Yolanda, Larry, le somnambule, arrête de sortir tout nu, la nuit. Je n'ai pas réussi.

L'oncle Lazarus se frappa dans les mains.

— Ma sœur avait un petit côté ridicule. Elle était surtout bornée. Enfin… Elle a tellement fumé qu'elle s'est retrouvée vite fait dans la tombe. Elle n'a pas voulu de messe, pas de réunion de famille. Ce n'est pas normal.

— C'était son choix. Je sais que tu aurais préféré un vrai enterrement, oncle Lazarus, mais tu sais mieux que moi que tante Maureen détestait les gens tristes.

— Et les somnambules qui divaguent tout nus, apparemment.

Amara repoussa sa chaise.

— As-tu vu McVey, oncle Lazarus ?

Un *bip* de son portable l'interrompit presque : elle venait de recevoir un texto.

— Toi aussi tu es une malade des technologies modernes, à ce que je vois, dit Lazarus.

Pour ne pas blesser son oncle, elle préféra plaisanter. Il était excusable, c'était un homme âgé.

— Si je comprends bien, oncle Lazarus, tu places la technologie moderne juste après la caféine sur la liste des drogues addictives.

— Je ne vais pas dire ça, j'en ai un moi aussi. Mais je le fais vibrer quand je suis en compagnie…

Reçu cinq sur cinq ! pensa-t-elle.

— C'est sûrement un confrère de La Nouvelle-Orléans. J'ai été obligée de décaler des interventions et d'en diriger d'autres sur…

Il y eut un blanc, et elle poursuivit :

— Jackson.

Elle fixa son téléphone. Incrédule, elle considéra ensuite le comptoir. Son oncle parla sans doute, mais elle n'arrivait plus à écouter.

La porte claqua. Quelqu'un entra dans la cuisine.

McVey. C'était sûrement lui.

Il dit quelques mots et s'approcha du comptoir. Immédiatement, elle empoigna son bras pour l'empêcher de prendre une tasse dans le placard.

— Non, fit-elle en lui montrant le texto qu'elle venait de recevoir.

AS-TU BU LE CAFE, AMARA ?

Willy Sparks éteignit le téléphone qu'il avait volé et le jeta sous les arbres. Il était temps de s'en aller, de descendre de cet arbre où il s'était perché.

Tonton Jimmy était beaucoup plus intéressé par ce qui se passait dans les petites villes que dans les grandes cités. Il prétendait que l'on pouvait y passer une vie entière, connaître tout le monde par son nom sans pour autant savoir précisément qui faisait quoi à qui.

Peut-être avait-il raison ?

Tandis que la délicieuse Amara Bellam était dans la maison de sa grand-mère, à la lisière des bois et qu'elle devait penser qu'elle avait été empoisonnée — dommage, le chef de la police était arrivé, mais on ne pouvait pas tout prévoir — un scénario absolument fascinant se déroulait à cinquante mètres de là, jubila Willy.

Un individu, habillé dans des tons de vert et de brun, armé de jumelles et d'un grand fusil de chasse, épiait les occupants de la maison.

— Je crains que mon cœur ne batte plus jamais normalement, soupira Amara en examinant le bout de ses doigts.

Heureusement, ils n'avaient pas viré au bleu.

— Vous êtes sûr d'avoir fait le café vous-même, McVey ?

— Non seulement je l'ai fait, mais j'en ai bu deux tasses avant de partir.

Son oncle opina.

— Je n'ai pas bougé d'ici depuis qu'il est parti et je peux

te dire que personne n'est venu le trafiquer. Sauf si ce sont les grains de café qui ont été infectés. Mais, en ce cas, vous seriez empoisonnés tous les deux.

— Et probablement morts, conclut McVey.

— Nous sommes peut-être tous morts, déclara l'oncle Lazarus. Et nous avons cette conversation dans un lieu où nos corps se sont posés.

McVey versa du café dans un pot et le ferma.

— Moi, je serais en enfer.

— Moi aussi, opina Lazarus. Mais comme je ne bois pas de café, je suis mort autrement. C'est peut-être mon cœur qui a lâché.

Amara se prit la tête à deux mains.

— Excusez-moi, les amis, mais cette conversation est complètement tordue. Comme la personne qui m'a envoyé le texto.

Les yeux plissés, elle dévisagea son oncle.

— Tu étais déjà ici quand McVey est parti ?

— Oui, j'avais à faire, répondit-il d'un ton sec.

— A faire avec l'homme qui t'a arrêté et à qui tu aurais dû botter les fesses. Mais tu ne l'as pas fait !

Elle se tourna vers McVey avec un sourire entendu.

— Vous voyez ce que je vous disais. Les hommes n'ont pas le même traitement que les femmes. Ce sont des privilégiés.

— Nous parlions de poison, Chaperon rouge.

McVey ouvrit le paquet de café en grains et le sentit, ce qui ne rassura pas Amara.

— Ne nous égarons pas, reprit-elle. Quelqu'un, probablement Willy Sparks, veut me faire comprendre qu'il peut m'atteindre quand et comme il veut et donc me tuer aussi facilement que l'on écrase un cafard. Terroriser, c'est efficace.

Son oncle se leva.

— Qu'allez-vous faire pour que ça cesse, chef McVey ?

— Je vais faire de mon mieux mais ce n'est pas simple.

Il prit le portable d'Amara et tapa un numéro.

— Sparks est un pro. Ça ne sera pas facile de l'identifier.

Personne en dehors de sa famille n'a de portrait de lui et aucun membre de sa famille ne donnera des infos. Si tu parles, on te torture. Ou tu es mort. Je crois savoir que Jimmy applique à la lettre cette politique à l'égard des bavards.

— C'est bientôt la Nuit du Corbeau, rappela Amara. Les gens affluent déjà.

Lazarus hocha la tête :

— J'ai autorisé mon neveu, le fils de ma défunte sœur, à rouvrir Blume House et à y loger des invités pendant la durée du festival. Et vous, chef, que comptez-vous faire à cette occasion ?

McVey regarda le téléphone puis Lazarus et de nouveau le portable.

— Je vais éplucher l'identité des visiteurs, vérifier les plaques minéralogiques et je verrai bien.

— Mais ça ne…

— Il ne peut pas arrêter les gens sous prétexte qu'ils ne sont pas d'ici, l'interrompit Amara. Et il ne peut pas traiter les inconnus comme s'ils étaient d'emblée des criminels.

— Des tueurs à gages, corrigea Lazarus.

— Oui, merci, j'essayais d'éviter le mot. La meilleure chose à faire…

Elle se tourna vers McVey.

— … c'est que je parte.

— Vous avez vu la route, Chaperon rouge ? Même si vous parvenez à filer, ce dont je doute, Willy ne sera pas content et certaines personnes de votre famille non plus.

Comme il parlait tête baissée, Amara lui empoigna les cheveux pour l'obliger à la regarder.

— D'accord, mais qu'avez-vous d'autre à me proposer ?

— Joe Blume.

Il brandit le portable qu'il lui avait pris.

— Le texto que vous avez reçu venait du mobile de Two Toes Joe.

Amara le lâcha car… ses yeux, sa bouche, étaient encore plus attirants que la veille et ce n'était pas le moment de fantasmer.

— Ainsi donc, Willy Sparks est non seulement un assassin mais également un voleur, persifla l'oncle. J'ai bien compris ?

— Il a... de nombreuses cordes à son arc ! répondit Amara. Non content d'être là, il a activé son réseau. Si je m'en vais, je meurs. Et d'autres personnes de ma famille mourront avec moi.

Peu de temps après, Amara monta au grenier avec McVey. La vue sur les bois y était magnifique. Elle aurait aimé que son oncle ne les suive pas, mais il apparut subitement dans la trappe. Il devait avoir envie de « sentir » la pièce, mais sûrement pas comme elle la « sentait » quand elle était petite.

Dans les livres qui racontaient l'histoire de sa famille, elle avait lu que Sarah venait dans ce grenier pour pratiquer son art. Mais seule ou accompagnée ? Cela n'avait jamais été éclairci. Une grande partie de la vie de Sarah demeurait un mystère.

Elle avait fait de la magie, Amara en était persuadée. Des odeurs d'herbes régnaient dans la pièce, des traces de fumée aussi qui, trois siècles plus tard, ne s'étaient toujours pas estompées.

Elle passa un doigt sur une vieille malle.

— C'est la caverne d'Ali Baba ici. Toutes ces antiquités feraient le bonheur de brocanteurs.

McVey enleva une toile d'araignée qui se trouvait sur son passage.

— Pour l'instant ce grenier fait le bonheur des souris, des oiseaux et des araignées.

— Arrêtez de me parler d'araignées. Ça me donne la chair de poule... Regardez, McVey, il y a un escabeau, là. Je ne sais pas si on verra mieux de là-haut.

Elle s'approcha.

— A moins d'être idiot, Willy Sparks ne viendra jamais rôder ici. Je ne sais pas pourquoi on se donne cette peine.

— Parce que j'ai vu quelque chose briller en bas. Du verre ou du métal, je ne sais pas trop.

— Super ! C'est donc que Willy Sparks est un imbécile et qu'il a oublié comment planquer sans se faire voir.

— C'est peut-être un acolyte ?

— Encore mieux !

— A moins que ce ne soit un corbeau qui a piqué un morceau de verre ou de métal et l'a laissé tomber.

— Peu importe. Moi, je ne reste pas ici attendre le tueur.

— Il faut faire confiance à McVey, intervint Lazarus, resté sur le dernier barreau de l'échelle. En attendant, Amara, tu as des notions de médecine, je crois ?

Une grosse araignée sortie de derrière une poutre la fit reculer. Elle se lissa les bras.

— Quelques notions, en effet, oncle Lazarus. Pourquoi ? Tu veux que j'aille aider à la clinique ? Il n'y a pas de médecin ?

McVey sauta de l'escabeau.

— Il y a une sage-femme et un ancien médecin militaire qui n'a pas encore compris que les antalgiques ne sont pas faits pour les chiens ! Trêve de plaisanterie, si j'ose dire, le brouillard arrive. Si quelqu'un nous guette dehors, il ne nous verra pas.

Amara se pencha pour observer l'araignée.

— Qu'est-ce que vous voulez dire, McVey ?

— Vous ne voyez pas ce que j'ai dans la tête ?

— Il vaut mieux pas. Ça lui ferait peur ! dit son oncle en regardant l'écran de son téléphone. Je déteste le lait de chèvre, grommela-t-il.

— Ça doit être Seth, expliqua Amara tandis que son oncle répondait. C'est son neveu, Seth Blume. Il a une ferme en rase campagne, à trois cent cinquante kilomètres de Raven's Cove où il élève des poulets, des porcs et des chèvres. Non, McVey, je ne lis pas dans la tête des gens.

— Mais vous faites des tas d'autres choses.

— Oui, je fais des superlasagnes, m'a-t-on dit.

L'araignée s'étant cachée, Amara se redressa. McVey était à quelques centimètres d'elle. Elle voulut s'éloigner mais il la saisit par le cou.

— Regardez-moi, Amara.

— Je ne vois pas comment je pourrais faire autrement !

— Que voyez-vous ?

Une bouche qu'elle brûlait d'envie d'embrasser. Mais ce n'était pas ce qu'il voulait dire. Elle scruta donc la joue qu'elle avait griffée.

— Pas très profond, observa-t-elle. Il reste juste une marque.

— Ah oui ? fit-il en approchant son visage.

Il était trop près, c'était irrespirable, trop tentant. Elle retint son souffle, mais son oncle se gratta la gorge, rompant le charme.

— Seth n'arrive pas à joindre sa mère.

— Hannah ? dit Amara, reprenant ses esprits. C'est ta cousine, oncle Lazarus, c'est bien ça ? En tout cas, les gens l'appelaient ta cousine. Seth est inquiet ?

— Elle s'est fait mordre par un écureuil, il y a quinze jours. Elle lui a téléphoné dimanche pour lui dire que sa jambe était très enflée. Ça fait trois jours qu'il essaie de la joindre et personne ne répond. Il aimerait que j'aille voir si tout va bien et lui apporte de l'aspirine.

— Parce qu'une personne qui a une infection à la jambe a fatalement mal à la tête ? Où habite-t-elle ?

Il leva les yeux vers la montagne.

— Elle a emménagé dans Bellam Manor, il y a six mois. Elle voulait être loin de tout. Il n'y a que deux ailes de la propriété qui sont habitables depuis le départ de Molly et de Sadie. Quant à la route qui y va, elle est à peine carrossable. C'est un enfer !

McVey regarda le jardin puis Amara.

— J'y suis allé à l'automne dernier, Chaperon rouge. La route est défoncée.

Elle ne répondit pas et s'approcha de la fenêtre. Le brouillard couvrait déjà les cimes des arbres.

— On dirait qu'il vient du nord, de Bellam Manor.

— Vous devriez préparer quelques affaires et prendre de quoi la soigner, suggéra McVey. Pendant ce temps-là, je vais m'assurer que des policiers patrouillent dans les deux villes.

Amara posa les yeux sur lui.

— Je connais la route, je pourrais y aller seule.

— Vous pourriez, opina McVey. Mais je peux aussi vous dire que j'ai regardé dans les placards de la cuisine après que vous avez reçu le texto. J'y ai trouvé deux paquets de café. Or, c'est moi qui ai fait les courses hier et je n'en ai acheté qu'un.

8

— Prenez ce qu'il vous faut, docteur Bellam.

Le pharmacien remonta ses lunettes sur son nez.

— Remplissez juste ce document que je sache quoi recommander. Maintenant, excusez-moi, je m'absente une seconde.

Amara prit l'antibiotique et l'anti-inflammatoire, ajouta un flacon d'eau oxygénée, un autre d'alcool dénaturé, une bande de gaze et deux barres de chocolat. Elle mit le tout dans un sac et *hop !* sur l'épaule.

L'unique pharmacie de Raven's Hollow avait été déménagée dans un cubicule au fond d'un vieux supermarché où l'on trouvait un peu de tout. Les étagères y étaient hautes et très encombrées, les lames du plancher grinçaient à chaque pas et les placards réfrigérés, en principe plaqués contre les murs, penchaient dangereusement. Un quart des ampoules ne fonctionnaient plus ou donnaient des signes de faiblesse et la caisse enregistreuse avait rendu l'âme au milieu d'une transaction après trente ou quarante ans de bons et loyaux services.

Rien ne change jamais, songea Amara.

— Pardon.

Une femme aux grands yeux noirs et à la mâchoire proéminente agitait la main.

— Avez-vous ce rouge à lèvres dans d'autres couleurs ? Je cherche un rose bonbon, c'est ma couleur fétiche.

— Comme ma cousine Yolanda. Mais je ne suis pas du magasin.

Amara posa son sac à terre.

— La caissière déjeune et le pharmacien est derrière. Je suis venue chercher mes médicaments.

— Cool… et courageux. Je suis Mina Shell. Je suis venue pour le… Tiens, voilà la couleur que je cherche.

Elle passa le bras par-dessus la vitre et prit un tube.

— *Souffle Rose*, lut-elle. Parfait. Vous pensez que je peux laisser l'argent avec un petit mot ? Le problème, c'est que je n'ai pas de papier. Ni de stylo.

Amara sortit un carnet de son sac pour en déchirer une page, mais un bruit de pas derrière elle la fit suspendre son geste. Elle n'eut pas le temps de lever la tête, l'individu lui avait pris le poignet.

— Holà, beauté. Je te cherche partout dans cette ville d'oiseaux.

Il attrapa l'autre femme par le cou et serra.

— Pas si vite, poupée rose. J'ai quelques petites choses à dire à Amara pendant qu'il n'y a personne.

Le couteau qu'Amara avait entrevu la veille au soir dansa près de son épaule. L'homme caressa la lame et rit.

— C'est pas merveilleux ça, des commerçants qui font tellement confiance ? Pas de caméra de sécurité en vue… je te le dis, pour le cas où tu compterais dessus. Maintenant, passons aux choses sérieuses !

Mina se mit à geindre.

— La ferme ! aboya l'homme.

— Mais vous me pincez !

— Au cas où tu l'aurais pas deviné, je suis pas un gentil. A propos de gentil…

Il se tourna de nouveau vers Amara.

— Je pense que toi et moi on…

Il n'alla pas plus loin. Amara lui planta son talon dans le pied puis le coude dans les côtes. Sortant alors son flacon d'alcool de son sac, elle lui en asséna un bon coup sur la tête.

Pas pour le mettre KO, juste pour l'assommer un peu. Mais l'homme brandit le couteau.

— Je vais te faire la peau ! gronda-t-il.

Comme il y avait du mouvement au fond du magasin, Amara cria :

— Benny, appelez McVey !

Retranchée derrière son flacon d'alcool, bien dérisoire face au couteau, elle se mit à trembler. Par chance, l'homme regarda le fond de la boutique et aperçut le pharmacien. Alors, sans demander son reste, il bouscula Mina et déguerpit.

Amara, sous le choc, ne sentait plus ses jambes. Le pharmacien, qui s'était précipité, était livide lui aussi.

— Vous n'êtes pas blessées, au moins ? J'ai appelé le poste de police. Je suis désolé de ce qui vient de se passer.

— Je me suis cassé un talon, se lamenta Mina. Et un ongle.

Elle battit des paupières comme une poupée Barbie.

— Je suis entrée pour m'acheter un rouge à lèvres et voilà ce qu'il m'arrive. On me pince, on me bouscule et je me fais presque décapiter par une machette. Après tout ça, je ne sais pas si je vais rester traîner dans ce trou… avec ces drôles d'oiseaux. Vous avez vu le couteau ? Ce n'était pas rien.

C'était la deuxième fois qu'Amara le voyait.

Elle remettait le flacon d'alcool dans son sac quand Jake surgit, armé, l'air prêt à en découdre.

— Où est l'abruti ? demanda-t-il en agitant son P 38.

Du bout du doigt, Amara repoussa le canon du revolver.

— Il a pris à gauche en sortant.

Jake serra les dents.

— Vous l'avez laissé partir ? Pourquoi ne l'avez-vous pas…

— Et mes hémorroïdes ? lança-t-elle.

Et elle haussa les épaules.

— Cela t'apprendra à dire des absurdités.

— J'ai vu le poignard, intervint Mina, mais j'avais tellement peur que je n'ai même pas regardé la tête du gars. Désolée.

— Moi je l'ai vu, intervint le pharmacien en remontant ses lunettes sur son nez. Je l'ai vu ici il y a un instant et je l'ai vu aussi ce matin tôt, par la fenêtre de ma chambre. Il sortait de l'allée d'en face, de la maison avec le corbeau et la sorcière peints sur la porte. Vous savez la porte que les gosses bombent en rouge. Là où habite Yolanda, si vous préférez.

C'était la pagaille au poste. On criait de tous les côtés, à celui qui hurlerait le plus fort. Dans ce concert d'insultes, McVey avait abandonné l'idée de séparer les assaillants. Il préférait garder un œil sur Amara pendant qu'elle racontait son aventure à l'un des jumeaux Harden, assis à l'accueil.

— Arrêtez de me harceler, hurla Yolanda, sa voix couvrant le brouhaha. Est-ce ma faute si un imbécile avec un couteau est sorti de mon immeuble à je ne sais quelle heure du matin ? De toute manière, il y a trois autres appartements en plus du mien dans l'immeuble. Hein, McVey…

— J'ai dit de prendre sa déposition, Jake, pas de l'accuser d'héberger un fuyard.

— C'était pas un fuyard quand il était chez elle.

— Je ne l'ai pas hébergé, d'abord, et puis…

Menaçante, elle se dirigea vers McVey et plaqua ses deux mains sur sa chemise.

— Mon frère n'était pas là quand je me suis levée, alors je n'ai personne pour témoigner que j'étais seule. Jake pense que je mens mais vous, vous me croyez, chef ? Vous me croyez, n'est-ce pas ?

Ce qu'il croyait, se dit-il en la repoussant, c'était qu'il était temps de rendre son badge, de coincer Westor Hall et de le pendre à la branche d'un chêne.

— Je n'aime pas interrompre un homme en colère, lança Amara en lui tapotant le bras. Mais si l'on veut éviter l'averse qui pointe, il est plus que temps de partir. Parce qu'il n'y a pas pire que la route de Bellam Manor quand il tombe des cordes, sauf le glissement de terrain… Et encore…

Comme s'il n'avait pas entendu, McVey poursuivit.

— Combien y avait-il de personnes dans la pharmacie quand Wes… Quand le type au couteau est entré ?

Amara le regarda puis fit le tour de la salle des yeux.

— Le pharmacien et Mina. Mais elle a pris peur et s'est enfuie quand elle a vu Jake faire des moulinets avec son arme.

— Pas folle !

Amara soupira :

— Benny est votre meilleur témoin, McVey. Et peut-être une ou deux personnes de la ruelle d'en face. Tous les autres sont des curieux qui s'ennuient ou des clients qui attendaient l'ouverture du Red Eye.

McVey passa devant elle et prit la main de Yolanda.

— On ne griffe pas, la prévint-il.

Elle foudroya Amara des yeux.

— Tu as passé la nuit chez Nana !

Amara lui lança le même regard.

— Absolument. Tu ne m'avais pas invitée chez toi !

Elle regarda McVey, parut hésiter et déclara finalement à Yolanda :

— Je te déteste.

— Ce n'est pas nouveau !

McVey décida de s'interposer.

— Seth a appelé Lazarus, ce matin, Yolanda. Il pense que sa mère devrait voir un médecin.

— Depuis quand Seth se fait-il du souci pour sa mère ? ricana-t-elle. Si ça ne glousse pas et que ça n'a pas quatre pattes, normalement ça ne l'intéresse pas. Pas d'exception pour Hannah. Quant à Lazarus, c'est bien la première fois qu'il se préoccupe de sa cousine.

Poussant un homme qui lui barrait le passage, Jake les rejoignit.

— Seth a peur que sa mère passe l'arme à gauche avant Lazarus. Parce que, dans ce cas, l'argent qu'il espère récupérer en héritage, via sa mère, lui passera sous le nez. Lazarus ne supporte pas Seth. Ni moi. Ni mon frère. Ni la moitié des Blume et aucun Bellam, qu'ils soient de Raven's Cove ou de Raven's Hollow.

— Il aime bien Nana, indiqua Amara. C'est aussi à lui qu'appartient Bellam Manor.

Jake fit la moue.

— N'importe qui accepterait de s'appeler Bellam pour devenir propriétaire d'une maison et de terres qui valent une fortune. Quant à aimer les Bellam, c'est une autre affaire. On ne peut forcer personne à les aimer. Moi, la seule fille Bellam que j'ai fréquentée m'a menacé de me transformer en crapaud.

McVey se frotta les yeux. Ils piquaient.

— Seulement menacé ? se moqua-t-il. Allez, au boulot, Jake. Interroge Benny et ceux qui ont vu quelque chose dans la ruelle. Les autres, tu peux les renvoyer chez eux.

Jake prit l'air pincé mais il opina.

— Qu'est-ce qu'on fait pour l'homme au couteau ? On le laisse en liberté pour être bien sûr qu'il recommence ? Il va traîner…

— Il ne traînera pas, Jake.

— Moi, je dis que si, si on ne le coffre pas.

— Il ne traînera pas, Jake.

Amara regarda du côté du bois.

— Il ne traînera pas parce qu'il va nous suivre, McVey et moi, jusqu'à Bellam Manor.

Si Westor était rusé — et McVey le pensait — il allait les suivre dans la montagne, peut-être pas jusqu'en haut mais sur une bonne partie au moins.

En ce milieu d'après-midi, le ciel était noir et inquiétant. De gros nuages libéraient des éclairs chaque fois qu'ils se télescopaient.

— C'est fascinant, dit Amara en rangeant son paquet de médicaments derrière son siège. Les livres sur la famille racontent qu'Ezéchias Blume est devenu corbeau une nuit comme celle-ci.

McVey mit leurs sacs à dos dans la voiture.

— C'est vrai.

— Qu'est-ce qui est vrai ?

— Il est vraiment devenu un corbeau lors d'un gros orage…
Mais comment est-ce que je sais ça ?

— Vous avez dû le rêver.

McVey monta dans la voiture.

— Mettez votre ceinture, intima-t-il à Amara.

— Vous avez raison, parce que les nids-de-poule de la route
sont tellement profonds qu'ils pourraient engloutir un camion.

Elle passa la bretelle sur son épaule puis en travers de sa
poitrine.

— Vous êtes optimiste aujourd'hui, c'est un vrai plaisir,
ironisa-t-il.

— Il n'y a pas de quoi se réjouir avec le bonhomme au
couteau qui a voulu me tuer. J'ai cru que vous le connaissiez,
je me trompe ?

Les mains sur le volant, il regarda droit devant lui.

— Vous êtes observatrice, Chaperon rouge. Jake, lui, n'a
rien remarqué.

— Jake n'était pas avec nous, hier soir, quand vous avez fait
une virée dans les bois. A propos de ces coups de feu d'hier
soir, ils provenaient d'un fusil et non d'une arme de poing,
non ? Vous ne pensez pas que si le tireur avait vraiment voulu
vous tuer il aurait réussi ?

Fallait-il qu'il réponde ? Qu'il esquive ? McVey opta pour
une formule intermédiaire.

— Trois fois trois coups, c'est un code que je connais,
Amara. C'est un signal que nous avions l'habitude d'utiliser. Il
avait aussi l'avantage de faire beaucoup de bruit et donc de faire
sortir du bois tous ceux qui n'avaient aucune raison d'y être.

— Qui n'avaient aucune raison d'y être ?

— Ceux qui n'étaient pas en situation régulière.

— Mais encore ?

— Vous allez devoir vous contenter de cette réponse car
je ne peux pas vous en dire plus. Pour l'instant… J'ajoute un
détail, je n'ai pas toujours été flic. Mais depuis que je le suis j'ai
noté une chose, c'est que tous les policiers que j'ai rencontrés
n'utilisent pas le même code.

Elle s'agita un peu sur son siège.

— Vous savez que vous m'agacez avec votre côté « je sais tout mais je ne dirai rien ». Si vous… Oh !

Elle se tourna vers lui.

— Vous avez vu ? Une lumière.

— J'en ai même vu trois devant nous, mais juste des flashs et une derrière plus puissante. Pour celle de derrière, ça pourrait être un habitant qui monte dans le bois. Je me suis laissé dire qu'il y a un certain nombre de personnes qui vivent en petits groupes dans les montagnes. J'ai également entendu dire, mais je n'ai pas encore eu l'occasion de les voir, qu'il existe un campement où vivent des marginaux, dans des tentes, des roulottes ou des camions.

— Vous voulez parler des dresseurs de corbeaux ?

Elle se tortilla de nouveau sur son siège, cette fois pour regarder derrière elle.

— Ce sont pour la plupart des Blume. Ils dressent des corbeaux et leur apprennent des tours. Ils en fabriquent aussi des faux pour leur faire faire ce que les vrais ne font pas. Les dresseurs viennent à Raven's Hollow pour le festival. Ils font des démonstrations, vendent toutes sortes d'objets d'artisanat liés aux corbeaux et ils disparaissent de nouveau dans les bois avec des tonnes de commandes de ce qu'ils font le mieux.

— C'est-à-dire ?

— Un brouet de sorcières ! Ils brassent et embouteillent du sang de corbeaux… Non, je plaisante ! C'est du vin, pas du vrai sang … et ils signent : « Un whisky qui vous mettra KO pendant deux jours si vous ne le buvez pas avec modération ».

Il n'aurait pas dû rire, mais il ne put s'en empêcher.

— Pourquoi je n'ai jamais entendu parler de ces gens-là ?

Elle lui adressa un adorable sourire.

— Vous plaisantez, McVey ! Vous êtes bien le chef de la police locale ?

— Ecoutez, Amara. Au cours des quatorze derniers mois, j'ai soulevé une demi-douzaine de lièvres… Alors, des bouilleurs de cru… Sauf à me rendre compte que l'un d'eux sème la pagaille, je ferme les yeux.

— Vous oui, mais pas Tyler.

— Je ne suis pas Tyler.

— Ça, je l'ai compris tout de suite. De là à gagner la confiance des dresseurs de corbeaux, cela risque de prendre du temps.

— Pourquoi ? Vous en avez rencontré ?

— Oui, Brigham. Et seulement parce que je lui suis rentrée dedans la seule fois où je suis allée à Bellam Manor. C'était à l'occasion d'une cérémonie familiale. Un enterrement. Un vieil oncle Bellam avait exigé d'être inhumé dans le vieux cimetière attenant à la maison. C'est une des expériences les plus effrayantes de ma… Oh !

Elle s'avança un peu, plissant les yeux.

— Je viens de voir une autre lumière. Je suis sûre que c'est un phare.

Il hocha la tête, jeta un œil dans le rétroviseur. La route n'était plus qu'un torrent de pluie et de boue. Le tonnerre grondait, la côte devenait plus raide.

Tournée vers l'arrière, Amara scrutait la route.

— Vous pensez que c'est l'homme au couteau ou que c'est Willy Sparks ?

— Je pencherais plutôt pour Willy.

— J'étais sûre que vous diriez ça.

Elle se tordit le cou pour mieux voir.

Il lui demanda :

— Quand avez-vous eu des nouvelles sur l'état du pont pour la dernière fois ?

— Quand Sadie et Molly vivaient au manoir, il était praticable. Mais cela fait des années maintenant que Sadie s'est mariée et vit à New York. Quant à Molly, elle est partie vivre avec Tyler.

La roue arrière gauche roula dans un nid-de-poule. McVey fit la grimace.

— La route est encore pire qu'à l'automne dernier. Pour ce qui est du pont, on verra quand on y sera.

S'ils y arrivaient !

Une succession de coups de tonnerre résonna contre les parois de la montagne, la voiture vibra de toutes ses tôles.

Leur seule consolation, songea McVey, était que leur poursuivant aurait à subir les mêmes difficultés qu'eux pour accéder au manoir : torrent de pluie et de boue, nids-de-poule, raidillon à pic…

A supposer que le but de cet individu soit d'arriver jusqu'au manoir et non de les pousser dans le ravin avant.

— Je trouve que vous regardez beaucoup dans votre rétroviseur, McVey. Vous avez peur qu'il vous percute ?

— Il y a des chances. Cette route est un piège mortel. Si on accélère à fond pour échapper à ce type et qu'on sort de la route, il n'y aura aucun moyen de prouver que c'était à cause de lui.

Il se tourna brièvement vers elle, un sourire aux lèvres en dépit de la situation.

— Vous regrettez de ne pas avoir dit non à votre oncle ?

De plus en plus de petits éclairs zébraient le ciel.

— Peut-être un peu. Mais vous savez, Hannah a dix ans de plus qu'oncle Lazarus ; elle est âgée. Quand elle était petite, elle baby-sittait pour lui.

— Parce qu'il a été un enfant, un jour ? J'ai du mal à l'imaginer jeune.

— J'admets que cela demande un gros effort d'imagination.

Elle ajouta dans la foulée :

— Jake m'a raconté qu'à Raven's Hollow comme à Raven's Cove tout le monde surnomme Hannah la Mère l'oie. Mais je ne fais que répéter : je ne la connais pas.

Comme il évitait une succession d'ornières, la voiture fit des embardées. Amara laissa échapper un cri et s'agrippa au tableau de bord.

Une fois le véhicule redressé, elle reprit :

— Peu importe le surnom qu'on lui donne. Ce que je sais, c'est qu'elle ne peut plus rester dans ce manoir isolé. Il faut qu'elle se rapproche de la civilisation, qu'elle trouve un chalet plus facilement accessible, quelque part dans le bois si elle veut. Mais plus bas.

Gêné par une lumière éclairant la lunette arrière, McVey jura. La pluie était devenue une cataracte qui empêchait toute visibilité. Où donc se trouvait ce fichu pont ?

— Encore cinq cents mètres, précisa Amara en souriant. A votre tête, chef, je pense que l'autre voiture ne nous rattrape pas.

— Non, en effet.

— Vous voyez !

Elle cessa de le regarder pour scruter la route.

— Mince ! Ces flaques ! On dirait des mares à canards !

— Accrochez-vous ! lança-t-il.

Après un quart d'heure d'efforts, douze nids-de-poule et trois virages en épingle à cheveux, le pont apparut enfin.

Amara se pencha vers le pare-brise et observa la structure.

— Si vous voulez mon avis, dit-elle, il va falloir traverser à pied. Le pont ne supportera pas la voiture.

McVey prit son arme sur le tableau de bord.

— A pied et, idéalement, nus. Les vêtements, ça pèse trop lourd, s'amusa-t-il. Voilà qui me donne des idées !

— Je suis flattée mais je préférerais que votre cerveau réfléchisse … au-dessus de la ceinture.

— Ce pont est une ruine, Chaperon rouge. Il va nous falloir des vêtements de pluie.

Il ouvrit la boîte à gants.

— Savez-vous tirer sur une cible qui bouge ?

— Nous risquons bien de ne jamais le savoir !

A cet instant, un nouveau flash éclaira la lunette arrière. Leur poursuivant se rapprochait. Il n'était plus qu'à cinq cents mètres derrière, estima McVey.

Il se tourna vers Amara. Son visage était sombre, ses yeux très noirs. Elle se pencha vers lui :

— Je voulais vous demander si…

Nouveau flash dans la lunette. Nouveau coup d'œil à Amara. Cette fois, elle souriait.

— A propos de ce que vous venez de dire, McVey, de cette image qui vous donne des idées…

Elle ne termina pas sa phrase. Il lui avait empoigné les cheveux et prenait sa bouche. Une drôle de pensée lui traversa la tête. Le danger se trouvait à bord du pick-up. Ce qui se passait dehors n'était rien à côté.

9

Emportée par un désir qu'elle ne contrôlait plus, Amara s'empara du visage de McVey et le caressa. Elle le désirait. Elle le voulait. Voulait l'embrasser. Le toucher. Avec sa bouche. Avec ses mains.

Il approfondit soudain son baiser, ce qui lui arracha une plainte et l'enhardit. Elle lâcha alors son visage et le saisit par la ceinture.

Il l'arrêta d'un geste.

— Non, Amara. Non. C'est de la folie.

— C'est vrai, convint-elle, dépitée. Ce serait de la folie. Un tueur nous poursuit et nous sommes là, dans la voiture, sur le point de faire des galipettes !

Il l'embrassa encore puis la regarda droit dans les yeux.

— Ecoute, voilà ce que nous allons faire. Tu vas sortir la première, en faisant attention. Si tu entends des coups de feu, tu te jettes à terre. Compris ?

— Des coups de feu, je me jette à terre, compris.

Démentiel, pensa-t-elle.

Ils passèrent des vêtements de pluie et prirent leurs sacs. Fallait-il qu'elle ait perdu la tête pour penser à faire l'amour alors qu'elle était poursuivie par un truand qui voulait sa mort !

Ils sortirent de la voiture, sous un ciel d'apocalypse.

Le pont de Bellam était une combinaison de vieilles planches pourries et de ferraille rouillée. Il semblait pouvoir s'écrouler au moindre passage, s'inquiéta Amara.

Elle s'y engagea donc avec la plus grande précaution. McVey la suivait, d'assez près pour pouvoir la retenir si jamais elle tombait, mais pas trop non plus pour ne jamais marcher sur la même planche qu'elle.

Sous leurs pieds, les rochers pointus les promettaient à une mort certaine en cas de chute, tandis que les éclairs zébraient le ciel de toute leur puissance.

Un pas, deux pas, trois pas… Amara était si crispée que tout son corps était tétanisé. Quatre pas. Un craquement sec. Une peur terrible. Ce cauchemar allait-il cesser ? Quelle longueur pouvait bien faire ce pont idiot ?

Elle était à bout de nerfs quand la terre ferme apparut enfin. Elle y posa un pied tremblant. Pour un peu, elle se serait agenouillée et aurait embrassé le sol. Mais elle prit sur elle. McVey venait lui aussi de traverser le pont.

— Le manoir est à deux kilomètres par la route, lui lança-t-elle. Mais il y a un raccourci, très raide. Enfin, il y avait un raccourci…

— Prenons-le, répondit-il. Et regarde devant toi. J'ai vu des phares derrière mon pick-up, il y a un instant.

Amara retrouva sans difficulté le raidillon. Lui non plus n'avait pas été entretenu depuis belle lurette. Par endroits, il fallait enjamber des branches, à d'autres, se cramponner aux rochers et escalader pour passer. Parfois, McVey la prenait par la taille et la poussait.

Le tout ne prit certainement qu'une vingtaine de minutes, mais elle n'en pouvait plus. Un faisceau lumineux semblait les pourchasser. Son cœur battait à tout rompre. A bout de souffle, genoux et coudes égratignés et les mains en sang, elle finit par atteindre le bout du sentier.

Le manoir se dessina alors, énorme masse inquiétante dans le ciel d'orage. Les tours et les faîtes des toits, comme voilés par la pluie, dressaient des pointes menaçantes vers un ciel plombé. Bellam Manor, se rappela-t-elle, n'était pas connu pour son aspect accueillant.

— Le manoir est composé d'un corps central et de deux ailes, cria-t-elle à McVey qui arrivait à son tour. C'est tellement grand qu'on risque de chercher Hannah toute la nuit sans la trouver. Donc…

Elle posa son sac et l'ouvrit pour prendre son portable.

— Oncle Lazarus m'a donné son numéro de téléphone. Par miracle, il y a une couverture de réseau ici.

— C'est la magie Bellam qui opère, se moqua McVey. En plus d'une tour hertzienne quelque part sur la hauteur.

Il s'accroupit au bord du ravin.

— Si tu as Hannah en ligne, dis-lui de ne pas allumer dans la maison, surtout.

Un coup de tonnerre très violent fit vibrer le rocher sous les pieds d'Amara.

— Elle ne répond pas. Il va falloir la chercher.

Sur ce, Amara rangea son portable dans sa poche et jeta un œil derrière McVey.

— Nous sommes suivis ?

— Pas pour l'instant.

— Tant mieux !

— Pas sûr.

Elle considéra le manoir en soupirant.

— On commence par où ? Aile droite ou gauche ?

— Comme tu veux.

— Ce que je veux ? Si je m'écoutais, je partirais en courant.

Evidemment, elle ne bougea pas.

— Tu vois la partie centrale ? reprit-elle. Elle est en piteux état…

Ils s'avancèrent quand même.

La tête géante d'un corbeau, fixée sur la porte d'entrée, tenait lieu de heurtoir. Ils frappèrent. Attendirent. Il y eut comme un bruit à l'intérieur, mais en fait… non.

Amara réfléchit une seconde et se décida. Elle tourna l'anneau en bronze massif. Le battant droit de la double porte s'ouvrit, pivotant sur ses gonds sans faire le moindre bruit.

— Pourquoi une porte qui s'ouvre sans grincer fait-elle plus peur qu'une porte qui grince ? interrogea Amara.

Elle posa son sac sur le sol couvert de verre, de plâtre, de poussière et de bois.

— Hannah ?

McVey sortit deux lampes torches et éclaira vers le haut. Il y avait un escalier qui avait dû être magnifique et un lustre qui disparaissait sous les toiles d'araignées.

— Il a la forme d'une étoile à cinq branches, observa McVey.

Amara essaya de nouveau d'avoir Hannah au téléphone.

— Ça sonne ? s'enquit McVey. Tu entends quelque chose ?

— Tu plaisantes !

Ils patientèrent pendant quelques secondes, puis abandonnèrent.

— Elle n'est pas là, conclut Amara.

McVey se dirigea vers une fenêtre étroite.

— Choisis une aile.

Elle fit non de la tête.

— Je vais jouer les Sarah, je pense qu'elle n'est pas dans la maison. Je ne ressens rien. Aucune vibration.

McVey examina de nouveau le plafond.

— J'aime autant cela, dit-il. Même si c'est absurde… Elle doit être dans une des dépendances. Ou dans la grotte.

— Il y a une grotte ?

— Oui, dans le bois, derrière la maison.

Le front plissé, partagée entre agacement et doute, elle le fixa.

— Je te trouve bizarre, McVey. Qu'as-tu pris comme médicament ce matin ? Parce que… comment sais-tu qu'il y a…

Sans qu'elle l'ait vu venir, il lui plaqua la main sur la bouche et murmura à son oreille, son haleine chaude la troublant.

— C'est ton oncle qui me l'a dit. Maintenant, chuuut ! Il y a quelqu'un dehors. Il fait le tour du manoir.

Amara crut défaillir, la figure de Jimmy Sparks parasitant son esprit. Jimmy Sparks et son sourire carnassier, Jimmy devenu le tueur au couteau. Jimmy, pas Willy. Enfin… Si elle pouvait se fier à ce que disait McVey.

Il lui glissa son arme de secours dans la main.

Encore moins rassurée, elle se plaqua contre le mur pendant qu'il scrutait dehors.

— Je ne sais pas qui est cet individu, mais il se déplace vite et en silence.

— Comme la plupart des assassins, non ?

— Il part vers l'ouest.

McVey prit une cartouche supplémentaire et la lui mit dans sa main libre.

— Tire seulement si tu es sûre de ta cible.

— Non, McVey, attends, ne pars…

Sans attendre qu'elle ait fini, il sortit la laissant regretter de ne pas avoir hérité du pouvoir magique de Sarah. Elle aurait alors jeté un sort à McVey pour l'empêcher de partir.

Se mettant à genoux, elle posa les bras sur le rebord de la fenêtre et se concentra pour capter tous les bruits que la tempête ne couvrait pas.

Sur la droite, une lumière apparut, éclairant une silhouette dans un vêtement noir brillant. La personne marchait courbée et donnait l'impression de fuir le manoir.

Amara se releva et se pencha pour mieux voir, mais la lueur disparut tout comme la silhouette, ne laissant que le bruit du tonnerre et de la pluie qui tombait à seaux.

Deux secondes plus tard, un coup de feu explosa dehors.

La balle avait pour but de détourner l'attention, supposa McVey. Elle avait été tirée d'une arme de poing et non d'un fusil, l'arme de prédilection de Westor. Ce n'était donc probablement pas lui.

Des éclairs traversaient le ciel de droite à gauche, de haut en bas. Ils illuminaient la terre comme en plein jour. Pour ne pas se faire voir, McVey se déplaçait entre deux flashes, aux aguets, prêt à réagir si quelqu'un apparaissait.

Justement, à une quinzaine de mètres, une jambe se dessina furtivement, disparaissant vers l'ouest.

McVey s'élança à sa poursuite, tout en ayant soin de rester dans l'ombre.

A l'académie de police, on appelait cela « la poursuite à

pied ». Les mauvais garçons déguerpissaient, les policiers donnaient la chasse. Parfois les mauvais garçons se faisaient coincer, alors ils attaquaient, mais dans les espaces ouverts ils avaient tendance à rester prudemment dans l'ombre. Il n'était pas question pour eux de jouer les projectiles humains. Pas fous.

La masse humaine lui tomba dessus sans prévenir. McVey eut à peine le temps de se baisser pour éviter qu'elle ne l'écrase sur les rochers pointus.

Mais, conscient qu'il n'avait qu'à moitié touché sa cible, l'homme prit son élan et revint à la charge. McVey profita de cette seconde de répit pour empoigner son Glock. Il tira deux balles. Puissance d'un coup de tonnerre ou des coups de feu, le sol vibra. L'individu voulut attaquer de nouveau, mais McVey lui asséna un violent coup de crosse dans la mâchoire.

L'agresseur s'effondra comme un arbre qu'on abat.

Le souffle coupé et l'épaule blessée, McVey visa un visage barbu.

— Donne-moi un nom, mon gars, et tâche que ce soit celui que je veux entendre. Parce que, tel que tu me vois là, je suis tout près d'oublier que j'ai fait le serment de servir et protéger.

Un faisceau de lumière coupa les ténèbres. Au même moment, une voix cria au loin :

— Ne tire pas, McVey ! Ce n'est pas Willy Sparks. C'est Brigham Blume.

Amara s'époumonait :

— Il est dresseur de corbeaux !

McVey s'approcha d'Amara. Elle était en train d'injecter le contenu d'une seringue dans le bras musclé de Brigham Blume. Malgré sa corpulence, le dresseur de corbeaux lâcha un cri.

— Aïe, Amara !

Celle-ci n'en continua pas moins son travail.

— Les deux balles t'ont touché, Brigham. Quelques points de suture et ce sera bon.

— Façon de parler, intervint McVey.

Il prit du whisky dans un des placards de la cuisine et en versa dans trois verres. La pièce était tellement propre qu'elle avait dû servir récemment. En plus, il y avait de l'électricité dans la maison — elle s'éteignait, se rallumait, s'éteignait de nouveau — mais elle fonctionnait. Cela ne faisait donc aucun doute : ils étaient chez Hannah.

En revanche, pas de trace de la vieille dame. Ils avaient pourtant fouillé l'aile ouest du manoir de fond en comble.

Brigham s'empara d'un des verres, le but d'un trait et grommela.

— Pourquoi m'avoir tiré dessus ?

McVey reposa son whisky.

— Pourquoi m'avoir agressé ?

— J'ai cru que vous étiez quelqu'un d'autre. Quand je m'en suis rendu compte, j'ai vu que vous étiez armé et je me suis dit que si vous étiez aussi débile que votre crétin d'adjoint vous alliez me tirer dessus et vous vanter du résultat.

Je tiens là une info de premier ordre, songea McVey.

— Qui ça, quelqu'un d'autre ?

— Celui qui vous a suivis dans la montagne. J'ai compris qu'il vous suivait quand j'ai commencé à le suivre moi aussi.

— Où donc ? s'enquit Amara.

— Quand vous avez traversé le pont. On aurait dit deux équilibristes qui n'osaient pas poser les pieds sur les planches ! J'étais venu collecter des sons d'orage. Autour du pont, il y a beaucoup d'écho.

— C'est pour leurs corbeaux, expliqua Amara à McVey. Nana dit que les dresseurs de corbeaux font des démonstrations pendant tout le festival, bruitage à l'appui.

— Quelqu'un d'autre ? reprit McVey.

Brigham tendit son verre pour être resservi.

— C'est tout ce que j'ai, McVey. Le gars vous a suivis, je l'ai vu. Je marchais derrière lui, derrière vous. Arrivé en haut, je l'ai perdu de vue, mais j'ai décidé de rester planqué parce que, même si je ne devrais pas, j'aimais beaucoup Amara quand je l'ai connue, autrefois, et même si vous pensez que nous vivons comme nos ancêtres, là-haut dans le bois, vous vous trompez. Nous restons en contact avec nos parents de Raven's Cove. On sait qui est qui et qui fait quoi même si on ne veut pas toujours le reconnaître, mais on sait.

Il haussa l'épaule et gémit.

— Aïe, Amara ! Entre ce que je sais et ce que j'ai vu, j'en arrive à la conclusion que quelqu'un veut voir Amara rejoindre les autres témoins dans la tombe.

— Les autres témoins et le flic qui l'a aidée à fuir, ajouta McVey en faisant glisser la bouteille de whisky vers Brigham.

— C'est de la limonade, ce truc, maugréa-t-il. Ça ne fait aucun effet.

Il sursauta.

— Aïe, Amara, je t'ai déjà dit que ça fait mal.

— Je sais, je t'ai entendu.

Elle planta tout de même son aiguille dans la chair.

— Il faudrait inspecter le reste de la maison et les dépendances. J'ai beau ne rien ressentir, je ne suis pas infaillible.

— Je vais vous aider, proposa Brigham en se servant.

Deux secondes plus tard, il avait tout bu comme si c'était effectivement de la limonade.

— Hannah est une espèce de sœur. Etrange, mais une sœur quand même.

— Ça va être encore long, Amara ? demanda McVey.

— J'ai fini.

Elle tapa sur l'épaule de Brigham.

— Il n'y aura pas besoin de retirer les fils. Ils disparaîtront tout seuls. Je vais te donner quelque chose contre la douleur.

Brigham regarda méchamment McVey.

— J'ai ce qu'il faut à la maison… Enfin… si j'y retourne…

Comprenant le sous-entendu, McVey sourit.

— Allons chercher Hannah.

Amara s'approcha de l'évier pour se laver les mains.

— Je ne sais pas si Hannah est partie pour longtemps. En tout cas, elle a laissé de la vaisselle sale dans l'office.

McVey la rejoignit aussitôt et compta. Il y avait dix assiettes, six bols avec des restes de nourriture séchée et une seule tasse à café qui empestait le fuel.

Il revint faire sentir la tasse à Brigham qui enfilait sa veste.

— Un reste de ton whisky pourri ?

Brigham renifla la tasse.

— Punaise ! Et on vient de boire ça avec du *ginger ale* ! J'aurais dû vérifier les placards en entrant. Je ne devais pas avoir les idées en place à cause de ces deux balles que j'avais, plantées dans l'épaule.

— Tu veux peut-être porter plainte ? Je serais heureux de prendre ta déposition pendant que tu me fais faire le tour de ta propriété de dresseur de corbeaux.

Sur ce, McVey prit un verre avec un dépôt rouge au fond.

— Du sang de corbeaux, je présume ?

Amara s'empara du verre et sourit.

— Nana dit qu'on finit par y prendre goût.

Elle essuya une tache rose sur le bord.

— Si Hannah a bu du sang de corbeaux, et une rasade de whisky par-dessus pour faire passer le goût, il est possible qu'elle soit tombée raide morte entre ici et une des dépendances. « Mort » égale « pas de vibrations », c'est ce que dit la légende.

Une nouvelle rafale de vent accompagnée de pluie s'abattit sur la maison. McVey remonta la fermeture Eclair de sa veste.

— Débarrassons-nous de ça. Si Hannah est là, il faut qu'on la trouve.

Il se tourna vers Brigham qui restait planté dans le cellier.

— Sais-tu s'il y a de l'électricité dans l'autre aile ?

— J'ai des doutes.

Il regarda Amara en riant.

— Mais je parie que c'est infesté d'araignées.

Brigham avait raison, il n'y avait pas d'électricité dans l'aile est. Et il avait encore raison, c'était plein de toiles d'araignées. Amara en dénombra un grand nombre dès la première pièce.

— Comment peux-tu savoir, demanda-t-elle au dresseur de corbeaux, que j'ai la phobie des araignées ?

Ils avaient fini de visiter les pièces du bas et se trouvaient dans un long couloir au premier étage. Il faisait sombre et il régnait une vilaine odeur de poussière et de renfermé.

— C'est peut-être un petit corbeau qui me l'a dit.

Il dirigea le faisceau de sa lampe vers elle et éclata de rire.

— OK, c'est McVey qui m'en a parlé. Pendant que tu cherchais tes instruments pour me torturer, il m'a demandé d'aller voir sous la table. Il m'a demandé ça à moi, Amara, moi le type avec deux balles dans le bras !

— A ta disposition si tu veux porter plainte, lança McVey qui descendait du grenier. Alors ?

L'air dégoûté, Amara dégagea la toile d'araignée collée à sa main.

— Rien, et toi ?

— J'ai repéré des petites remises et un bâtiment plus grand qui devait être une grange ou une écurie, autrefois.

— Elle est peut-être chez des voisins ? suggéra Brigham. Comment allait sa jambe ?

— Enflée comme un ballon de rugby, d'après l'oncle Lazarus, précisa McVey.

Il tendit une casquette à Amara.

Elle se l'enfonça sur la tête et boutonna son manteau de pluie.

Puis McVey lui prit la main.

— Toi et moi, on va à gauche. Lui, à droite.

Il donna une lampe torche à Brigham.

— Et ne va pas te figurer que le bonhomme que tu as vu tout à l'heure est parti. Parce qu'il n'est sans doute pas aussi délicat que moi et ne se contentera pas de te tirer dans l'épaule.

Brigham hocha la tête et partit en traînant des pieds, ce qui fit presque sourire Amara.

— Je préfère Brigham, mais il me fait quand même penser à Jake, ce qui n'est pas étonnant compte tenu que ce sont tous les deux des Blume. D'ailleurs, il a l'air de se méfier du penchant de ton adjoint pour les armes à feu.

McVey abaissa la visière de sa casquette.

— Tu as vraiment une drôle de famille, Chaperon rouge !
Puis il changea de sujet :

— La grange se trouve à moins d'une centaine de mètres
sur la gauche. Reste bien derrière moi.

Le vent avait forci et la pluie tombait à verse. Le sol boueux
collait aux bottes d'Amara qui renonça à courir. Même s'ils
trouvaient Hannah, comment, sous ce déluge, pourraient-ils
la ramener jusqu'au pick-up de McVey ?

Et si eux ne pouvaient pas revenir, pensa-t-elle en approchant
de la grange, leur poursuivant ne le pourrait pas non plus. Voilà
qui n'avait rien de réjouissant !

La grange était en plus piteux état encore que le manoir. Un
tiers du toit et le mur qui regardait l'océan avaient été arrachés.
Il n'y avait aucun signe de Hannah, juste une dizaine de vieilles
voitures à l'abandon. Des antiquités rouillées.

— Que fait-on maintenant ? demanda-t-elle en retrouvant
Brigham dans la partie centrale.

McVey éclaira l'escalier avec sa lampe torche.

— Il n'y a qu'ici que nous n'avons pas regardé, dit-il.

— Avec une jambe comme un ballon de rugby, je doute
qu'elle ait pu monter les marches, objecta Amara.

— On peut déjà regarder au rez-de-chaussée.

Brigham se chargea des pièces de devant tandis que McVey
et Amara allaient faire le tour des pièces du fond.

— Voilà une cuisine qui doit dater de mes arrière-arrière-
arrière-grands-parents ! s'exclama-t-elle.

Avançant prudemment, elle éclaira une cheminée dans
laquelle on aurait pu faire rôtir un bœuf. Puis des placards,
sans porte, et des appareils si vieux qu'ils auraient mérité une
place dans un musée.

— Hannah ?

Son appel resta sans réponse mais résonna contre les murs.

— Brigham a peut-être raison, McVey. Elle est peut-être
partie chez des voisins et elle…

Elle ne termina pas sa phrase. McVey lui avait empoigné le bras et l'obligeait à s'accroupir.

— Il y a quelqu'un sous les arbres.

A la lueur d'un éclair, Amara distingua vaguement une silhouette, mais s'agissait-il d'une forme humaine ou d'un animal ? Un daim, par exemple ? Elle n'aurait su le dire.

Toujours en tête, McVey passa de fenêtre en fenêtre jusqu'à la porte.

— C'est comme si on traversait Bellam Bridge et qu'on se retrouvait dans un film d'horreur, murmura-t-elle. Et si c'était encore un dresseur de corbeaux, McVey ?

— J'essaierai de ne pas viser un organe vital ! Reste ici, Amara. Ne bouge pas, mais tiens-toi prête. Si quelqu'un que tu ne reconnais pas approche, tire un coup de feu en l'air. S'il continue à avancer, tire-lui une balle dans les jambes.

Tout en parlant, il ouvrit doucement la porte.

Amara posa la main sur le plancher. Elle se serait relevée si elle n'avait compris ce que ses doigts touchaient.

— McVey ? Peux-tu éclairer de ce côté, s'il te plaît ?

— Pas maintenant, Chaperon rouge.

— Si, tout de suite.

Sa gorge se serra. Prenant son courage à deux mains, elle baissa les yeux.

McVey éclaira le sol puis le faisceau de la lampe fit briller deux yeux. Deux yeux verts. Sans vie.

Choquée, Amara porta la main à son cœur. Ces yeux verts, ces yeux morts étaient ceux de la cousine de son oncle. Hannah Blume.

10

Selon Amara, Hannah était morte depuis déjà deux jours. Apparemment, et si l'on pouvait encore accorder un quelconque crédit aux apparences, elle s'était fracassé la tête en tombant sur l'angle d'un comptoir. Cependant, que faisait-elle, avec sa jambe enflée, à cet endroit ?

— Elle avait peut-être un peu perdu la tête ? avança Brigham.

McVey commença à chercher des indices en prenant soin de ne toucher à rien.

— Elle sera venue ici sans trop savoir où elle allait, poursuivit Brigham. Elle se sera égarée.

— Possible, marmonna McVey sans prêter grande attention aux supputations du dresseur de corbeaux.

Il prit des photos de la scène, tandis que Brigham allait chercher un drap dans une chambre attenante.

De retour, il le donna à Amara. Elle le déplia sur la morte.

Tous trois posèrent un dernier regard sur la vieille dame puis ils quittèrent la partie centrale du manoir et rejoignirent par l'extérieur l'aile où vivait Hannah.

— Il y a une panne de courant, observa McVey. Tout était allumé tout à l'heure quand nous sommes sortis de cette aile.

— C'est fâcheux, intervint Brigham, parce que je n'ai pas vu de groupe électrogène dans les appentis.

— Il n'y en avait pas non plus dans la grange, renchérit Amara.

Dès l'entrée, McVey actionna le premier interrupteur à portée de main. Comme il ne se passait rien, il releva le col de sa veste et ressortit.

— Avec l'homme mystère qui court toujours, je sens que la nuit va être longue.

— On sait peut-être des choses…, avança Brigham. Mais je veux d'abord des assurances, McVey.

— La seule assurance que je peux te donner, c'est que je ne suis pas Tyler.

Brigham cacha mal sa déception.

— Moi non plus. Allez, ça roule. Allons-y. C'est loin.

Ils avancèrent à la queue leu leu, Amara entre eux deux. Le tonnerre grondait toujours, les éclairs s'en donnaient à cœur joie et la pluie aussi. Marcher sans glisser relevait de l'exploit. Amara était hantée par le regard vitreux de Hannah et par la quantité de sang qui s'était échappé de sa blessure et avait séché.

Oncle Lazarus ne le montrerait sans doute pas, mais il allait être très choqué puisque, elle, Amara, qui ne connaissait pas Hannah, était bouleversée.

Le bois au nord de la propriété n'en finissait pas. Malgré les séances de fitness qu'elle suivait cinq fois par semaine, elle avait les jambes tétanisées à force de grimper, d'escalader, de descendre, de remonter, de sauter par-dessus fougères et racines aériennes. Un vrai parcours du combattant. S'ils continuaient longtemps, ils allaient finir par passer une frontière !

Peu à peu, des petits points lumineux se dessinèrent. Comme ils approchaient d'une espèce de clairière, des camping-cars de toutes tailles, de tous âges, neufs et vieux, apparurent à leur tour.

S'attendant au pire, Amara suivit Brigham vers une caravane un peu à l'écart.

— C'est la mienne, dit-il en ouvrant la porte. Entrez et installez-vous. Et ne bougez pas. Je viendrai vous chercher demain matin. Enfermez-vous. Vos téléphones portables doivent marcher. On a piraté trois satellites de télévision. Sur l'un d'eux, ils passent des vieux films vingt-quatre heures sur vingt-quatre. Il y a de quoi manger dans les placards. Je suis désolé pour Hannah, Amara. Dormez bien.

Brigham parti, Amara regarda autour d'elle. Un repaire de célibataire, songea-t-elle. D'homme célibataire. Rien n'était rangé, des vêtements et de la vaisselle traînaient, les meubles tenaient avec des bouts de ficelle, un seul objet était impeccable : le téléviseur. Il devait avoir quarante ans, mais il n'y avait pas un grain de poussière dessus. Juste devant trônait un fauteuil au dossier en forme d'aile de corbeau.

— Pas mal, fit McVey qui se tenait derrière elle. Au moins, c'est hors des sentiers battus.

— Oui. Pour un coin perdu, c'est un coin perdu !

Il passa devant elle.

— Peut-être, mais un coin perdu où je suis bien content de me trouver.

— Moi aussi ! reconnut-elle. A condition qu'on veuille bien nous laisser repartir… Je dois dire que la perspective de passer la nuit sans électricité, à quelques dizaines de mètres d'une morte, avec un tueur en liberté dans les parages ne me réjouissait pas. Ici, je suis nettement plus rassurée.

— Bravo, Chaperon rouge, c'est bien d'être positive.

Elle toucha une clochette faite de petits corbeaux, qui carillonna. Le son, joyeux, la fit sourire.

— Je suis apparentée à ces gens et, théoriquement, je ne risque rien. Evidemment, il y a tout ce que l'on raconte sur les dresseurs de corbeaux…

McVey posa leurs sacs sur un canapé quelque peu défoncé.

— J'espère que mon badge me permettra de sortir vivant de cette aventure.

Amara accrocha leurs vêtements de pluie sur un portemanteau et, ayant comme un creux à l'estomac, se dirigea vers la kitchenette.

— A ton avis, McVey, comment Hannah est-elle morte ?

— Très franchement, je ne pense pas que Willy Sparks soit dans le coup, si c'est ce que tu veux savoir. Malgré tout, il faudra mener une enquête.

— Sur le deuxième paquet de café aussi, ajouta-t-elle.

— J'ai demandé à Jake de faire parvenir au labo les deux paquets de café ainsi que des échantillons du café qu'on a préparé.

Amara ouvrit un placard.

— De la soupe en conserve ! Ça alors !

— Qu'est-ce qui te surprend ?

— Voyons, McVey, regarde autour de toi. Il n'y a pas un magasin à l'horizon. Je m'attendais plutôt, de la part de gens qui vivent dans des coins aussi reculés, à ce qu'ils élèvent eux-mêmes leurs poulets, cultivent leurs légumes, leurs herbes aromatiques, bref, qu'ils fassent eux-mêmes leurs soupes, leurs sauces et je ne sais quoi encore.

— Ils sont peut-être trop pris par le dressage des corbeaux pour avoir le temps de préparer des soupes et le reste. De toute façon, peu importe, la nourriture en boîte, ça me va très bien.

— C'est triste.

Elle ouvrit le réfrigérateur.

— Ah, ça, ça me plaît davantage. Je vois de la confiture maison, de la bière maison en bouteille, des trucs qui ressemblent à des petits gâteaux… Mais je ne garantis pas la fraîcheur !

— Personnellement, je n'y goûterai pas.

Amara referma la porte en riant et s'y appuya.

— Quand j'étais petite, Nana et ma tante… la sœur d'oncle Lazarus, Maureen … faisaient tout pour développer mon côté Bellam. Je ne dis pas qu'elles m'encourageaient à prononcer des messes basses ou à préparer des potions magiques mais…

— Ton oncle Lazarus pourrait entamer une procédure contre toi pour lui avoir jeté un sort.

— Je ne pense pas qu'il m'ait prise pour une sorcière. Il a simplement trouvé la coïncidence amusante et il a fait semblant. En fait, c'est vrai que je perçois des choses. Je ne sais pas comment l'exprimer sans risquer de paraître folle, mais il m'est arrivé de sentir s'il y avait de la vie quelque part ou pas.

— Tu fais allusion à Bellam Manor et à Hannah, c'est ça ?

— Je sentais qu'il n'y avait pas de vie dans la maison, McVey. Nulle part. Ni dans les ailes, ni dans le cœur du manoir. Les araignées ne comptent pas. Je parle de vie humaine. C'était mort.

Il se pencha pour fouiller dans une boîte en fer.

— Tu n'as pas à me vendre tes histoires d'ancêtres, Chaperon rouge. Je suis ouvert à tout, à toutes les croyances. Normal, avec la vie que j'ai menée.

— Pourquoi ? Tu n'as pas toujours été dans la police ?

— Je te l'ai déjà dit. Et toi ? Tu as toujours été médecin ? répondit-il, sur un ton un peu agressif.

— Non, mais j'ai toujours su que c'était ce que je voulais faire.

— Pour embellir l'humanité ?

— Si l'on veut.

Mais certainement pas comme il l'imaginait.

— Raconte-moi comment tu as fait pour connaître l'homme au couteau avant d'être policier ?

— Je connaissais beaucoup de monde dans le temps.

Il sortit une bouteille de la boîte en fer et souffla sur la poussière.

— Du vin. Le fameux sang de corbeaux ?

— Je ne vois pas d'étiquette, mais sans doute. Comment l'as-tu connu, McVey ?

— Si je te dis que la vérité risque d'ébranler la confiance que tu as en moi, que feras-tu ?

Un sourire sur les lèvres, elle passa derrière lui et posa les mains sur ses épaules. Se penchant, elle lui chuchota à l'oreille :

— Je suis dans une roulotte qui appartient à un dresseur de corbeaux, McVey. On colporte des histoires effrayantes sur les dresseurs de corbeaux. Jimbo, le frère de Jake, se cachait sous un lit quand on lui en racontait. Ils ne sont pas pires que les fauconniers. Brigham est le seul dresseur que je connaisse. Il me semble fréquentable.

Elle s'approcha un peu plus de son oreille.

— Hannah est morte, l'orage est toujours là et on a tous vu quelqu'un rôder autour du manoir. Quelqu'un qui, comme nous, a peut-être traversé le pont et se trouve coincé de ce côté-ci. Il y a de fortes chances pour que cette personne soit Willy Sparks. Je crois que tu sauras négocier avec lui car négocier avec les malfrats, c'est ton métier. Donc, à part me dire que tu étais tueur en série, je ne vois pas ce que tu peux me raconter de ton passé qui ébranlerait ma confiance en toi.

Il tourna légèrement la tête mais pas suffisamment pour qu'elle puisse lire son expression.

— Je te l'ai déjà dit, je suis un enfant trouvé. Ce que je ne t'ai pas dit, en revanche, c'est que la famille qui m'a recueilli faisait partie d'un réseau de contrebandiers.

— Vraiment ? Non ! Tu plaisantes ?

— Pas du tout. Oh ! C'était du petit trafic. Ils passaient du matériel de récupération et des objets d'artisanat d'Amérique centrale. Pas d'armes, pas de drogue. Mon père était brocanteur, il avait une petite boutique d'antiquités. Ma mère tenait les comptes. Et moi, j'étais au milieu. Tout s'est très bien passé jusqu'au décès de ma mère. J'avais dix-sept ans. Deux ans plus tard, c'est mon père qui a eu une crise cardiaque. Il savait que je ne m'en sortirais pas, alors il m'a arraché une promesse. Il m'a demandé de le laisser mourir et de fermer le magasin car, sans lui, il péricliterait très vite. Je lui ai dit oui et j'ai tenu parole.

— Tu es donc devenu policier.

— Oui.

— Et ensuite ?

Un sourire triste passa sur ses lèvres.

— J'ai toujours mon badge, Chaperon rouge.

— Oui, mais c'est le badge de Raven's Cove.

— Pourquoi dis-tu ça ? Tu veux que je démissionne pour laisser la place à Jake ?

Elle préféra changer de sujet.

— Au risque de me répéter, je te repose la question : d'où sort l'homme au couteau ?

Des éclairs, suivis de coups de tonnerre, les firent sursauter.

— Il s'appelle Westor Hall. Quand ma mère est morte, mon père s'est laissé convaincre de développer l'affaire. C'est devenu compliqué, stressant. Beaucoup de personnes se sont retrouvées impliquées. Westor, sa sœur, son père et même deux de ses oncles. La sœur de Westor est morte il y a quelques mois et il est convaincu que c'est ma faute. Du coup, il veut se venger.

— Mais pourquoi est-ce moi qu'il a menacée avec son couteau ?

— Il nous a vus ensemble. Ça lui suffit. Mais il ne te fera pas de mal. Il aime faire peur — jouer à faire peur — mais ce n'est pas un tueur. Tout ce qu'il veut, c'est que tu saches tout de mon vilain passé.

— Ah ? C'est ce qu'il veut ?

— Oui, il fonctionne comme cela. Tu es une belle femme. Tu es avec moi. Tu dois m'aimer.

Elle laissa échapper un petit rire gêné.

— Quelle drôle de façon de raisonner.

Incapable de résister, elle se serra contre lui. Comment s'en empêcher quand la pluie qui tombait à seaux et crépitait sur le toit et les fenêtres du camping-car lui donnait envie de chaleur humaine ?

Cela faisait un moment qu'elle luttait contre les sentiments que McVey lui inspirait. Depuis l'instant où il l'avait touchée dans la cuisine de sa grand-mère Nana, elle n'avait plus pensé qu'à lui, ou presque. Et là, alors qu'ils étaient seuls au fond de ce bois plein de mystère, ce n'était plus une lutte qu'elle devait mener mais une vraie guerre.

Du revers de la main, elle lui caressa la joue.

— Dis-moi, McVey, sais-tu si Westor a deviné mes sentiments ?

Il empoigna ses bras et la regarda droit dans les yeux.

— Tu veux dire entre toi et moi ? Je ne suis pas sûr de bien comprendre… Serais-tu en train de me laisser entendre que je te plais ? Je suis flic. Dans mon métier, je suis très à l'aise mais, pour le reste, je suis nul.

Sa réponse la glaça, mais elle continua de sourire.

— Bien. Donc tu n'envisages pas de te marier. Parce que, en tête de liste de mes projets immédiats, j'avais : séduire le nouveau chef de la police de Raven's Cove. Donc, le séduire, faire l'amour avec lui, entretenir une relation durable et faire en sorte qu'il s'engage. Après tout, McVey, on se connaît depuis vingt-quatre longues heures maintenant.

— Amara…

— Tout va bien. Je ne suis pas en colère.

Peut-être, mais elle repoussa sa main.

— Je ne suis pas effondrée non plus, je ne me faisais pas d'illusions. Mais je suis vexée. Oui, je me sens offensée. Et je te promets que si, d'ici cinq secondes, tu ne m'as pas lâchée, tu vas recevoir une bonne claque sur la figure.

— Ecoute, tu es fatiguée. Tu en as vu beaucoup aujourd'hui et...

— Oui, beaucoup.

Il lâcha son bras.

— Et en bon flic, maugréa-t-elle, tu te figures que j'ai peur. Pire, tu penses que je vais me réfugier dans tes bras et, quand j'y serai, tu te sentiras obligé de me protéger parce que je ne suis qu'une faible femme.

Elle criait presque.

— Je ne suis pas Yolanda, McVey. D'accord, je sais que c'est vache. Et si je suis vache, c'est que je suis plus dépitée que je ne veux bien l'admettre. J'ai eu tort de m'aventurer sur ce terrain-là et, franchement, je ne pense pas que ce soit le moment de me toucher.

Il scruta son visage, l'air inquiet.

— Je te sens au bord de la crise de nerfs.

Elle ferma les yeux puis explosa de rire.

— J'aurais le droit d'être énervée, non ? Mais justement je ne le suis pas ! Je suis...

Elle releva la tête, cherchant ses mots.

— ... je suis ? Je n'en sais rien. Si, irritée. Frustrée.

— Mentalement, sentimentalement ou sexuellement ?

De nouveau, elle éclata de rire.

— Parlons d'autre chose, tu veux bien ? Parce que cette conversation est trop tortueuse pour moi. Tu me dis que tu ne veux rien commencer avec moi et, maintenant, tu me demandes si je suis frustrée sexuellement. Si je dis oui, ou simplement peut-être, on revient à la case départ. J'en conclus qu'il vaut mieux que je réponde non... Mais... qu'est-ce que tu fais ?

— Une chose que je ne fais pas souvent, Chaperon rouge.

Plongeant ses yeux dans les siens, il passa la main dans son dos et l'attira à lui.

— J'ai changé d'avis.

La main plaquée sur sa chemise, elle le repoussa doucement.

— Pas moi, McVey. Alors, on en reste là. J'ai mes boulets, moi aussi. Un passé. Un échec sentimental. Un ex qui aurait voulu que je me conforme à ses désirs.

— Je ne te demande rien, Amara.

Il la serra plus intimement.

— Et j'aimerais que tu en fasses autant.

Comme sa bouche se trouvait à quelques petits centimètres de la sienne et que c'était, depuis le début, ce dont elle rêvait, elle se détendit. Ce n'était qu'un baiser après tout.

Il lâcha son dos pour prendre sa nuque et, du bout du pouce, caressa la peau très douce sous son oreille. Puis, brusquement, il lui empoigna les cheveux, la plaqua contre lui et happa sa bouche.

Etourdie, elle battit des paupières et, complètement retournée, ferma les yeux. Un mot alors se mit à flotter devant ses paupières closes. Un seul mot.

Problème. Problème. Problème.

Un seul mot qui revenait en boucle.

Et qui n'avait rien à voir avec Jimmy Sparks, le tueur.

McVey ne pouvait plus s'arrêter. Il avait envie d'elle, une envie rageuse, dévastatrice, incontrôlable.

La toucher, l'embrasser avait suffi à l'embraser. Il ne raisonnait plus. Ne s'appartenait plus. Il n'avait rien éprouvé de pareil depuis ses seize ans. Il en avait pourtant le double. Les années l'avaient endurci, ses expériences l'avaient rendu amer, cynique… et dur comme la pierre.

Et pourtant, en cet instant…

Il lâcha sa bouche et sa langue, se mit à faire courir ses lèvres partout sur son visage, à pétrir ses seins.

— McVey ?

— Non, marmonna-t-il.

— McVey, j'entends … de la musique.

Lui, non. Seulement le sang qui cognait dans ses tempes. Et la pluie, le tonnerre.

Et le sang cognait de plus en plus fort… Mais ? Etait-ce une voix qui appelait ?… Et, elle avait raison, il y avait de la musique.

Prenant les bras d'Amara, il s'écarta d'elle pour écouter et jura.

— C'est ton téléphone, non ?

— Je ne sais pas. Peut-être.

— Ne bouge pas, dit-il cherchant sa veste des yeux. Il y a quelqu'un à la porte.

De nouveau, il pesta.

Cette fois, les coups à la porte de la caravane furent très nets.

— McVey ! Amara ! Répondez ! Décrochez ! Faites quelque chose !

Amara sortit son téléphone de sa poche et regarda l'écran.

— Brigham ?

— Ouvrez, bon Dieu !

McVey déverrouilla la porte et donna des coups de pied dedans pour la débloquer.

— Qu'est-ce qui se passe ?

Brigham empoigna McVey par la chemise et le secoua.

— Une caravane est tombée des cales sur lesquelles elle était posée. Rune, le propriétaire, est sorti pour la remettre d'aplomb, mais la pluie et tout ça… le bord du ravin a cédé. La caravane a glissé dedans jusqu'à la moitié et Rune est coincé dessous. Je n'arrive pas à le sortir, je suis trop gros et trop lourd pour me faufiler avec une corde. Mais faut faire quelque chose et vite, sinon il est mort.

McVey prit la veste qu'Amara lui tendait et lança à Brigham :

— Montre-moi où c'est.

Et ils partirent tous les trois sur les lieux de l'accident.

Très vite, il apparut que seule Amara pouvait se glisser sous la caravane en équilibre instable. Une chaîne d'hommes et de femmes se forma pour tenir la corde qui retenait McVey pendant qu'Amara essayait d'atteindre le malheureux coincé sous sa « maison ». Après trois essais infructueux, elle réussit à passer la corde autour de la poitrine de Rune et à la nouer assez serrée pour qu'elle ne se défasse pas.

Arc-bouté contre le bord du ravin, McVey commença à tirer. Brigham le retenait par-derrière, lui-même retenu par les hommes venus à la rescousse.

La pluie les fit glisser plus d'une fois. Il fallut plus d'une heure pour que l'opération sauvetage réussisse.

Finalement, tous se congratulèrent et Rune remercia la foule. Mais il était blessé à la jambe. Tandis qu'Amara se proposait de le soigner, Brigham les conduisit jusqu'à la grange des dresseurs de corbeaux.

Des feux y ronflaient dans trois poêles à bois, des bâches fermaient toute la partie arrière et des transistors hurlaient à plein volume des airs d'un groupe de rock.

Marta, la maîtresse des lieux, les accueillit chaleureusement, et Amara s'installa sur le plancher de bois pour recoudre la jambe de Rune. McVey, lui, observait en silence.

Brigham s'absenta quelques instants et revint avec deux flacons de sang de corbeaux et plein de gobelets. Il posa son plateau de fortune sur une souche, déboucha les flacons avec les dents et servit tout le monde.

— Marta dit que tu es le bienvenu.

McVey, souriant, accepta le gobelet que Brigham lui tendait.

— La logique, si je suis le bienvenu, c'est que je ne cherche pas à savoir ce qui se passe derrière les bâches que je vois là. Si je ne me trompe pas, il doit y avoir cinq ou six alambics et une distillerie illégale. Marta est maligne.

Brigham goûta le vin.

— Elle n'aurait pas vécu si vieille si elle était idiote.

Il haussa le ton.

— Tu es la bienvenue toi aussi, Amara.

— Une Bellam bienvenue ? Ça, c'est une première.

— Ça ne se reproduira sans doute plus jamais, alors finis

de recoudre la jambe de Rune et viens boire avec nous le sang de corbeaux des Blume.

Elle lança un regard en direction de McVey.

— Je vais être tellement pompette avec ça que si le tueur nous a suivis jusqu'ici et qu'il me tue je ne m'en rendrais même pas compte. Alors oui, buvons !

McVey goûta le vin, rouge comme du sang, et l'apprécia, ce qui le surprit.

— Très bon, fit-il. Quant à toi, Amara, sache que Willy Sparks ne fait pas exploser les têtes. Il te poussera dans le ravin ou essaiera. Mais avant cela il faudra qu'il me passe sur le corps et sur ceux de cinquante dresseurs de corbeaux.

Sur ces mots, il leva son gobelet et, espérant de toutes ses forces pouvoir tenir sa promesse, il rit.

— Au plaisir d'être les bienvenus !

— Foutu pont ! grommela Willy. Quel cauchemar !

Après une première tentative ratée, il finit par le franchir et les loupiotes de Raven's Hollow apparurent enfin.

— Je l'aurai, bougonna-t-il tout bas. Elle me paiera ça. Et le flic aussi. Ça lui apprendra à s'en mêler. A cause de lui, tout est dix fois plus difficile. Il est qui pour jouer les chevaliers blancs ? Plus personne aujourd'hui ne met ses jours en danger pour une parfaite inconnue. D'accord, Amara est minette, mais il est question de vie ou de mort !

Et, à propos de mort, il lui réglerait son compte une fois qu'il se serait occupé d'Amara.

Ce qui devrait attendre, puisqu'ils étaient d'un côté du pont, et lui, de l'autre.

Ne restait donc qu'à profiter de la nuit pour s'amuser et s'envoyer en l'air, décida-t-il. Les gens du coin lui avaient conseillé d'aller au Red Eye.

Ce soir, je prends mon pied, se promit-il. Et s'il parlait trop à cause de l'alcool, eh bien, pas de problème. Il n'y avait pas que les flics et les témoins qu'il pouvait éliminer. Que disait oncle Jimmy à ce propos ? « Pour que ce soit parfait dans ce business, faut s'exercer. »

Willy se mit à rire tout seul. Ouais, il allait commencer par le Red Eye. Y avait sûrement pas mieux pour une bonne soirée.

11

— Ce n'est pas ton combat, Annalee…

Les mots dansaient dans la tête d'Amara, se tordaient comme des fils d'argent qui peu à peu s'enroulaient pour former une boule noire. Il y avait aussi une marmite, un chaudron plutôt, et l'odeur d'un café que, pour rien au monde, elle n'aurait bu.

La scène s'effaça peu à peu laissant la place au vide. Où était-elle ?

Un corbeau au bec rose, assis sur une chaise, limait ses griffes.

— Tu es tellement naïve, Amara… Je t'ai dit que McVey est à moi. Pourquoi tu n'écoutes pas ? Tu n'écoutes jamais. Tu as la tête dure, oncle Lazarus a raison.

L'oiseau cessa de se limer les griffes et lui agrippa le poignet.

— Tu l'as beaucoup fait rire, c'est ça ?

Cette scène s'effaça à son tour et une autre suivit, avec une femme couverte de plumes noires. Elle avait le visage crayeux de Hannah et ses yeux verts sans vie. Seule sa bouche, aux lèvres minces, bougeait.

— Pourquoi suis-je dans cette partie du manoir ? Pourquoi ne suis-je pas morte dans mon lit ?

Comme un décor de théâtre qui disparaît dans les coulisses, cette scène aussi s'évapora. La marmite noire réapparut. Un liquide rouge, épais et bouillonnant déborda. Une main de femme plongea dans le magma et en sortit quelque chose qu'elle tint en l'air pour qu'on le voie bien.

Amara suffoqua. Son cœur cessa de battre une seconde.

C'était sa main. C'était aussi son visage qui la fixait, le regard horrifié par l'espèce de racine qu'elle brandissait.

Les lèvres étaient les siennes, enfin non, pas les siennes. Elles bougeaient. La voix qui en sortait n'était assurément pas la sienne.

— Tu ne te rappelleras rien de cette nuit, Annalee…

Amara se réveilla en sursaut, stressée, le corps tendu comme un arc. Qui était cette Annalee qu'elle ne connaissait pas mais dont le nom était si familier ?

Retombant sur le matelas défoncé de Brigham, elle fixa le toit de la caravane. Délirait-elle à cause du vin qu'elle avait bu ?

— Tu as crié ?

Surprise, elle se releva sur un coude.

C'était McVey, en jean et torse nu, qui se tenait dans l'embrasure de la porte.

— Je suis… heu…

Elle avait déjà vu des hommes torse nu, évidemment ! Mais jamais un spécimen pareil, beau, désirable, incroyablement sexy avec ses cheveux trop longs et ses yeux mi-clos qui lui donnaient l'air faussement endormi.

— Tu as vu quelque chose ? Quelqu'un ? Un éléphant rose ?

Elle tenta de se ressaisir, vérifia si elle était décente.

— Non. Tout va bien. J'ai simplement fait un rêve. Un rêve bizarre.

— Comme tous les gens qui boivent le sang du diable.

— Le sang de corbeaux, corrigea-t-elle.

— Le whisky du diable, alors.

Remontant le drap sur sa poitrine, elle détailla McVey, mi-surprise, mi-amusée.

— Tu as bu leur whisky, toi aussi. Et tu peux marcher ?

— Pas très droit pour l'instant.

Toujours adossé au chambranle de la porte, il leva les bras au-dessus de sa tête. Ses yeux, posés à hauteur de ses seins, brillaient trop.

— Je n'ai jamais eu pareille gueule de bois, reconnut-il. J'ai une armée de corbeaux qui volent dans ma tête. Des corbeaux bavards, en plus.

— C'est parce qu'on en a vu hier soir. Dans les attractions

qu'ils nous ont présentées en avant-première. Mais je suis à peu près sûre que ce ne sont pas des vrais. Ils avaient les yeux rouges.

En soupirant, elle rejeta la tête en arrière.

— Ce vin monte à la tête. Il est vraiment costaud.

— C'est le moins qu'on puisse dire.

McVey se frotta les yeux.

— Si je n'ai pas les idées en place — ce qui est le cas en ce moment — rappelle-moi, quand nous serons de l'autre côté du pont, de prendre contact avec le capitaine du lieutenant Michaels et le labo. S'il y avait du poison dans le corps de Michaels ou dans le café, je tiens à en être informé.

— Charmant ! Maintenant, pour être moins sombre, Brigham dit que les dresseurs de corbeaux vont donner une parade dans Main Street, dimanche soir.

— Je sais, j'en ai été informé. Maintenant que je suis *bienvenu*, Marta me demande ma parole que je ne *verrai* pas ce qu'ils vendent à la fin de la parade.

— Les dresseurs de corbeaux vendront ce qu'ils vendront, McVey, que tu le veuilles ou non. Ils ne se sont jamais gênés avec Tyler. Et oui, je sais, tu n'es pas Tyler. Maintenant, s'il te plaît, peux-tu m'aider à me lever ?

— Si tu ne peux pas le faire toute seule, je vais t'aider. Avec plaisir !

Sa réponse la fit rougir. Ce n'était pourtant pas le moment de fantasmer. Il n'était pas question d'amour entre eux. Il le lui avait clairement dit.

D'un geste, elle lui fit signe de se retourner et s'entortilla dans le drap pour se lever.

— On dirait que ton jean sonne, dit-elle. Un, deux, trois… Un deux trois…

— Tu peux arrêter de compter, Chaperon rouge. C'est mon portable.

Il le sortit de sa poche et consulta l'écran.

— C'est Westor Hall.

— Pourquoi t'appelle-t-il ?

— Il veut me retrouver ce soir au Red Eye.

— Tu es sûr que ce n'est pas un tueur ?

— Jusqu'à présent, non.

Il haussa les épaules.

— Mais tout le monde a un prix.

Amara s'approcha de la fenêtre. La brume matinale se dissipait.

— Tu peux me dire pourquoi je me sens plus en sécurité de ce côté-ci du pont que de l'autre, hier soir ?

Il s'avança vers elle, prit son menton dans sa main et déposa un léger baiser sur ses lèvres.

— Méfie-toi quand même, Chaperon rouge. Compte tenu de ce que j'ai observé dans le manoir, le coup que Hannah Blume a reçu à la tête ne provient pas d'une chute, c'est quelqu'un qui l'a frappée.

C'était de plus en plus fou, s'inquiéta McVey. Qui pouvait en vouloir à cette femme solitaire et inoffensive au point de la tuer ?

— Je pense que c'est un Bellam qui a fait le coup.

Nerveux, Jake faisait les cent pas dans le poste de police de Raven's Hollow.

— Ils sont nombreux là-haut dans le bois et ils sont menaçants. Dites-moi que vous ne pensez pas comme moi, McVey.

— Je ne pense rien pour l'instant. Tout ce que je sais, c'est que Hannah ne s'est pas cogné la tête en tombant.

— Et comment le sais-tu ? intervint Amara.

Il leva les yeux de son ordinateur.

— Quand tu observes la scène, tu vois tout de suite que la position du corps n'est pas normale. Tu l'as dit toi-même, le choc l'a tuée sur le coup, ce qui veut dire qu'elle est tombée comme une pierre. Or, on l'a retrouvée loin du comptoir, dans une mare de sang.

Un muscle se contracta dans la joue de Jake.

— Ça craint, McVey.

Amara s'éloigna.

— Sois heureux, Jake, tu n'auras pas à le dire à oncle Lazarus. Et sois heureux aussi de ne pas avoir eu à traverser le pont de Bellam Manor, deux fois en dix-huit heures. Il y a sans doute un autre chemin pour y arriver.

Jake ricana :

— Pourquoi tu ne demandes pas à vos nouveaux copains, les dresseurs de corbeaux ? Ils doivent savoir, eux.

Amara s'arrêta de marcher, le front plissé.

— Je ne comprends pas ton agressivité. Ils sont de ta famille pour la plupart.

— Ils dressent des corbeaux. Ce n'est pas naturel. Ils sont bouilleurs de cru. C'est illégal.

Il posa les deux mains sur le bureau de McVey et se pencha vers lui.

— Ce que je veux savoir, c'est pourquoi on ne les interroge pas à propos de la mort de Hannah.

— Parce que…

McVey jeta un regard à Amara.

— … les analyses du café sont formelles, il n'était pas empoisonné, Chaperon rouge. Quant à Michaels, le médecin légiste n'a pas encore rendu ses conclusions. Il veut encore vérifier qu'il n'y a aucune trace de poison ni dans le sang, ni dans les urines, ni dans les tissus.

— Ce ne sera peut-être pas facile à trouver. Il faut que je parle à oncle Lazarus.

— Son neveu, celui qui vit avec lui, R.J. je crois, a dit qu'il se trouve à Bangor et qu'il ne répondrait pas au téléphone tant qu'il serait là-bas.

— Je n'avais pas l'intention de lui annoncer la mort de Hannah au téléphone, McVey. J'attendrai qu'il revienne.

— R.J. dit qu'il rentrera tard.

Elle haussa un sourcil.

— Tu veux que j'aille à la clinique en attendant, c'est ça ?

— Cela t'occupera, oui.

— Je vais passer le temps avec les malades.

— Avec les malades *et* mon adjoint.

Jake en sembla agacé.

— J'ai du travail à Raven's Cove, McVey.

Plus bas, il ajouta :

— Je ne veux pas être entouré d'une bande de malades.

— Parce que tu t'imagines que les malades vont découvrir, comme par magie, qu'il y a un médecin dans le bâtiment et s'agglutiner autour de toi ? répliqua McVey.

— Les nouvelles se propagent vite.

— Comme la rougeole, c'est contagieux !

Sur ce, McVey se retourna vers Amara.

— Depuis que son compteur électrique est tombé en panne, il y a six mois, Lazarus vit dans un vieux motel, le Nid du corbeau, un peu en retrait de l'ancienne voie express. Il n'y a rien d'autre après.

Amara parut réfléchir un instant.

— Il me semblait que la maison de sa sœur se trouvait dans le coin.

— Sa sœur est morte et sa maison est à l'abandon. Le dernier client du motel y a séjourné en mars et il a essayé de partir sans payer.

Jake éclata de rire.

— Je m'en souviens. Il y a eu une chasse à l'homme en voiture qui s'est terminée dans un arbre. Le type a été mis en cabane. Il était fou de rage et prétendait intenter un procès à l'arbre.

Il fit la grimace.

— Comme si sa vieille Pacer année 1972 avec ses pneus lisses et sa rouille partout valait quelque chose ! Même pas un cachou !

Amara se frotta les bras.

— Revenons à nos moutons. Tu penses, McVey, que je devrais rester en ville toute la journée ?

— J'ai rendez-vous avec le shérif du comté dans une heure et demie, répondit-il. Je pense que j'en ai pour deux heures. Lazarus ne sera peut-être pas rentré pour le dîner. Pour remercier Jake de son après-midi à la clinique, j'ai le plaisir de lui annoncer qu'il va passer une partie de la nuit au Red Eye.

L'adjoint ouvrit la bouche, comme pour protester, mais McVey ne lui en laissa pas le temps.

— Puisque tu vas passer l'après-midi avec des malades, je compense.

— Ah non ! Pas question que j'attrape la rougeole.

Amara pouffa.

— Je te vaccinerai, Jake. Ça tuera les germes. Sauf si ton système immunitaire est défaillant.

— Et s'il l'est ?

McVey fit le tour de son bureau.

— Il n'y a jamais rien de garanti dans la vie, Jake. Sauf ce qui va suivre. Si entre maintenant et la prochaine fois que je vois Amara il lui arrive quelque chose, je peux te garantir que tu seras couvert de plaques rouges. Et celles-là, crois-moi, ne seront pas dues à la rougeole.

La nouvelle de l'arrivée d'un médecin se propagea comme une traînée de poudre. Entre 14 heures et 19 heures, Amara ausculta vingt-cinq malades dont son cousin Two Toes Joe, propriétaire d'un bar à Raven's Cove et qui, comme son surnom le laissait entendre, n'avait que deux orteils au pied droit.

— Je me suis tiré une balle dans le pied, avoua-t-il en remuant les deux rescapés. Vaut mieux pas se viser le pied quand tu sépares des gars qui se battent à côté de toi. Un mauvais coup et *boum*, ça part !

Après ces propos dignes d'un grand sage, il abaissa son pantalon et lui montra sa hernie.

L'avantage d'être débordé, c'est que l'on ne voit pas le temps passer, se consola Amara.

Jake faisait la tête. Il rouspétait, évitant tous ceux qui toussotaient ou même éternuaient, mais il respecta l'ordre qu'il avait reçu de rester dans la salle d'attente jusqu'au départ du dernier patient.

— Tu diras à McVey qu'il peut me faire grâce du Red Eye, Amara. Toutes les bagarres qui éclateront à cause du festival, je les lui laisse.

— OK. Je lui transmettrai le message.

— De toute manière, ces bagarres, c'est des histoires à dormir debout. Nola Bellam aurait mieux fait de rester à Raven's Hollow. C'était sa place. Ce n'est pas la faute d'Ezéchias si elle a flirté avec Ezéchiel et lui a donné envie d'elle. Et c'est sûrement pas la faute d'Ezéchias s'il est devenu un peu fou après qu'Ezéchiel a violé Nola.

Il renifla.

— Pendant longtemps, tout le monde a cru à cette histoire, Amara. Jusqu'au jour où un Bellam est arrivé et l'a mise en doute.

— Si je me rappelle bien, confia Amara tout sourire, ton frère croit encore à cette histoire, Jake.

Elle remballa ses instruments, salua la sage-femme de service et quitta la clinique devant Jake.

— Je pense qu'on ne saura jamais où est la vérité, reprit-elle en marchant. Ni si Jimbo avait vraiment l'intention de me pousser dans le ravin.

Elle observa le ciel. Le brouillard s'épaississait d'heure en heure.

— Quelle purée de pois !

— On n'y verra plus rien avant que j'aie fini mon deuxième verre de whisky. Ce qui ne prendra pas longtemps vu que, le premier, je vais l'avaler d'un coup.

— Si c'est le whisky des dresseurs de corbeaux, tu n'auras pas le temps de boire le deuxième, Jake ! Sais-tu si McVey est revenu de chez le shérif ?

— Comment veux-tu que je le sache puisque j'étais avec toi ?

La mine fermée, il marchait à côté d'elle. Le Red Eye n'était plus très loin.

— Il a dit qu'on l'attende à l'intérieur… Oh ! Mince ! C'est pas Lazarus qui entre dans le bar ?

Amara ne put s'empêcher de rire.

— Allez, ça va, Jake. Tu connais oncle Lazarus. Il ne ferait pas deux fois la même bêtise.

A la faveur d'une trouée dans le brouillard, le profil de l'homme qui poussait la porte du Red Eye se précisa. C'était bien Lazarus Blume. Son profil était reconnaissable entre tous.

— Ça alors ! Je suis sidérée !

— Eh ben dis donc ! Ça s'annonce pas marrant !

Jake poussa la porte.

— McVey est là, il parle avec le barman. Je vais me trouver un petit coin sombre et me planquer avec une bouteille. Préviens-moi quand la vieille bique s'en ira.

Sur ces mots, il alla s'asseoir dans un recoin.

Il faisait chaud dans la salle, tellement bondée qu'il fallait jouer des coudes pour s'y frayer un chemin. Amara perdit son oncle de vue. Mais McVey venait vers elle.

— Où est Jake ? cria-t-il pour couvrir la musique tonitruante.

— Dans un coin là-bas, près des toilettes.

Il se tourna pour regarder.

— Il a passé l'après-midi avec moi à la clinique, McVey. Il a été patient, même quand une vieille femme lui a montré une collection de furoncles dégoûtants à l'intérieur de sa cuisse.

— Je ne le vois pas, dit McVey, visiblement contrarié.

— Si, près des toilettes.

— Mais ce n'est pas Jake que je cherche, c'est Westor. Il est capable de s'être déguisé.

Il ne manquait plus que ça.

— Il aime se déguiser en quoi ?

— En vieux monsieur distingué.

— Il essaie peut-être de se faire passer pour oncle Lazarus. Jake et moi avons cru le voir entrer, il y a un instant.

— Il est entré, en effet. Il est fou de rage contre Yolanda parce que le coût des réparations, après la casse qu'il y a eu dans le bar, dépasse les prévisions. Elle a fichu le camp. Mais ça ne va sûrement pas se passer comme cela, il n'y a qu'à voir la tête de ton oncle.

— Tu m'étonnes, il ne change jamais d'expression.

Elle releva ses cheveux pour se rafraîchir le cou.

— Au fait, cela s'est bien passé avec le shérif ?

— Nous avons décidé d'aller demain à Bellam Manor avec les médecins légistes et les experts en criminalistique.

— Ah, c'est une bonne idée. Mais je me sens un peu exclue.

Il lui sourit.

— Pas du tout. Tu fais partie de l'équipe médicale.

— Mais, McVey… Je ne suis pas médecin légiste. Tu veux que je sois présente pour m'avoir en permanence sous les yeux, c'est ça ?

— Oui, pour te voir constamment, pour te sentir, te toucher, Chaperon rouge.

Il passa le bras autour de ses épaules et la serra contre lui tandis que le juke-box qui venait de changer de disque diffusait un air de Loading Data.

— Et si nous allions nous asseoir dans un box en attendant l'arrivée de Westor Hall ? Loin de la foule, nous pourrons…

— Oh ! McVey ! l'interrompit-elle, faussement choquée.

Ravie à la pensée de ce qu'il venait d'insinuer, elle cherchait un box des yeux quand un bruit de verre cassé, suivi d'un cri, la fit se retourner. Tout un côté du bar était en flammes.

L'expérience aidant, Willy avait appris à ne plus s'étonner de rien. Mais ça, c'était un choc. Ce qui se passait là n'avait apparemment pas de sens. La personne qui se trouvait sur le trottoir d'en face était-elle *chimiquement* folle ?

Willy se retourna. L'autre aussi.

Willy leva le bras, l'autre aussi.

Willy tira… L'autre aussi !

12

Les flammes montaient jusqu'au plafond. C'était la panique. L'alcool des boissons renversées alimentait le feu.

Amara savait par où les clients allaient se sauver. Mais l'entrée était déjà la proie des flammes, ce qui n'était pas normal. L'incendie n'aurait pas dû se propager à cette vitesse. Cela voulait dire que le feu n'avait pas pris par hasard.

Il y eut soudain un gros *bang* à droite et McVey projeta Amara à terre. Au bar, le garçon se sauva pour éviter les éclats de verre des bouteilles qui explosaient les unes après les autres.

Amara décrocha la main qui la retenait.

— Il y a une porte au bout du couloir, près des toilettes, et une autre dans la réserve derrière le bar.

La fumée commençant à envahir la salle, elle se pencha encore plus.

— Je crois que je vois oncle Lazarus. Je vais le faire sortir avec les autres.

— Si tu croises Jake, dis-lui qu'on peut sortir par la réserve, lui enjoignit McVey.

Il l'embrassa rapidement et se précipita vers un extincteur.

La fumée tue plus que le feu, Amara le savait. Le bras replié sur la bouche, elle se servit de sa manche pour filtrer l'air. Sans aide, son oncle n'allait pas s'en sortir.

Renversant chaises et tables sur son passage, elle se fraya un chemin jusqu'à lui en invitant les clients encore présents à sortir au plus vite. Certains avaient déjà tellement bu qu'ils semblaient ne pas vraiment comprendre ce qui se passait. D'autres, ceux qui jouaient au billard, se servaient de leurs queues pour s'ouvrir une voie vers la sortie.

— Oncle Lazarus, tu n'es pas blessé ?

Penché en avant, il serrait le dossier d'une chaise comme s'il tenait une bouée de sauvetage.

— Je manque d'air, dit-il entre ses dents.

Elle passa un bras autour de sa taille.

— Viens avec moi.

Puis elle éleva la voix.

— Ecoutez-moi tous. Il y a une porte de ce côté. On va sortir par là.

Freinée par le poids de son oncle, elle réussit tout de même à sortir, entraînant avec elle une vingtaine de personnes. Elle avait les jambes en coton. Lazarus Blume n'était pas une mauviette, mais la fumée qu'il avait inhalée l'avait manifestement intoxiqué et beaucoup affaibli.

Yolanda sortit comme une furie des toilettes.

— Que se passe-t-il ? C'est quoi ce boucan que j'entends ?

— Il y a le feu, expliqua Amara. Aide-moi à porter oncle Lazarus.

— Je peux me débrouiller seul, marmonna le vieil homme en essayant de se redresser.

Amara allait le lâcher quand les clients qui les avaient doublés un instant plus tôt rebroussèrent chemin, en panique.

— Il y a le feu à la porte, cria l'un des hommes.

— On est piégé, hurla son ami.

Vraiment ? se demanda Amara. Elle se tourna vers Yolanda et son oncle.

— Il y a des fenêtres dans les toilettes ?

— Non… ou plutôt, si. Mais il faut être mince.

— On fera ce qu'il faut. Par ici ! lança Amara avec autorité. Tenez, Benny, dit-elle au pharmacien. Occupez-vous de mon oncle.

— Faisons passer ceux qui sont minces en premier, déclarat-il. Au cas où un gros resterait coincé !

— Je me suis tordu le genou, dit une femme en état d'ébriété qui se tenait appuyée au mur. Je ne peux pas grimper.

— Elle passera la dernière, décréta Yolanda.

— Non, c'est nous qui passerons en dernier, rectifia Amara. C'est le pub de ton oncle.

— Qu'est-ce qui a bien pu se passer ? Une fuite de gaz ?

— Non, c'est une espèce de bombe qui a été lancée contre la vitrine, je crois.

Amara éleva la voix.

— Benny, si la fenêtre est coincée, cassez le carreau.

Quelques secondes plus tard, la lunette des WC traversait la fenêtre, et les clients affolés se bousculaient pour passer les premiers. Si les circonstances avaient été différentes, Amara en aurait ri : ils escaladaient, se tortillaient, gigotaient pour sortir par l'ouverture étroite.

Une fois certaine que tout le monde était en sécurité dans la ruelle, elle retourna chercher McVey. Il était impensable qu'il mette ses jours en danger à cause d'elle.

Dans le couloir, elle surprit Jake, courbé en deux, qui tenait un paquet noir à la main. Dès qu'il l'aperçut, il se redressa, mais son buste disparut aussitôt dans l'épaisseur de la fumée.

Elle avançait vers lui quand, soudain, soulevée par un souffle, elle se retrouva quelque dix mètres plus loin sur un sol carrelé. A moitié assommée par le choc, elle ne comprit pas tout de suite ce qui se passait. Mais, quand les plafonds et les murs du couloir explosèrent, elle poussa un soupir effrayé. Elle l'avait échappé belle.

Après s'être assuré qu'Amara n'était pas blessée, McVey l'aida — malgré ses protestations — à passer par la petite fenêtre des toilettes. Il retourna alors dans le brasier pour vérifier que plus personne ne s'y trouvait et sortit à son tour.

Dehors, le brouillard formait un rideau gris. Ajoutés à cela, des lambeaux de fumée noire, le spectacle autour du bar était sinistre.

Les pompiers bénévoles accourus dès les premières minutes tentaient de circonscrire le feu.

Pendant ce temps, McVey chargea les jumeaux Harden de transporter les blessés graves à la clinique. Les secours arrivés sur place aidèrent Amara à soigner les blessés plus légers. Certains étaient brûlés, mais la plupart souffraient de contusions provoquées par le souffle qui les avait projetés contre les cloisons.

Une fois la scène de l'attentat délimitée par un cordon, McVey y posta quatre gardes assermentés et, puisqu'il avait fait tout ce qui était en son pouvoir, alla rejoindre ceux que Jake appelait « les grosses légumes » au Nid du corbeau, là où Lazarus avait pris pension. Ils avaient décidé de s'y retrouver pour permettre au vieil homme de respecter son traitement pour le cœur.

Pour un motel, le Nid du corbeau était acceptable. McVey en avait vu de bien pires. Lors de sa dernière mission à New York, il s'était retrouvé à son réveil nez à nez avec un rat gros comme deux fois son poing, dans une chambre tellement infestée par les cafards qu'on les écrasait en marchant sur le plancher branlant.

Oui, avec ses murs bleu layette, sa moquette marron et sa kitchenette années 1970, ce motel était un cinq étoiles comparé à l'Hôtel aux Cafards.

Amara s'y tenait près de son oncle, lui parlant à voix basse. L'homme hochait lentement la tête.

— Je vais chercher ma trousse de médecin, annonça-t-elle.

Ce faisant, elle passa près de McVey.

— Ça va, ton oncle ? s'enquit-il.

— Oui, mais il est un peu choqué. A propos, je ne lui ai encore rien dit à propos de Hannah.

McVey remit en place la poche de glace qu'elle lui avait confectionnée — pour son genou —, plia le bras pour voir s'il fonctionnait toujours et lança à Jake un regard noir.

— Je t'ai dit de ne jamais toucher un objet suspect.

— Depuis quand un sac à dos est-il un objet suspect ?

— Celui-là était posé contre une porte avec un fil entre les bretelles et la poignée. Dans la police, cela s'appelle un paquet suspect.

Lazarus repoussa la main d'Amara qui était revenue et voulait déboutonner sa veste.

— Je vais bien, ma nièce. J'ai pris mes cachets pour le cœur. Il bat normalement.

Il regarda McVey, les yeux plissés, l'air perplexe.

— Vous voulez dire que quelqu'un aurait installé un engin explosif dans le couloir ?

— Oui, *des* explosifs : dans le couloir, derrière le bar, sous une des tables de billard, au-dessus de la porte d'entrée. Certains avaient des minuteurs, d'autres étaient prévus pour exploser si on y touchait.

— Autrement dit, on a affaire à un tueur en série. Non, plutôt à un terroriste.

— Ce terroriste a un nom, oncle Lazarus, intervint Yolanda. C'est Willy Sparks.

Assise par terre, jambes repliées, les bras autour des genoux, elle lança un regard mauvais à Amara.

— C'est ta faute. C'est toi qui as amené tout ça ici. Le danger. La mort. Les bombes. Et maintenant, à cause de toi, on est tous menacés et on a peur. Et tout le monde va vouloir quitter la ville.

— Elle veut dire qu'on est tous des cibles, maintenant, gronda Jake. Et elle a raison. Qui nous dit que ce Willy Sparks ne va pas venir faire exploser une voiture bélier chargée d'explosifs dans la vitrine du motel ?

— S'il fait ça, il meurt avec nous, objecta Lazarus en fouillant dans ses poches. J'ai besoin de ma pilule rose. R.J. sait où se trouvent mes médicaments. Où est-il ?

— Je lui ai demandé de monter sur le toit, précisa McVey. Il ne verra peut-être pas grand-chose à cause du brouillard. Mais il entendra.

— C'est un bon garçon.

Lazarus tâta l'intérieur de ses poches.

— Un ancien militaire. Tiens, où sont mes autres médicaments ? J'étais sûr de les avoir pris.

— Tu prends deux sortes de médicament pour le cœur, oncle Lazarus ? s'étonna Amara.

— Je prends des antiacides, les comprimés roses, quand je mange des coquillages au dîner.

Ses épaules s'affaissèrent.

— J'aimais beaucoup Hannah.

McVey lança un regard désemparé à Amara. Son oncle les avait entendus…

— Quand j'étais petit, enchaîna Lazarus, elle m'amusait avec ses histoires sur Ezéchias. Plus tard, j'étais nettement plus grand, elle m'a appris à jouer aux échecs sur l'échiquier que son grand-père avait fabriqué et qu'il lui avait donné.

Amara lui frotta les bras.

— Je vais voir dans l'armoire à pharmacie si je trouve tes antiacides.

McVey la suivit dans la salle de bains.

— Quelle idée d'habiter dans un motel !

Elle ouvrit la petite armoire tellement brutalement qu'elle faillit faire sauter la porte.

— Je sais à quoi tu penses, McVey. Mais son compteur électrique avait sauté chez lui.

Adossé au chambranle de la porte, il la fixa.

— Et les bons électriciens sont difficiles à trouver de nos jours, Chaperon rouge.

Intrigué par le flot d'émotions qui se lisaient sur son visage, il s'approcha d'elle et, ému par sa tristesse, lui releva la tête, l'obligeant à le regarder.

— Ce n'est pas ta faute, Amara.

— Je sais. N'empêche, je suis venue me cacher ici. Je pensais que je serais tranquille chez des gens que j'aime et je me suis trompée. C'est vrai qu'il n'y a pas besoin d'être très malin pour se douter que ce serait ici que je viendrais. Sparks l'a compris et a aussitôt envoyé un sbire à mes trousses.

— C'est Yolanda qui a parlé. Et Jake. Les nouvelles vont vite dans les petites villes.

Il prit son visage dans ses mains.

— Je me suis laissé dire qu'aucun des malades venus à la clinique aujourd'hui n'a eu peur de recevoir une balle à ta place. Et que tu as été débordée de travail.

— Les malades ont fait le calcul bénéfice/risque. Ils ont ignoré le danger et privilégié les soins.

Elle lui serra le poignet.

— Tu es sûr qu'il n'y a pas eu de victimes ?

— Les pompiers ont exploré le bâtiment de fond en comble. Ils n'ont trouvé aucun corps. Les secours et toi avez soigné onze personnes, soit pour des éclats de verre, soit pour des brûlures superficielles. Personne ne semble avoir été intoxiqué par la fumée. En fait, je vois des blessures bien plus graves dans les bars pendant les week-ends.

Elle ôta la main qu'il avait posée sur son visage et fouilla dans l'armoire à pharmacie. Les comprimés se trouvaient derrière deux flacons de sirop et un vieux blaireau.

— A ton avis, McVey, pourquoi Willy Sparks a-t-il fait sauter tout le bar ?

Elle caressa les poils du blaireau.

— Ça ne lui ressemble pas.

Elle soupira.

— Si tant est qu'il y ait de la logique dans ses actes. Quoi qu'il en soit, il faut qu'il arrête. Dis-moi, tu crois qu'il a fait ça parce qu'il a vu que le boulot n'avait pas été fait ?

— Peut-être. Mais tu oublies Hannah, Amara. Ce n'est pas Willy Sparks qui l'a tuée. Ce n'était ni l'heure à laquelle il agit en général, ni son mode opératoire.

Elle posa la tête sur son torse.

— Je n'ai pas les idées claires. C'est comme s'il y avait un bal dans ma tête. Mes pensées, mes idées, les faits, tout se télescope. Je ne peux pas gérer tout cela.

Il lui embrassa les cheveux.

— Je suis là pour ça, Chaperon rouge. Toi, tu soignes les

blessures, les brûlures et tu fais en sorte que le monde soit un peu plus beau.

— C'est une vanne à propos de mon métier ?

— Non, une constatation.

Il lui releva la tête et l'embrassa. Longuement, trop longuement… Ce qu'il n'aurait pas dû faire car une terrible envie d'elle le gagna. Alors il recula et dit :

— Il est tard. J'ai des décombres à fouiller demain matin et une montagne à escalader demain après-midi.

Les yeux mi-clos, elle le regarda.

— Pourquoi tu ne me dis pas tout, McVey ?

— Je te répondrai quand je saurai ce que Westor ne m'a pas dit.

Un sourire forcé étira ses lèvres.

— Je parie que tu regrettes de ne pas être resté à New York.

— Crois-moi, Amara. Une ronde, sans arme, dans Central Park à minuit, c'est du gâteau comparé à ce qui se passe ici.

Il montra les flacons qu'il tenait à la main.

— Tiens, apporte cela à ton oncle. Il est temps de retourner chez ta grand-mère. Mon instinct me dit que la journée de demain pourrait être pire que tout ce qu'ont connu tes ancêtres depuis la nuit des temps. Or, je fais confiance à mon instinct, même si ce qu'il me suggère me fait rarement sourire.

Amara se réveilla le lendemain matin avec un nœud à l'estomac. Le programme n'avait rien de réjouissant : se rendre sur les restes calcinés du bar, puis monter à Bellam Manor pour ramener le corps de Hannah Blume à Raven's Cove… Il y avait plus gai.

Heureusement, la météo promettait du beau temps.

Mais par prudence Amara passa un jean et des chaussures de randonnée, un haut blanc et une veste rouge. La chasse aux oiseaux et aux daims étant ouverte, elle ne tenait pas à être prise pour du gibier.

McVey était prêt lui aussi, et ils quittèrent la maison de Nana dans un pesant silence. Jusqu'à ce qu'Amara lance :

— Tu penses comme moi, McVey. Que c'est la même personne qui a tué Hannah et mis le feu au Red Eye. Je me trompe ?

— Bravo ! Tu pourrais être flic !

— Pourquoi ?

— Parce que, comme tu l'as dit hier soir, semer la terreur dans une salle pleine d'innocents n'est pas le mode opératoire de Jimmy Sparks. Il est attaché à la famille. Il la place avant tout. En conséquence de quoi, quand il décide de tuer, il ne fait pas n'importe quoi. Il choisit sa cible et frappe. Il peut s'en écarter si c'est nécessaire, mais donner l'ordre à Willy de faire sauter un bar plein de gens qui pourraient être des proches ? Ça jamais. Pas son style.

— En plus, Willy ne pouvait pas être certain que je serais là. Or, les explosifs ont dû être posés avant ou juste à l'ouverture du Red Eye… Je suis complètement perdue.

— Tu n'es pas la s…

Il n'eut pas le temps de finir sa phrase. Un coup de fusil les fit sursauter tous les deux.

Sûrement un chasseur, se rassura Amara. Mais deux autres coups de feu retentirent, puis trois autres. Un frisson d'angoisse la parcourut.

McVey freina à hauteur du bois.

— Tu ne me laisses pas ici, gronda Amara. N'y pense même pas.

— Qui t'a dit que c'était mon intention ? Je pense que les coups de feu ont été tirés depuis les chênes.

Il lui montra la boîte à gants et descendit de voiture. Son Glock coincé dans sa ceinture, il alla au coffre et revint avec un fusil AK-47.

— Reste derrière moi. Si tu entends du bruit derrière toi, retourne-toi et tire. Tu pourras ?

— Cela va à l'encontre du serment d'Hippocrate mais tant pis, je le ferai.

— Tu es un vrai mec, Amara !

Il lui montra le chemin avec son fusil.

— Par ici.

Quittant très vite le sentier, ils s'enfoncèrent dans les arbres alors qu'on tirait toujours assez près d'eux. Les vieux chênes tordus apparurent. Il n'y avait personne dans la clairière, juste des rayons de lumière.

McVey s'agenouilla. Amara l'imita et tendit l'oreille.

— On n'entend que les oiseaux. Et les insectes et les animaux qui grattent le sol.

Elle ferma les yeux et inspira profondément. Un bruit à peine audible attira alors son attention. Aussitôt, elle rouvrit les yeux et tapa sur le bras de McVey.

— Tu entends ? Ça vient du deuxième chêne. Dans les buissons.

Sans poser de question, il dégaina et se releva. Le bruit sembla changer de place. Ça toussait, ou plutôt gargouillait.

Amara garda son arme pointée vers le ciel.

— Je ne pense pas qu'il soit à nos trousses, fit-elle remarquer. Il a du liquide dans les poumons.

McVey avança et, de la pointe de son fusil, écarta la broussaille. Un éclat de métal se mit à luire dans la lumière. McVey repoussa Amara derrière lui.

— Jette ton arme, Westor, ou tu es mort.

Adossé au pied d'un marronnier, Westor laissa échapper un rire jaune et baissa les bras.

— Si tu veux, vieux, gargouilla-t-il.

Du sang rouge vif brillait sur ses dents.

— De toute manière, je suis déjà mort.

13

— J'ai besoin de ma sacoche de médecin, dit Amara en se relevant.

— De toute manière, c'est trop tard.

— On peut sûrement faire quelque chose, insista-t-elle.

S'agenouillant, elle déchira la chemise de Westor et comprit. McVey avait raison. Une balle avait perforé la poitrine de Westor, deux centimètres sous le cœur, et du sang jaillissait en bouillonnant chaque fois qu'il toussait.

McVey releva la tête de l'homme.

— Parle, Westor.

Comme l'homme s'effondrait, il le secoua.

— Parle-moi, vieux. Dis-moi qui t'a fait ça, qu'il ne reste pas impuni.

Les yeux de Westor se révulsèrent.

— La ruelle… c'était… bon Dieu, j'ai mal, ça brûle.

Il agrippa le bras de McVey.

— Enterre-moi avec les miens, demanda-t-il clairement.

— Essayez de ne pas bouger, lui dit Amara.

Il redressa légèrement la tête, lui sourit et, la regardant de ses yeux à moitié fermés, murmura :

— Jamais être… témoin…

Sa tête retomba sur sa poitrine, son corps glissa contre le tronc de l'arbre et, un sourire toujours plaqué sur les lèvres, il bascula sur le côté.

— C'est trop triste, lâcha Amara. Je suis désolée.

— C'est surtout lui qui doit l'être, ricana McVey.

Agacée par sa remarque, elle haussa les épaules.

— Il a parlé d'une ruelle. S'il parlait de celle qui se trouve près du Red Eye, il a dû lui falloir des heures pour arriver ici. Or, il l'a fait, mais…

— Oui, *mais*…

McVey ferma les yeux de Westor.

— As-tu du réseau sur ton portable ?

Elle vérifia.

— Non.

— Il va falloir le laisser. J'appellerai le shérif depuis mon pick-up et lui dirai de faire monter des hommes. Les Harden sont de service à Raven's Hollow aujourd'hui. Dean, le plus jeune de mes adjoints, doit pouvoir gérer seul Raven's Cove.

Amara se leva.

— Tu penses que c'est l'œuvre de Willy Sparks ou de l'autre mystérieux tueur ?

— Je pencherais plutôt pour le mystérieux tueur.

— Tu sais qu'il commence à me faire encore plus peur que Willy.

Elle considéra Westor.

— Comment est-ce possible ?

McVey lui posa la main sur l'épaule et la serra.

— Tout s'explique toujours, Amara. Ce qu'il faut, c'est relier les points entre eux et voir ce que l'on obtient. Une grande image ou deux plus petites ?

Perdue dans ses pensées, elle ne dit rien, alors qu'un corbeau se posait sur une branche cassée.

A Raven's Cove, trois plumes de corbeau fixées sur une porte signifiaient que la personne qui vivait dans la maison allait mourir. Que voulait dire un corbeau qui vous fixait ? Elle l'ignorait. Mais c'était la deuxième fois qu'elle surprenait un corbeau en train de la dévisager.

En Blume qu'elle était, elle craignait de trop bien comprendre ce que laissait présager ce corbeau aux yeux perçants perché juste au-dessus d'un mort.

Moins d'une heure plus tard, McVey piétinait les restes calcinés de ce qui avait été le Red Eye. Tout avait brûlé excepté les murs que l'expert en assurance avait déclarés très instables et donc dangereux. Le site était formellement interdit. Les entreprises voisines avaient également souffert du sinistre. Fumée et eau, les dommages étaient importants. Il n'y aurait donc plus de barbier, ni de traiteur chinois pendant un certain temps.

Après une longue conversation avec l'expert, McVey posta deux gardes sur les lieux et partit chercher Amara à la clinique. Elle y était allée à la demande d'une femme enceinte de sept mois, Megan Bellam — très probablement une cousine — qui souhaitait des conseils qu'une simple sage-femme n'était pas en mesure de lui donner.

Amara se séchait les mains quand il entra.

— Si tu es de mauvaise humeur, McVey, écoute les battements du cœur d'un bébé à naître et tu verras, tout ira mieux. Megan attend une fille.

— Dans la lignée de Nola ou de Sarah ?

— De Nola. Elle s'appellera Léonore.

— Excellente nouvelle. Maintenant, désolé d'écourter ta séquence battements de cœur mais il est temps de filer.

Elle prit sa sacoche et passa la bandoulière sur son épaule.

— Allons-nous passer la nuit à Bellam Mountain ?

— Cela dépend du déroulement de l'enquête. Si l'on veut, on peut rester chez Hannah. Dans l'aile où elle vivait, il y a des pièces fraîches.

Ils sortirent sur le parking de la clinique.

— Il paraît que c'était une femme assez froide, déclara Amara. Une espèce de Katharine Hepburn à ses débuts.

— Plutôt Mère l'oie à la fin de sa vie. Tu le disais toi-même.

— Je pense que la comparaison avec la Mère l'oie vient de ce qu'elle a écrit des chansons pour enfants sur les légendes du pays. Je m'en rappelle une.

Red Eye, plumes d'oiseau.
Homme hier, aujourd'hui corbeau.
Le diable ne peut plus

Accabler les âmes perdues
et prendre son tribut
sur Ezéchias Blume.
Red Eye, noires plumes.
Ceux qui ont ton sang
Partageront ta chute…

— Tu dis que c'était des chansons pour enfants ?

— Oui. Pour les enfants de Raven's Hollow ou de Raven's Cove. Au fait, as-tu parlé au shérif à propos de Westor ?

McVey fit oui de la tête.

— Il envoie des hommes retirer le corps. Nous ne l'avons pas tué, Amara. Ce n'est pas nous. Celui qui l'a fait paiera.

Comme son portable sonnait, il le sortit de sa poche et activa le haut-parleur.

— Qu'y a-t-il, Jake ?

— C'est ces fichus pieds, voilà ce qu'il y a ! Je faisais circuler un curieux quand il s'est pris les pieds dans quelque chose — un sac-poubelle — et il a commencé à tourner de l'œil à cause de l'odeur. J'ai tout compris quand j'ai vu les pieds.

Sa voix s'étrangla.

— Ils ne bougeaient pas et ils avaient une sale couleur. Je crois qu'on a encore un cadavre sur les bras.

Il n'était que 10 heures du matin, et ils avaient un nouveau mort sur les bras, soupira intérieurement Amara.

Jake les attendait, elle et McVey, dans la ruelle, près d'une montagne de sacs-poubelle.

— Alors, Jake ? lança McVey.

L'adjoint souffla bruyamment.

— Elle est morte.

Amara fit le tour et avança pour mieux voir.

— Je la connais, reprit Jake, mais je n'arrive pas à mettre un nom dessus.

S'agenouillant près du corps, Amara la reconnut tout de suite.

— C'est Mina, cousin. Mina Shell. Elle était à la pharmacie

en même temps que moi quand Westor m'a attrapée. Il l'a attrapée elle aussi et…

Elle se pencha plus près.

— Qu'est-ce que c'est que ça ? Ce qu'elle a dans la main.

McVey écarta le plastique vert qui la recouvrait en partie et désigna une bouteille dans laquelle était enfoncé un bout de tissu.

— Un cocktail Molotov ! C'est celui qui a été lancé contre la fenêtre.

Essoufflé, le shérif, petit homme grassouillet, arriva sur les lieux.

— C'est donc elle qui l'a lancé ?

Amara prit la bouteille et porta le tissu à ses narines. L'odeur était caractéristique.

— C'est de l'essence.

Elle n'y comprenait rien.

— Mina a dit qu'elle venait à la Nuit du Corbeau pour faire la fête. En réalité, elle venait faire sauter le Red Eye. Pourquoi ? Je suis perdue…

— On répondra à ça plus tard, Chaperon rouge, proposa McVey. Pour l'instant…

Il écarta les sacs verts.

— Tiens, elle porte sa montre au poignet droit ! Et l'ongle de son pouce gauche est plus court que le droit, peut-être pour taper des textos ? Elle est peut-être gauchère ?

— Quelle différence ? intervint Jake.

Comme McVey ne répondait pas, il reposa sa question.

— Ça fait quoi comme différence ? Ça change quoi ?

Amara s'assit sur ses talons.

— Réfléchis, cousin. Elle tient la bouteille dans sa main droite. Si elle s'apprêtait à la lancer, elle devrait l'avoir dans la main gauche.

— Tu veux dire qu'on la lui a mise dans la main une fois morte ?

Il fronça les sourcils.

— Mais qui ?

— Celui qui a incendié le Red Eye, rétorqua McVey. Enfin, en principe.

Les yeux en l'air, Amara réfléchit. Elle avait vu Mina à la pharmacie… Avait-elle remarqué quelque chose de spécial ?

— Il me semble, mais je n'en suis pas sûre, que Mina a attrapé le rouge à lèvres de la main gauche. Ceci dit, elle pouvait très bien avoir la bouteille dans l'autre et changer de main au moment de lancer le cocktail Molotov.

McVey se pencha sur le cadavre.

— Je ne vois qu'un impact de balle. Juste au milieu du cou. Celui qui a visé sait tuer vite et à coup sûr.

— Comme Willy Sparks, décréta Amara en lissant ses bras qui se couvraient de chair de poule. Westor a dit « jamais être témoin ». Il a peut-être assisté ou vu quelque chose, hier soir, qu'il n'aurait pas dû voir.

Jake fit la moue.

— Je ne vous suis pas, là. Vous voulez dire qu'elle a *ou* qu'elle n'a pas lancé le cocktail Molotov contre la fenêtre ?

— Nous sommes en train de dire que nous ne savons pas qui a fait quoi à qui, ni quand, ni dans quel ordre. Pour l'instant, conclut McVey.

Il se tourna vers le shérif.

— A toi de décider, Walt. Tu préfères rester ici ou tu viens avec nous à Bellam Manor ?

— Je pense qu'il vaut mieux que je reste et que vous vous montiez avec les équipes. Je suis plus à l'aise à résoudre des meurtres qu'à traverser des ponts branlants.

Pendant qu'ils discutaient, Amara examina de nouveau le corps de Mina. Trois personnes étaient mortes et seule une de ces morts pouvait facilement s'expliquer.

Comme Hannah, Mina regardait en l'air, le vide. La bouche ouverte, elle avait du rouge à lèvres sur les dents de devant.

Westor et elle avaient-ils eu la malchance de se trouver au mauvais endroit au mauvais moment ? Se trouvaient-ils tous les deux au même endroit *par hasard* ou étaient-ils ensemble ?

Après tout, Westor était bel homme, séduisant même. Mina avait peut-être couché avec lui…

Où est-ce que je m'embarque ? se demanda Amara. Elle-même s'était interdit toute aventure avec un policier…

McVey, qui approchait justement, la ramena à la réalité.

— Il est temps de partir, Chaperon rouge. Le shérif reste ici. On va se partager les hommes. Cela fera peu de monde dans chaque équipe mais on se débrouillera. Hannah, Mina, on a deux enquêtes sur le dos.

— Et Westor.

— Exact. Et je ne tiens pas à ce que quelqu'un d'autre s'en mêle et aille fourrer son nez à la morgue.

Il la dévisageait avec une étonnante insistance. Elle opina tout de même.

L'image du corbeau perché sur une branche au-dessus du corps de Westor et les derniers mots que le mort avait prononcés lui trottaient dans la tête. C'était obsédant.

Jamais être témoin…

La montée à Bellam Manor fut une expédition, mais qui n'avait rien de comparable avec la traversée du Bellam Bridge, le pont branlant. McVey emmena les membres les moins chargés de l'équipe ; les autres, conduits par Amara, empruntèrent le sentier qui permettait aussi d'accéder au manoir mais en beaucoup plus de temps.

Il faisait une chaleur excessive pour la saison, accompagnée d'un fort taux d'humidité. A son arrivée, McVey trouva un mot de Brigham sur la porte :

« J'ai surveillé le manoir. Personne ne s'est approché, ou n'a essayé de modifier la scène de crime.

« L'arme du crime n'a pas été retrouvée. Reste à examiner les lieux. »

**
* **

Vingt minutes plus tard, Amara arrivait. Casquette sur la tête et Pataugas aux pieds, immenses lunettes de soleil sur le nez et veste nouée autour de la taille, elle avait tout de la baroudeuse. Une baroudeuse qui avait pris soin de se parfumer avant de partir. Une essence qui monta à la tête de McVey dès qu'il s'approcha d'elle. Ce n'était pourtant ni le lieu, ni le moment de fantasmer. La peau douce, les cheveux soyeux et la bouche gourmande d'Amara, ce serait pour plus tard.

Son portable qui sonnait le sortit de sa rêverie.

— Oui, Jake, répondit-il. Quels problèmes ?

— On n'arrive pas à mettre la main sur son sac.

McVey dut passer du mode fantasmes au mode raisonnement. *Son* sac ? Il ne pouvait s'agir que de celui de Mina.

— Avez-vous regardé partout ?

— Oui, on a ratissé toute la ruelle. Le shérif m'a demandé d'appeler l'auberge Blume. Il n'y a rien de réservé à son nom.

— Elle campait peut-être ?

— Peut-être, mais pas dans le camp des dresseurs de corbeaux.

— Regarde si tu trouves son nom au service des immatriculations des véhicules. A-t-on enlevé le corps de Westor ?

— Oui, ils viennent juste de l'emmener. J'étais en train de me dire que je sais peut-être où il logeait. Il y a un appartement vide dans l'immeuble de Yolanda. Peut-être qu'elle n'abritait pas un fugitif après tout. La serrure de l'appartement en question a été forcée, et les Harden ont trouvé des trucs à l'intérieur, par terre. Des bouteilles de vin, des papiers gras, des sacs de couchage, un 30-30 rifle et deux cartouches de balles.

— Relève les empreintes et dis-moi ce que tu auras trouvé sur la femme.

Sur ce, il raccrocha.

Amara dessinait quelque chose dans l'air.

— Qu'est-ce que tu fais ? s'enquit-il.

— Je pense à un truc. Elle n'avait ni papier ni crayon. Je lui ai même donné une page de mon carnet. C'est à ce moment-là que Westor m'a attrapée... nous a attrapées.

— Ce qui veut dire ?

— Je te l'ai déjà dit, Mina a fini par trouver le rouge à lèvres rose qu'elle cherchait. Elle l'a pris de sa main gauche mais, beaucoup plus probant encore, elle a pris le crayon que je lui donnais avec la même main. Cela ne prouve toujours pas qu'elle ne tenait pas la bombe dans son autre main, je suis d'accord. Si ce n'est que…

Elle se tourna brusquement.

— La question n'est pas là. La question est la suivante : pourquoi Mina aurait-elle voulu mettre le feu au Red Eye ? Ce que je veux dire, c'est que quelqu'un a pu lui mettre le cocktail Molotov dans la main pour faire peser les soupçons sur elle.

— Première de la classe, Chaperon rouge.

— Pas comme toi !

Tout sourire, elle s'approcha de lui et se jeta à son cou. Dans son élan, elle happa ses lèvres, recula pour reprendre son souffle et recommença avec une ardeur décuplée. Jamais aucune femme ne l'avait embrassé avec autant de fougue.

Subjugué, il perdit pied. Ne pensa plus que parfum, peau, sexe et… oh oui… Malheureusement, elle recula.

— Retour à la réalité, dit-elle. Que se passe-t-il avec Hannah ?

L'image du corps de la vieille femme refroidit d'un coup l'ardeur de McVey.

— Disons qu'elle était en moins bonne forme que la dernière fois que tu l'as vue.

— Tu veux dire qu'elle était toute grise et qu'elle…

— Inutile d'insister.

Brigham apparut à cet instant précis.

— Nous partons pour Raven's Hollow.

Le gros homme leva le pouce.

— On part avec nos corbeaux et tout notre matériel. Vous comptez passer la nuit ici ?

McVey regarda sa montre.

— Il est presque 14 heures. Je pense que oui.

— Tout le monde ou seulement toi et Amara ?

— Seulement nous. Les équipes connaissent le chemin pour rentrer.

— Oncle Lazarus m'a demandé de prendre quelques petites choses appartenant à Hannah et de les lui rapporter, expliqua Amara. C'est petit, ce sera peut-être difficile à trouver.

— En effet. Bien. Je vous préviens, la pluie arrive.

Amara sourit à Brigham.

— Normal, se moqua-t-elle. Les légendes ont la vie longue et l'une d'elles l'affirme, il pleut toujours, la nuit, sur Bellam Mountain. A mon avis, c'est signé Sarah. Que peut faire d'autre une sorcière folle, enfermée dans un grenier, que jeter des mauvais sorts sur tout ce qu'elle peut imaginer.

Brigham la regarda avec insistance.

— En tant que descendante de cette sorcière, tu devrais essayer de faire cesser la pluie. Encore une coulée de boue et on n'a plus qu'à déménager notre camp.

Ce qu'ils faisaient sûrement tous les trois ou quatre ans, de toute manière, songea McVey. Pour l'heure, il avait des problèmes plus graves à régler. Trois meurtres. Aucune piste. Et des fantasmes plein la tête.

Ils y passèrent l'après-midi. En vain, pesta McVey. Pas un indice. Pas une pièce à conviction. Ils avaient pourtant regardé partout, dans et tout autour de la maison. Rien.

— Elle est morte là où on l'a trouvée.

Le chef d'équipe de la police judiciaire s'essuya le front d'un revers de manche.

— Même s'il n'y a pas d'arme, il y a tout le sang qu'elle a perdu qui le prouve. En revanche, quand on voit l'état de ses jambes, on se demande ce qu'elle faisait dans cette partie du manoir. J'ai beau me gratter la tête, McVey, je ne comprends pas. Mais c'est un fait.

McVey s'approcha de la fenêtre, perplexe. La prédiction de Brigham semblait devoir se réaliser. Les nuages noirs qui s'étaient amoncelés au-dessus de la mer avançaient vers les terres. Ils avaient quelque chose de terrifiant.

Une heure plus tard, le corps de Hannah fut attaché sur un brancard, et tout le matériel empaqueté était prêt pour la redescente.

Les équipes parties, McVey ferma la partie centrale du manoir et dirigea Amara vers l'aile ouest. Mais apparemment elle n'était pas satisfaite du travail accompli.

— Je suis sûre qu'il y a encore à faire ici, McVey.

Lui tenant la main, il observa de nouveau le ciel.

— Bien sûr qu'on peut faire plus, mais je ne vois pas comment. On est seuls et il fait sombre. Brigham nous a laissé du vin. Veux-tu chercher les affaires de Hannah que Lazarus t'a demandées ? Pendant ce temps, je vais prendre une douche. Avec tous ces nuages, j'ai peur que le courant saute. Je vais me dépêcher.

Comme elle ne bougeait pas, il s'impatienta.

— Pourquoi tu traînes les pieds ? Ça ne te plaît pas ?

— Je suis superstitieuse. Je n'aime pas ce que je vois sur le réverbère.

— Tu es à moitié Blume et tu n'aimes pas les corbeaux ?

— Un corbeau, je veux bien. Mais deux, c'est trop. Quant à trois, ça me paralyse. Tu peux me dire s'il me regarde ?

— S'il te regarde, c'est qu'il a bon goût ! lança-t-il. Maintenant, si tu veux que je lui donne un coup de douze, dis-le, mais, de grâce, viens. Rentrons dans la maison.

Elle gesticula pour qu'il lâche son bras.

— Pas de coup de douze, s'il te plaît, McVey. Cette bête a le droit de me regarder.

Elle poursuivit plus bas, comme pour elle-même.

— Je savais que cela arriverait. La légende me rattrape. C'est la malédiction d'être à la fois une Bellam et une Blume. On ne peut y échapper.

La prenant dans ses bras, il l'emmena sur la terrasse où il la déposa.

— Tu savais que quoi arriverait ?

— Tout ça !

— Ecoute, Chaperon rouge, tout va bien, tu es en vie.

— Oui. Bien vivante même !

— Bon, je vais aller me doucher. Pendant ce temps, prépare-toi. Ferme les volets et toutes les ouvertures.

Il la scruta, les yeux rieurs.

— Ne rigole pas, dit-elle. Brigham t'avait prévenu, je te le dis moi aussi, fais attention. Le tonnerre sera accompagné de vents violents.

Elle planta son index dans sa joue.

— J'ignore combien de tempêtes tu as connues depuis ton arrivée, McVey, mais celle-ci surpassera en intensité toutes les autres, crois-moi.

— Que veux-tu dire ? Tu cherches à me convaincre que tu es une sorcière ou à m'effrayer avec tes prédictions catastrophiques ?

Elle lui passa la main sous la ceinture et l'attira à elle.

— Je ne suis pas une sorcière, McVey, je suis une femme… Une femme bien vivante, même. Et pleine de désir.

Il y eut comme un coup de tonnerre et une rafale de vent, mais c'était dans sa tête, ses tempes, ses oreilles, réalisa McVey. Et surtout dans ses reins. Là, le feu grondait, un feu plus effrayant encore que celui qu'il avait affronté la veille.

14

Amara avait décidé de faire l'amour. Ce serait avec fougue et sans retenue, avec un policier passionné et sans frein. Peu importait où cela se passerait. Dehors ou dedans. Sur un lit ou par terre. Ou même sur une table. Elle voulait la bouche de McVey sur la sienne, son corps écrasant le sien, ses mains courant partout.

Quand il la prit par la taille et la plaqua contre lui, le désir déjà fou qui la submergeait décupla. Il la voulait, il en était dur. Elle le voulait. Sur elle, en elle. Elle voulait tout de lui, mais aussi tout lui donner. Ses cris, son plaisir, sa jouissance.

— Je ne pensais pas que nous commencerions comme ça, dit-elle en passant la main sous la ceinture de son jean.

— Effectivement, si tu espérais que les choses se fassent doucement, on a tout faux.

Elle rejeta la tête en arrière et, cambrée, offrit sa poitrine à ses baisers.

— J'ai envie de toi depuis le premier jour, confessa-t-il. Depuis que je me suis retrouvé à cheval sur toi pour te protéger. Tu te rappelles ?

Elle glissa la main dans son jean avec un sourire coquin.

— Bien sûr que je me rappelle.

Des ombres jouaient sur son visage, tantôt creusant ses traits, tantôt éclairant ses yeux. Il semblait extrêmement troublé.

— Approche-toi, chuchota-t-il.

Il avait passé les mains sous son haut et caressait sa peau nue de ses mains calleuses. Du bout du pouce, il titillait ses mamelons, enfermés dans un soutien-gorge de dentelle. Elle laissa échapper un soupir de pur plaisir et, lorsqu'il la prit par les hanches et la souleva, elle éclata d'un rire nerveux qui cachait mal son émoi.

— J'ai envie de toi, murmura-t-il.

Elle enroula les jambes autour de lui et serra. Jamais elle ne s'était sentie aussi excitée. Le sang qui battait très fort dans la petite veine à la base de son cou devait le prouver, car McVey se pencha et l'embrassa à cet endroit précis, dans le petit creux délicat. Mon Dieu, que c'était doux. Et tendre !

— On bouge ? demanda-t-elle brusquement. Ou est-ce moi qui ai la tête qui tourne ?

Elle avait du mal à garder les yeux ouverts.

— Mais… je parle ou je rêve ?

— Tu parles.

McVey happa sa bouche, la dévora.

— J'aime tes lèvres, j'aime ta bouche, dit-il. J'aime ta voix. Elle me hante. Je l'entends même dans mon sommeil.

— Tu l'entends…

Elle battit des paupières. Son cœur s'affola, sa respiration s'accéléra.

— Je ne suis pas elle, McVey. Je ne suis pas la femme de tes rêves.

— Tu veux dire de mes cauchemars, corrigea-t-il en reprenant sa bouche. C'est toi que j'entends, Amara. Je n'ai jamais désiré l'autre femme.

Préférant s'abandonner à son plaisir, elle ne discuta pas. Elle était serrée contre lui et seule comptait l'envie d'être prise. Elle le voulait en elle, là, tout de suite. Elle ne pouvait plus attendre.

— McVey…

Tout s'éteignit puis la lumière revint. Un vent violent souffla sur les nuages qui s'étaient amoncelés. Les escaliers grincèrent, le plancher se mit à craquer. Tout en embrassant McVey, Amara le touchait, le caressait.

— Déshabille-toi, Chaperon rouge. Vite.

Elle sourit et obéit. Il l'allongea sur quelque chose de doux.

Un courant d'air passa qui la fit frissonner, puis McVey la couvrait de son corps, pétrissant ses seins.

— Tu es belle.

Il se pencha et embrassa ses mamelons. Sous l'effet des baisers, elle se tendit, se cambra, gémit.

Elle empoigna les épaules de McVey, y enfonça les ongles puis descendit le long de ses bras en les griffant. Elle était perdue. Perdue pour longtemps, espéra-t-elle dans ce qu'il lui restait de raison. La torture des prémices était à la fois trop exquise pour qu'ils se précipitent et trop douloureuse pour durer.

Le sang cognait dans ses tempes. Le désir la submergeait. Le feu l'habitait, un feu plus destructeur encore que celui qui avait réduit le Red Eye en cendres.

La bouche de McVey courait sur elle, ses mains caracolaient. Quand elles glissèrent sur son ventre puis entre ses cuisses, elle poussa une plainte qu'il étouffa de ses lèvres.

D'un geste plus rapide que l'éclair, elle le prit dans sa main et l'emmena sur la rive du vertige. Il sursauta. Elle continua ses longues et rapides caresses.

— Tu ne joues pas le jeu, Chaperon.

— Ce n'est pas dans mes gènes, répliqua-t-elle le serrant plus fort dans ses doigts enroulés autour de lui.

Ses yeux noisette s'assombrissaient, se voilaient : elle n'en fut que plus fière. Puis elle le guida en elle.

— Oui, McVey, maintenant, le supplia-t-elle.

Elle ne gémissait plus, elle criait. Elle partait, vibrait, volait comme un éclair dans la nuit noire où grondaient les premiers coups de tonnerre. L'air était électrique, à l'image du ciel où se déchaînaient les éclairs.

Tonnerre, éclairs, McVey, son désir… Brusquement, à la fureur succéda l'accalmie. Ses muscles se détendirent, ses bras retombèrent, son corps, poupée de chiffon, s'affaissa. Elle se sentit légère, légère… comme une plume de corbeau emportée par la brise.

Les corbeaux n'annonçaient pas forcément la mort dans le

monde des Bellam. Pour cette branche de sa famille, les oiseaux étaient souvent porteurs d'espoir. Et, pourquoi pas, d'amour.

— Tu as dit quelque chose ?

Il avait la voix pâteuse de l'homme épuisé, anéanti, mais rassasié et ravi. Allongé à plat ventre sur le lit, le visage enfoui dans l'oreiller, il avait le bras en travers de sa poitrine et la tenait fermement comme s'il avait peur qu'elle s'échappe. Mais ses forces l'avaient abandonnée et elle était incapable de bouger une jambe.

— Je n'ai pas la force de parler, répondit-elle.

Les yeux fermés, elle allait s'assoupir quand son corps se mit à vibrer.

— Je rêve ou la maison tremble ?

McVey releva la tête et regarda par la fenêtre.

— Peut-être un peu des deux, dit-il en plaisantant. Je vois dehors, dans le ciel : c'est un feu d'artifice.

— Comme dans ma tête. Ça a été merveilleux, McVey. Je te jure que j'ai vu des étoiles.

— Moi, je crois que j'ai perdu connaissance.

Sa réponse la fit sortir de sa torpeur.

— Avant, pendant ou après ? demanda-t-elle.

— Comme tu voudras.

Il sourit et se pencha pour reprendre sa bouche.

Elle passa une jambe sur ses cuisses et ondula contre lui en mouvements suggestifs.

— Arrête, Amara. Laisse-moi d'abord me remettre.

— Que dirais-tu de faire l'amour tout doucement maintenant ? Ce n'est pas que je n'aime pas la fougue, mais juste pour reprendre haleine.

— Peut-être…

Il la prit par la taille et la fit rouler sur lui, une jambe de chaque côté de ses cuisses.

— Je veux te voir dans la lumière des éclairs, dit-il. Je veux voir la lumière embraser ton corps quand tu jouis.

Se penchant sur son visage, elle chuchota :

— En ce cas, McVey, accroche-toi, parce que la tempête qui fait rage dehors n'est rien comparée à l'orage qui gronde en moi.

Réveillé par une espèce de tremblement de terre, McVey ouvrit les yeux brusquement. Le sol, sous ses pieds, menaçait de se dérober et l'air était empli d'odeurs de fumée et d'orage.

Des flammes vertes s'élevaient très haut d'un foyer minuscule. Un petit chaudron était suspendu au-dessus du feu. Trois autres, d'où s'échappait de la vapeur, étaient posés sur une table de bois massif.

Une femme scandant une litanie monotone passait de chaudron en chaudron et y jetait une pincée de poudre qui en faisait déborder le contenu.

— Tu m'as trahie, tu paieras. Ce qui était de l'amour s'est mué en haine. Je dresse le frère contre le frère et les détruirai tous les deux. Avant la fin de la nuit, tout ce que le premier possède sera à moi et aux miens.

Elle se tourna et leva les mains, paumes en l'air. Dans le foyer, les flammes s'emballèrent. Sa voix ne fut plus qu'un murmure.

— N'oublie jamais, Ezéchias. C'est ton propre frère qui a tué ta femme — ta femme qui était ma sœur. Il l'a violée et ensuite il l'a tuée. Il nous a trahis tous les deux car je l'aimais et, bêtement, je croyais qu'il m'aimait.

Une ambiance haineuse flottait dans la pièce. Les éclairs qui zébraient le ciel éclairèrent son visage et ses yeux déformés par son désir de vengeance. Allongé par terre, immobile, les yeux à peine entrouverts, McVey se tenait coi.

— Tout sera à moi, promit la femme. Avant la fin de la nuit, il y aura des morts et l'auteur sera considéré comme le diable…

Les paroles résonnaient dans la tête de McVey. Elles résonnaient et enflaient.

La femme n'était pas seule. Il y avait aussi un homme. Et du sang. Et des corps allongés sur le sol. Et parmi eux, son frère. Mort.

Sa respiration devint haletante, un cri déchira l'air.

— Nola !

La fumée s'épaissit dans le grenier. L'orage redoubla de violence. Dans le brouillard de son esprit, McVey remarqua un corbeau qui chaloupait et se posta devant lui. L'oiseau déplia ses ailes noires et grandit, grandit, jusqu'à prendre taille humaine.

Quand le corbeau parla, il avait la voix douce d'une femme.

— Je ne peux pas faire grand-chose pour toi, mon amour, mais je ferai tout ce qui est en mon pouvoir pour sauver ce qu'il reste de ton âme.

L'image que McVey avait dans la tête se brisa. Il y eut du feu, du sang et une chose noire qui gouttait. Mais ce n'était plus que des lambeaux.

Il fallait qu'il sorte. Il fallait qu'il fasse quelque chose. Qu'il trouve quelqu'un. Non, qu'il protège quelqu'un. Qu'il mette Amara à l'abri, loin de la personne qui voulait sa mort.

Sans prévenir, les doigts puissants de la femme lui agrippèrent les poignets pour le relever.

— Je savais que tu étais réveillé. Je sais ce que tu as vu et entendu. Je sais ce que tu penses, Annalee.

McVey en doutait sérieusement. Comment une horrible sorcière complètement folle pouvait-elle connaître les pensées d'un homme prisonnier du corps de sa nièce ? La fille de sa sœur Nola.

— McVey, réveille-toi !

On le secouait, mais pas par les poignets. Par les épaules.

— McVey !

La voix devint plus claire. Une voix féminine.

La femme le secoua de nouveau et commit l'erreur de lui enserrer les poignets.

— Réveille-toi, lui chuchota la voix qu'il connaissait.

La réalité reprit ses droits, lentement d'abord puis brutalement, comme si on lui avait lancé un seau d'eau à la figure.

Revenant à lui, il empoigna son arme en jurant et se redressa. Etonné de ne plus avoir de poids sur lui, il observa les lieux.

Amara était par terre, à quatre pattes. Etait-ce lui qui l'avait bousculée ?

Un peu perdu, il s'inquiéta.

— Tu n'es pas blessée ? Que fais-tu comme ça ?

Il finit par se lever.

— Ce que je fais là ? répéta-t-elle en riant.

— Et où suis-je ? la pressa-t-il.

— Bonne question ! se moqua-t-elle en se relevant sur les genoux. Comment te sens-tu ?

Le rêve, le cauchemar plutôt, resurgit.

— Je ne sais plus qui je suis. Ni qui j'étais. C'est un grenier, ici ?

L'air perplexe, elle continua de le dévisager.

— Nous sommes dans le manoir. Dans sa partie centrale. Quand je me suis réveillée, tu t'étais levé et enfilais ton jean. Je n'y ai rien vu d'anormal et puis j'ai remarqué ton regard. Il était étrange. Tu avais l'air en transes. Je t'ai appelé mais tu n'as pas répondu. Et puis, je t'ai touché, et alors tu m'as jetée hors du lit.

— Je t'ai jet…

Il prit peur.

— Je ne t'ai pas fait mal au moins ?

— Non, ne t'inquiète pas. Ensuite, j'ai voulu te suivre mais tu marchais à toute allure. Quand j'ai compris que tu allais sortir, je suis retournée chercher mes boots.

Et mon T-shirt, remarqua-t-il.

— Tu as les cheveux mouillés, Amara.

— Oui, il pleut. Et il y a du vent. Qui souffle très fort. Je ne sais pas comment j'ai su où tu étais parti, mais je l'ai — comment dire — senti. Oui, c'est ça, bizarrement j'ai senti que tu étais venu ici. Je suis montée quatre à quatre et j'ai entendu la porte du grenier claquer.

— J'espère que c'est moi qui l'ai claquée. Pas un esprit.

Elle lui sourit.

— Je ne pense pas que la maison soit hantée, McVey. Ce

qui se dit, en revanche, c'est qu'on a enfermé Sarah Bellam dans ce grenier après l'avoir déclarée folle.

— Folle et enceinte.

Amara sourit jusqu'aux oreilles.

— Exact !

— Enceinte d'Ezéchiel Blume.

— Tout juste. D'où le peu de descendants dans cette branche de la famille.

McVey considéra ses bras.

— Elle m'a empoigné, m'a mis à genoux et m'a menacé. Je ne me rappelle pas bien mon premier rêve, mais celui de cette nuit était terrible.

— Tu respirais bizarrement quand je t'ai trouvé. J'ai voulu prendre ton pouls, mais tu m'as bousculée.

Il en était horrifié.

— Comment ?

— Peu importe. J'ai vu le coup venir, j'ai réussi à esquiver. Plus ou moins. En revanche, toi tu es tombé. C'est moi qui t'ai sauté dessus, McVey.

Perplexe, il réfléchit.

— Annalee, murmura-t-il. Dans mes rêves, je suis une petite fille. J'ai sept ou huit ans. Je suis caché dans le grenier. Sarah sort quelque chose de noir d'une marmite dans laquelle un liquide bout. Elle donne la chose dégoulinante à un homme.

— Qui a des cheveux longs, noirs, et un visage de demi-dieu ?

— Vu par une enfant, c'est simplement un homme enveloppé dans une grande cape.

— Il y a des personnes qui racontent que... Bon, allez, on s'en va ?

McVey se leva, fit des cercles d'avant en arrière avec son épaule gauche, douloureuse — il ne tenait pas à connaître l'origine de cette blessure — et tendit la main à Amara.

— Je ne dirais pas non à une bonne rasade de sang de corbeaux. Si tu as des idées à propos de mon cauchemar, et je suis certain que tu en as, on peut en discuter en bas.

Au lieu de manifester de l'impatience, elle caressa sa nuque, un sourire coquin aux lèvres.

— L'idée du vin est excellente et celle de discuter très bonne aussi, mais, entre les deux, je ne serais pas contre un épisode plus stimulant.

Joignant le geste à la parole, elle tira McVey par la ceinture, ouvrit son pantalon et sourit. Il la désirait.

— Après avoir été piégé dans le corps d'une femme, je ne suis pas mécontent de retrouver ma forme… masculine, dit-il en baissant les yeux. En fait…

Il la prit par la taille et la souleva. Aussitôt, elle serra les jambes autour de lui. Fiévreux, il happa alors sa bouche et avança jusqu'au mur. Là, la plaquant contre la cloison, il la pénétra avec la violence de la tempête qui faisait rage dehors.

— Si j'ai bien compris, dit Amara, dans ton rêve — ou plutôt ton cauchemar — tu es Annalee ?

Ils étaient tous les deux assis chez Hannah, dans son salon, devant un feu de bois, et Amara essayait de comprendre ce que McVey lui avait raconté.

— Et tu as vu Sarah donner à Ezéchias quelque chose de noir et de gluant. Une espèce de racine, si j'ai bien compris. Ensuite, Ezéchias est parti et tu as entendu Sarah proférer une menace. Le frère va détruire le frère, c'est-à-dire Ezéchias va détruire Ezéchiel pour avoir violé et assassiné sa femme, Nola. Tu veux dire que c'est Sarah qui a donné à Ezéchias le pouvoir de faire le mal ?

— Sarah savait qu'Ezéchiel avait trahi son amour. Elle savait qu'il désirait Nola.

— C'est ce que dit la première légende, celle qu'ont écrite les Blume. Mais, il y a quelques années, un Bellam a avancé ce que tu viens de me raconter. Que c'était Sarah, en fait, l'esprit malin. Que c'était à cause d'elle qu'Ezéchias était devenu un tueur. Sauf que Nola n'était pas morte mais réduite à l'état de zombie. Et que, lorsque la folie meurtrière d'Ezéchias a pris fin, c'est Nola qui est apparue comme le bon génie.

McVey but une gorgée de vin.

— Un bon génie sous forme de corbeau.

— Le corbeau Nola a dit à l'humain Ezéchias que ce qu'elle pouvait faire de mieux c'était de le métamorphoser en corbeau lui aussi. Etat dans lequel il resterait jusqu'à sa mort.

— Je t'ai dit que c'était un cauchemar, rappela McVey.

— Avec une petite différence, c'est que, ce soir, tu as été somnambule.

Il balaya le plafond des yeux.

— C'est peut-être l'environnement. La proximité avec l'endroit où j'ai fait ce cauchemar pour la première fois.

Elle lui servit un autre verre de vin.

— N'empêche, McVey, tout ce que tu as dit n'est pas complètement dénué de sens.

— Que veux-tu dire ? Que j'étais une fille dans une vie antérieure ?

— Que tu étais la fille de Nola. La nuit où nous sommes restés dans le campement des dresseurs de corbeaux, j'ai fait un rêve, moi aussi. Il y avait Annalee dans ce rêve. J'étais certaine d'avoir déjà entendu ce nom-là quelque part et c'était vrai. Annalee était la fille de Nola, elle est née avant que Nola ne connaisse Ezéchias. Tu étais Annalee.

— Si tu crois en la réincarnation, Chaperon rouge, moi non.

— Parce que tu ne veux pas y croire.

Elle enroula ses jambes sous elle puis se pencha pour lui murmurer à l'oreille :

— Cela fait de toi un Bellam, tu sais.

Cette fois, ce fut lui qui versa du vin dans le verre d'Amara.

— Donc, nous sommes cousins.

— Oui, mais cela remonte à plusieurs générations. Dis-moi plutôt, as-tu déjà été tenté de jeter un sort ?

— Et de chevaucher un balai ?

— Les Bellam hommes ne chevauchaient pas de balais, McVey. Je pense même qu'ils ignoraient ce qu'était un balai.

— Apparemment, je suis plus au courant. Enfant, je balayais le plancher de la boutique d'antiquités de mon père.

— J'adore les choses anciennes.

Un bruit, comme un coup contre le mur de la maison, la fit sursauter.

— Oh là là ! Si c'est le vent qui a projeté un objet contre le mur, le pont de Bellam doit être dans un drôle d'état. Qui sait, il ne sera peut-être même plus dans le Maine demain. Ce qui peut être bien ou mal selon l'endroit où se trouve Willy Sparks en ce moment.

Elle s'interrompit elle-même :

— Mais pourquoi suis-je en train de parler de lui ?

Il se serra contre elle, bien en face du feu, et lui ébouriffa les cheveux.

— Parle-moi encore de Sarah.

— Pardon ?

— C'est ton histoire, non ? Tu m'as dit que Sarah voulait tuer Ezéchias et Ezéchiel pour que son enfant à naître — celui d'Ezéchiel — puisse hériter des biens d'Ezéchias. Argent, terres, propriétés, etc.

Il sourit.

— C'était un projet ambitieux, accorde-lui cela.

— Oui, mais il fallait que deux Blume et un Bellam meurent pour qu'il aboutisse. Et j'oubliais, tous les habitants qui ont suivi Ezéchiel dans les bois et l'ont aidé à « assassiner » Nola.

— L'ambition n'est pas toujours noble, Chaperon rouge.

— Jimmy Sparks est ambitieux.

— Je l'ai été moi aussi, autrefois.

Il but un peu de vin.

— La vie peut te détruire. Le métier, le rang n'ont pas d'importance. Bon, mauvais, choisis, recule et observe.

Elle le dévisagea. Il avait un beau profil.

— J'appelle ça du langage codé. J'espère que tu vas développer, sous peine de me laisser tirer des conclusions qui ne seront pas forcément les bonnes.

Il prit sa main et la serra dans la sienne.

— Disons que ma dernière mission comme flic d'une grande ville m'a démontré qu'un jour ou l'autre un garçon bien sous tous rapports peut devenir un mauvais garçon. Malheureusement, selon les liens qu'il entretient avec sa hiérarchie, les vilaines affaires sur lesquelles il a travaillé seront étouffées.

— Ce qui a amené au moins un bon flic à aller voir si c'est mieux ailleurs. En l'occurrence, dans un petit bled éloigné de tout, au fin fond du Maine.

McVey prit la bouteille et l'examina.

— On lui a fait un sort, dit-il, et je ne me sens pas du tout pompette. Et toi ?

— Moi non plus. En revanche, je me suis cogné la tête contre le pommeau quand on a fait l'amour dans la douche et je tourne un peu.

— C'est moi qui me suis cogné, corrigea-t-il.

Alors qu'elle riait, il la prit sur ses genoux.

— Si tu as la tête qui tourne, je suggère que tu fasses un peu d'exercice.

— D'un point de vue strictement médical, je peux te dire que c'est un très mauvais conseil. Néanmoins…

Elle le prit par le cou et se blottit contre lui.

— Je me doute de ce que tu veux, minauda-t-elle en ondulant contre lui. Et je peux te dire que je…

Le reste de la phrase resta bloqué dans sa gorge. Un éclair illumina la pièce en même temps que ses yeux. L'espace d'une seconde, quelqu'un sembla les scruter derrière la fenêtre.

Une personne sanglée dans un imperméable et qui portait un fusil.

15

Amara en avait mal pour McVey !

Pensant que c'était Sparks ou le tueur de Hannah, il avait affronté dehors l'homme à l'imperméable. S'était ensuivie une violente bagarre qui l'avait blessé au genou jusqu'à ce qu'il réalise que l'individu n'était autre que… Brigham !

Amara leur tendit deux paquets de légumes surgelés : un pour le genou de McVey, un pour la tête de Brigham.

L'incident aurait pu être bien plus grave, se rassura-t-elle.

— Bon sang, McVey ! maugréa Brigham. Tu es arrivé sur moi comme un bélier !

— Comment j'aurais pu savoir ? protesta McVey.

— Vous avez aidé Rune. Alors j'ai décidé que j'allais vous aider.

— La prochaine fois, annonce-toi, grommela McVey. Je suis trop jeune pour songer déjà à une prothèse du genou.

Tout en fourrageant dans les placards de la cuisine, Amara hocha la tête.

— On n'est jamais trop jeune, McVey. J'ai reconstruit des pieds, des chevilles, des genoux, des hanches… bref, un peu tout, sur des gens bien plus jeunes que toi.

Elle repéra une bouteille d'un liquide brunâtre et la tendit à Brigham pour qu'il lui donne son avis.

— C'est le whisky des dresseurs de corbeaux ?

— Je ne sais pas. Ma tête me fait encore plus mal quand j'ouvre les yeux. S'il n'y a pas d'étiquette, c'est celui qu'on fabrique nous-mêmes, et sers-moi.

Elle posa la bouteille au milieu de la table à égale distance des deux hommes.

— Partagez-vous la bouteille ou attendez que je lave des verres. Hannah en a laissé dans l'évier. La vaisselle n'était pas son fort, apparemment.

Brigham foudroya McVey du regard.

— Ça ne me gêne pas de boire dans un verre sale.

— En tant que médecin, personnellement ça me dégoûte.

McVey esquissa un sourire.

— C'est le médecin qui parle ?

— Non, c'est la femme qui dit que c'est infect. Il y a des restes durcis au fond des tasses et je pense qu'il me faudrait une bonne semaine pour arriver à récurer les casseroles qui sont complètement calcinées. Quant aux verres, ils sont dans le même état. Pourquoi tu ne nous as pas dissuadés de venir ici, Brigham ?

L'homme haussa les épaules.

— Je ne le savais pas moi-même avant de venir. Et puis, je m'en suis souvenu. Il y a trop de gens qui meurent alors qu'ils ne devraient pas. Est-ce qu'un tueur à gages laisserait traîner des corps comme ça derrière lui ?

McVey empoigna la bouteille, but au goulot et la reposa où il l'avait prise.

— Ça dépend du tueur à gages. Dans le cas de Willy Sparks, je dirais que c'est peu probable.

Les lumières se mirent à vaciller alors qu'Amara emplissait l'évier d'eau chaude.

— Je ne comprends toujours pas que quelqu'un ait pu vouloir la mort de Hannah. On suppose que Westor a vu quelque chose dans la ruelle en face du Red Eye. Mina peut-être aussi, mais Hannah…

— Est-ce la touriste dont j'ai entendu parler ? demanda Brigham.

McVey plaqua le paquet de légumes surgelés sur l'autre face de son genou.

— Encore un morceau manquant de notre puzzle.

Amara se tourna vers lui alors que les lumières menaçaient de s'éteindre pour de bon.

— Il m'est venu une idée. Et si Mina et Westor avaient été… ensemble ?

McVey opina.

— Tu as peut-être raison. Jake a dit qu'il avait trouvé des sacs de couchage — plusieurs — dans un appartement vide de l'immeuble de Yolanda. J'irai voir quand nous rentrerons.

— Si on rentre…

A cette pensée, Amara frissonna.

La mort de Mina et de Westor la troublait alors que celle de Hannah la stupéfiait. Qui pouvait en vouloir à une vieille femme, certes excentrique, mais qui vivait en ermite avec une jambe malade et rien qu'un cambrioleur puisse vouloir dérober ?

L'état mental de la vieille dame s'était-il dégradé sans que personne ne s'en rende compte ? se demanda Amara. Après avoir trop bu, s'était-elle aventurée dans une partie du manoir où elle n'allait jamais et était-elle tombée sur un clochard qui l'avait tuée ?

— Oui, mais un clochard qui a emporté l'arme du crime en partant car on ne l'a pas retrouvée, marmonna-t-elle.

Stupide ! Impossible !

McVey et Brigham continuaient de se chipoter. Les lumières vacillaient de plus en plus. Elles finirent même par s'éteindre complètement avant de se rallumer quelques secondes plus tard.

Son paquet de légumes congelés toujours sur la tête, Brigham sortit son téléphone portable de sa poche.

— Je prends le premier quart, Amara. Tu peux monter avec McVey faire ce que vous voulez. Tu vois ce que je veux dire…

Elle le toisa, incrédule.

— Tu nous as espionnés, dis-le.

— Non, mais je peux imaginer… Je vais aller dans le salon.

Il s'éloigna en fredonnant un air de Johnny Cash tandis que McVey s'approchait de la fenêtre de la cuisine.

— Je vois mal Sparks braver une tempête comme celle-là, même pour te mettre la main dessus. Quant à l'autre, le personnage mystérieux, je ne peux pas me prononcer.

Amara ne renchérit pas. La journée avait été si forte en émotions : la peur, l'angoisse, le désir, la passion… Elle en avait eu plus que son compte.

— Tu as manqué un point, Chaperon rouge.

McVey, qui s'était approché sans faire de bruit, lui tira sur les cheveux, ce qui la fit sursauter.

— N'essaie pas de démêler l'écheveau, tu ne réussiras qu'à te faire peur.

Elle essuya le bord du verre.

— De toute façon, depuis l'instant où je suis allée sur le balcon de l'hôtel du Vieux Carré et que j'ai vu Jimmy Sparks viser une femme en plein cœur, je tremble.

— Jimmy Sparks est connu pour ses sautes d'humeur.

— Ses avocats prétendent qu'il s'agit d'un homicide commis sous l'emprise de médicaments. Il en prend de toutes sortes, tous très puissants mais, même combinés entre eux, ils ne peuvent pousser un homme normal à commettre un meurtre. La victime était une call-girl. Elle essayait de le dépouiller. Il n'a pas apprécié. Quand on sait que le bonhomme est capable d'entrer dans des rages effrayantes, on n'est pas étonné.

— Que faisais-tu sur le balcon du Vieux Carré ?

— Je rendais visite à une malade que j'avais opérée. Ce n'est pas vraiment une amie mais c'est quelqu'un que j'aime bien et je voulais m'assurer qu'elle était satisfaite des résultats.

— Une amie qui s'appelle Georgia Arnault, ancienne infirmière et mère de six enfants. Elle habite dans le bayou et sa cousine travaille dans le même hôpital que toi.

— Dis donc, tu as bien travaillé !

— Dois-je être flatté ? Tu sais, il y a des infos faciles à avoir quand on est flic. Dans cette affaire, plus j'ai creusé, plus j'ai appris de choses.

— Que tu n'as pas aimées.

— C'est difficile d'aimer un officier de police qui ne

respecte pas son devoir, comme cela a été le cas du petit ami de ta malade pendant dix ans.

— Douze. Dans la ville où ils vivaient, tous les policiers de son service savaient qu'il la battait. Soit cinq hommes qui ont refusé de voir ou d'agir. Georgia appelle cela la solidarité masculine. De bons garçons qui se serrent les coudes. Je dis que tous, et en particulier le soi-disant boy-friend, devraient être privés de certains attributs…

— Je ne commenterai pas, dit McVey en remettant une mèche de cheveux derrière l'oreille d'Amara. Tu as reconstruit le visage de Georgia, nez, pommettes, menton, et fait de ton mieux pour effacer les dégâts qu'il avait faits.

— Elle voit un psychologue à La Nouvelle-Orléans, c'est pour cela qu'elle était dans un hôtel la nuit du meurtre. En fait, nous étions toutes les deux sur le balcon du Vieux Carré, mais Georgia a peur des orages et, ce soir-là, la tempête soufflait fort… Alors, que fait-on ?

Il la prit dans ses bras. Elle en fut ravie, mais craignait pour lui.

— J'ai vu ton genou, McVey. Ne me porte pas jusqu'à l'étage, tu vas te faire mal.

Il la souleva encore plus haut et l'embrassa avec fougue.

— Ne t'inquiète pas pour moi. Je te jure que je n'aurai pas mal de toute la nuit…

Elle se tourna dans ses bras pour lui mordiller l'oreille et, devant son regard fiévreux, murmura d'un ton malicieux :

— Chiche ?

Le lendemain matin, Brigham leur indiqua une route qui leur évitait de passer par le pont de Bellam.

— Ne l'indiquez à personne, les prévint-il. Parce que vous ne serez plus persona grata chez nous et vous serez épiés par des corbeaux toutes les nuits.

Cramponnée à la base d'un arbrisseau, Amara, qui se préparait à sauter d'une hauteur de deux mètres dans une mare de boue, ne posa pas de question. Brigham était de leur côté et n'essayait pas d'aider Willy Sparks à perpétrer un crime.

Il leur fallut plus d'une heure pour rejoindre la route principale. Et encore vingt minutes pour revenir sur leurs pas et retrouver le pick-up de McVey. Serrés les uns contre les autres dans la cabine, ils roulèrent sur une route complètement défoncée.

S'éventant avec une feuille de papier, Amara poussa la jambe de Brigham.

— Je ne suis pas grosse, Brigham, mais quand même…

— Tu veux peut-être que je m'installe sur le plateau arrière, comme un chien ?

— Non, je veux que tu m'expliques le langage de ces fichus corbeaux.

Son ton agacé le fit grimacer.

— Ah, ça, c'est la légende 101, Amara. Des plumes qu'un corbeau dépose sur le seuil d'une porte signifient la mort. Les corbeaux qui se posent et observent sans bouger le font pour quelqu'un.

— Pour quelqu'un de gentil ou de méchant ?

Il lui adressa un sourire inquiétant qui découvrit toutes ses dents.

— A toi de deviner.

Elle fronça les sourcils.

— Chercherais-tu à me faire peur pour me punir de t'avoir marché sur le pied tout à l'heure quand j'ai sauté du rocher ?

McVey, qui n'avait encore rien dit, pouffa de rire.

— Je pense plutôt qu'il est à cran parce qu'il a la gueule de bois et que le café de chez Hannah était infect. Les corbeaux volent, se posent et à l'occasion observent, Amara. Les corneilles aussi et personne n'y fait attention.

— Tu sais comme moi qu'il y a un certain opprobre attaché à ces oiseaux. Quand Ezéchias était corbeau et qu'il déposait des plumes sur le seuil des maisons, il voulait annoncer la mort mais il ne la provoquait pas. C'était une sorte de messager.

— Un corbeau messager, se moqua McVey.

Amara lui donna un coup de coude dans les côtes. Au même moment, son portable sonna.

— On est en voiture, Jake, dit-elle. La route n'est pas bonne, il faut rester concentré. Je mets le haut-parleur.

— Il y a une bande d'illuminés qui déambule dans Raven's Hollow, commença l'adjoint d'un ton nerveux. Des dresseurs de corbeaux, McVey. Les gens leur font des bras d'honneur. Est-ce que je peux les arrêter au motif qu'ils vont soûler la moitié de la ville avec leur gnole illégale ?

— C'est pas de la gnole ! s'insurgea Brigham. C'est un bon Dieu de whisky qui te descend dans l'estomac comme du velours.

— Ça doit faire un bail que tu n'en as pas bu, déclara McVey en riant.

A l'autre bout de la ligne, Jake lança d'un ton sec,

— Ne me dites pas que vous ramenez un dresseur de corbeaux en ville, sous escorte, McVey. Une vieille bique a tenté de me faire croire que vous avez bu avec eux et que je devrais faire attention si je tiens à rester adjoint, mais je pense qu'elle devait avoir bu trop de sa mixture et qu'elle avait des hallucinations.

Un daim traversant la route, McVey pila.

— Laisse les dresseurs de corbeaux tranquilles, Jake. C'est quoi, le vrai problème ?

— Mina Shell. On a six femmes qui portent ce nom dans tout le pays. Au vu des photos, deux peuvent être la victime. Une de Caroline du Nord, mais elle est brune, pas blonde et je ne vois pas bien ses yeux sur la photo. D'après nos infos, elle est dentiste. L'autre Mina Shell vient du Tennessee. Elle a vingt-huit ans et travaille dans une banque de Nashville. Elle semble plus mince que la Mina qui est morte. Mais on peut changer de poids, et les clichés ne sont pas nets, comme je vous disais.

— As-tu relevé les empreintes de notre Mina ?

— Heu… Oui. Ça vient d'être fait.

McVey jura tout bas.

— Enregistre bien la scène, Jake. Dis-moi, le shérif est-il encore là ?

— Il est parti, il y a deux heures. A cause d'une prise d'otage à cinq rues de son bureau.

— Envoie les empreintes au labo avant mon arrivée. Tu as trente minutes devant toi…

Il fit une embardée pour éviter un nid-de-poule.

— A plus tard, Jake…

Et il raccrocha.

Amara ne put retenir un soupir :

— Dire que tout ça est ma faute !

— Arrête, Amara. Hannah n'est pas morte à cause de toi.

Coincée entre les deux hommes, elle gesticula pour croiser les bras.

— Non, mais Westor, oui. Et Mina aussi, sans doute.

— Westor est venu ici pour se venger de moi.

Brigham donna un coup dans la jambe d'Amara.

— Chez nous, dresseurs de corbeaux, on appelle cette mort-là la justice poétique.

— Et la mort de Mina ? Vous l'appelez comment ?

— Tu préférerais que les gens d'ici s'en fichent et disent à Willy Sparks où te trouver ? demanda Brigham.

Elle le foudroya du regard puis une idée germa dans son esprit.

— C'est peut-être ce qu'il faudrait faire.

L'air surpris, Brigham jeta un coup d'œil à McVey.

— C'était à craindre ! Entre Sarah Bellam et Ezéchiel Blume, elle ne peut être que folle.

Amara écrasa le pied de Brigham.

— Je parle de piéger Willy Sparks, pas de me promener en ville avec une cible peinte sur la poitrine. As-tu déjà fait ça, McVey ? Appâter un criminel pour le faire sortir du bois ?

— Oui, deux fois.

— Et ça a marché ?

— La première fois, nous avons utilisé un sosie. Il a reçu une balle dans l'épaule et une autre dans la jambe. La seconde fois, vu les circonstances, c'est la victime elle-même qui a servi d'appât. Il a survécu mais trois officiers de police ont été touchés par balle. L'un d'eux est mort.

Il haussa les sourcils.

— J'ai répondu à ta question ?

Hélas, oui. Mais cela ne voulait pas dire qu'elle repoussait cette possibilité. On était dans une petite ville du Maine, ni à Chicago, ni à New York. Dans un environnement aussi circonscrit, on devait réussir à minimiser les risques.

Ou alors, des innocents mourraient, alors que Willy Sparks passerait entre les mailles du filet.

Hantée par un sentiment de culpabilité, elle ne dit plus un mot de toute la route.

Ils s'arrêtèrent pour déposer Brigham à une station-service, à un kilomètre environ du motel de l'oncle d'Amara. Apparemment, les dresseurs de corbeaux devaient y descendre à l'occasion du festival. Ils s'installeraient, ils paieraient, songea Amara. En matière d'argent, Lazarus ne faisait pas de cadeau.

Tandis que Brigham parlait avec McVey à la vitre du pick-up, elle alla chercher des cafés puis repartit aux toilettes.

Une fois à l'intérieur, elle observa son reflet dans la glace.

Dans le fond, elle pouvait partir sans rien dire à personne, sauf à McVey. Ensuite, elle n'aurait qu'à emprunter le pick-up de son oncle pour disparaître. Et forcer Willy Sparks à lui courir après.

Lui donnant ainsi l'occasion de la tuer.

— Parce que, tu le sais bien, Chaperon rouge, dit-elle à son reflet dans le miroir. Il t'aura tuée avant la fin de la journée. Les morts sont morts mais, comme dit McVey, lui, il s'envolera vers une île tropicale en attendant un nouveau contrat.

Frustrée, elle soupira.

— Je déteste la logique des flics.

Alors qu'elle sortait des toilettes, McVey apparut.

— J'étais en train de me dire…

Il lui prit la main.

— Qu'y a-t-il ? demanda-t-elle.

— Jake a appelé…

Elle trottait à côté de lui pour rester à sa hauteur.

— Mauvaise nouvelle, apparemment.

Elle s'agrippa au bras de McVey.

— Pitié ! Ne me dis pas qu'il y a encore une morte.

— Non, Amara, personne d'autre n'est mort.

Il la prit par la taille et l'installa dans son pick-up.

— Que se passe-t-il ? insista-t-elle. Qu'est-ce que Jake a dit ?

Pour la première fois depuis leur rencontre, McVey alluma gyrophare et sirène.

— Il a voulu prendre les empreintes de Mina Shell. Et n'a pas pu.

Elle ouvrit la bouche pour poser une question mais finalement y renonça.

— C'est impossible. On a tous des empreintes. A moins que Mina…, commença-t-elle.

Il la regarda, l'air entendu.

— Oui.

Elle considéra ses doigts comme pour y lire ses empreintes.

— Tu veux dire qu'elle les aurait volontairement effacées ? C'est bien cela que tu me dis. Mais… Oh là là…

— Oui, oh là là. Si elle l'a fait, c'est qu'elle avait une bonne raison.

— Elle ne voulait pas qu'on puisse l'identifier.

— Exactement.

Un sourire triste s'afficha sur le visage de McVey.

— Il nous reste à comprendre pourquoi.

Amara n'aimait pas examiner les cadavres. Elle détestait les toucher. Pourtant, elle rejoignit Jake à la clinique et prit les doigts de Mina dans sa main, essayant de comprendre.

— Je ne suis pas un abruti total, marmonna Jake. Je sais relever des empreintes. Une heure de plus, et l'affaire nous échappait. Le transfert de Mina Shell et de Westor Hall à la morgue est prévu à 13 heures.

Amara avait du brouillard dans la tête.

— Tout cela me fait peur et je ne sais pas pourquoi, dit-elle tout haut.

— Moi non plus, déclara Jake. Mais perso je trouve ce qui tourne autour des dresseurs de corbeaux beaucoup plus effrayant.

— Parce qu'ils vous font peur, c'est tout.

— Tout le monde a peur d'eux, non ? Ils ne respectent aucune loi, vivent selon des rites mystérieux dans le fin fond des bois et ils vendent de la gnole, qu'ils fabriquent dans des alambics parfaitement illégaux et que les labos n'arrivent pas à analyser.

— C'est vrai ?

Elle reposa la main de Mina mais ne referma pas le sac dans lequel était enfermé le corps.

— Ils y incorporent peut-être des racines et des poudres magiques ?

Amara ouvrit un peu plus la fermeture Eclair du sac.

— Non. Je ne veux pas voir une morte nue, déclara Jake en reculant.

— Moi non plus, mais j'ai vu les photos que vous avez montrées à McVey. Elle a des tatouages.

— Une feuille, un cœur avec des initiales au milieu. Rien d'intéressant.

Amara observa le sein gauche de Mina.

— Si, Jake, c'est intéressant. W.S.

Elle leva les yeux.

— Willy Sparks, peut-être ?

— Vous parlez de l'homme qui est à votre poursuite ? Vous pensez que ce sont ses initiales qu'elle a, tatouées sur sa poitrine ? Vous pensez qu'elle était acoquinée avec un tueur ? Qu'elle est venue ici avec lui ?

La porte de la clinique s'ouvrit et se referma. Amara reconnut la démarche élastique de McVey.

Jake se tourna vers son chef :

— Amara pense que Mina Shell est venue ici avec le tueur que vous recherchez. C'est la Mina de Caroline du Nord ou la Mina du Tennessee ?

— Ni l'une, ni l'autre, répondit McVey.

Amara examina le tatouage que Mina avait sur la hanche.

— C'est une étincelle, non ?

— On dirait, répondit McVey.

— Et la feuille qu'elle a sur l'épaule ? On dirait une plante vénéneuse ?

— De la ciguë. Je t'expliquerai pourquoi plus tard.

— D'accord, je me tais.

Jake recula, les mains en l'air en signe d'incompréhension.

— Elle me fait aussi peur que les dresseurs de corbeaux.

— Mina…

Amara prononça ce nom avec une tristesse mêlée d'incrédulité.

— Je crains que tu n'aies compris, Chaperon rouge.

Son estomac se tordit. Un froid glacial la pétrifia.

— Excusez-moi, là, mais je ne pige pas, intervint Jake.

— W.S., murmura Amara. Je suis prête à parier que Mina est le diminutif de Wilhelmina. Ce qui voudrait dire que Mina Shell est bel et bien Willy Sparks.

16

— Qu'aurais-tu fait, McVey, si Mina Shell, alias Willy Sparks, n'avait pas eu son passeport sur elle avec son vrai nom ?

Amara faisait les cent pas dans la cuisine de sa grand-mère.

— Aurais-tu adressé une photo de son cadavre à Jimmy en demandant à ses gardiens de prison d'observer sa réaction ?

McVey s'empara d'une chaise et s'y assit à califourchon.

— Cela n'a pas été nécessaire. On a retrouvé son sac dans l'appartement qui servait de pied à terre à Westor... Tu avais raison à propos de Willy et de Westor.

— Ils devaient être ensemble dans la ruelle au pire des moments... enfin pour eux !

Elle pointa un doigt sur lui.

— Mais revenons-en à Willy. Sans son passeport, l'aurais-tu identifiée ?

— Le passeport et les tatouages mis à part, Willy Sparks avait une cicatrice sur le côté, résultat d'une appendicite.

— J'ai vu cela. Elle a au moins dix ans. Tiens... Cela me fait penser que les hôpitaux gardent tous les dossiers dans leurs ordinateurs.

— Et, curieusement, les criminels se font opérer sous leur véritable nom. En plus, à dix-huit ans, les filles ne savent pas qu'elles deviendront éventuellement des tueuses à gages pour leur oncle après la fac.

— Je n'en suis pas aussi sûre que toi. Moi, à dix-huit ans, je savais exactement ce que je voulais faire plus tard.

— L'appendicite de Willy a été opérée en urgence. Elle n'a pas eu le temps de se forger une fausse identité.

Amara sourit.

— J'aime un homme brillant.

— Peut-être, mais il est toujours bon de vérifier. C'est comme pour la photo, j'aurais pu l'envoyer à Jimmy Sparks… mais cela aurait été par pure méchanceté.

— C'est sans doute mieux ainsi. Le lieutenant Michaels disait que la santé de Jimmy se dégradait de plus en plus depuis son incarcération. Voir sa nièce à la morgue va le traumatiser.

Elle fronça les sourcils.

— Je ne serais pas en train de m'apitoyer sur le sort d'un truand qui a assassiné de sang-froid une call-girl et trois personnes que je connaissais ?

— Tu es médecin, c'est normal que tu éprouves une certaine compassion.

Un sourire aux lèvres, McVey marcha vers elle et prit sa main.

— Tu es une femme bien, tu sais.

Elle observa leurs mains jointes.

— Pourquoi ai-je encore peur ?

— Parce qu'il reste des questions sans réponse, Chaperon rouge.

— C'est vrai que l'on ne sait toujours pas qui a tué Willy Sparks et Westor Hall. A moins qu'ils ne se soient entretués.

Elle réfléchit deux secondes et poursuivit.

— Willy a peut-être vu Westor lancer un cocktail Molotov sur le Red Eye. Elle l'aura visé et ils auront appuyé sur la gâchette en même temps.

— Ta théorie tient la route si ce n'est que Westor ne se servait que de poignards et de fusils. Or, Willy a été tuée par un Luger.

— Et Westor ?

— Un Luger aussi.

Elle fit une grimace de dépit.

— Ah ! Si Willy n'est pas dans le coup, puis-je conclure qu'oncle Jimmy ne me fera aucun mal ? Ou a-t-il un plan B et dois-je encore me méfier ?

— Je pense qu'il ne sait pas encore pour Willy, sauf s'ils étaient convenus d'un rendez-vous qu'elle a manqué.

— Ce qui veut dire que ma famille et moi ne craignons plus rien.

— De Jimmy Sparks ? Non, rien. Pour l'instant. Mais de l'autre tueur mystérieux ? Cela dépend de son mobile et, jusqu'à présent, nous l'ignorons.

Elle lâcha la main de McVey et se prit la tête à deux mains.

— Je suis perdue. Tu me dis que Willy et Westor ont tous les deux été tués par balle dans la ruelle en face du Red Eye, le soir où le bar a été incendié. Que faut-il en déduire ? Que c'est le personnage mystérieux qui a tué Hannah qui a aussi mis le feu au bar, ou quelqu'un d'autre ?

McVey reprit la main d'Amara.

— Personnellement je crois — mais cela ne repose sur rien — que l'assassin de Hannah et le pyromane sont une seule et même personne.

— Il y aurait donc deux tueurs. L'un d'eux est Willy Sparks, elle est morte… Je te jure que ma tête va exploser.

Il prit son menton dans le creux de sa main et lui releva la tête pour l'embrasser.

— Encore…, susurra-t-elle.

Elle agrippa la ceinture de son pantalon et le poussa vers l'escalier.

— Les dresseurs de corbeaux organisent une grande parade à Raven's Hollow au coucher du soleil. Je pense qu'il faudrait que tu sois sur place pour calmer les ardeurs policières de Jake. Il veut tous les mettre sous les verrous. Mais on a encore du temps. Le soleil n'est pas près de se coucher.

Elle monta une marche, l'attira à elle et lui mordilla les lèvres.

— J'ai très envie de faire l'amour, McVey. Ici, maintenant, tout de suite.

Elle l'embrassa fougueusement en ondulant contre lui.

Les yeux fiévreux, il répondit à ses baisers avec encore plus d'ardeur, puis l'adossa au mur et la prit, là, dans l'escalier, exactement comme elle le désirait.

Faire l'amour à Amara fut le seul moment de bonheur de cette journée débordante de problèmes. A un degré infiniment moindre, il put savourer le plaisir de retrouver le sac de Willy avec quelque cinq cents dollars dans son portefeuille, une carte de crédit, son passeport, un poudrier, quatre tubes de rouge à lèvres rose bonbon et les clés d'une Jeep. Il envoya les jumeaux Harden enquêter sur ce point.

Amara était assise d'une seule fesse sur un coin de son bureau.

— Crois-tu que Westor et Willy se connaissaient déjà le jour où il m'a menacée dans la pharmacie ?

— A mon avis, cela ne faisait pas longtemps que Westor se trouvait à Raven's Hollow. Quant à Willy, on sait qu'elle était arrivée depuis peu. Je dirais donc non. Tu as dit qu'il l'avait attrapée par le cou ?

— Oui, il lui a passé le bras autour du cou.

— Il y a des gens que les rencontres sauvages stimulent sexuellement.

La remarque la fit rire.

— *No comment.*

Elle le regarda, sourire en coin.

— Westor pouvait-il savoir qu'il ferait l'amour avec un tueur ?

— Sûrement pas. Primo, Willy ne le lui aurait pas dit, secundo, s'il l'avait su, il serait parti en courant. On n'est pas fier quand on apprend ce genre de chose. Tu sais, tu meurs. Westor n'avait pas envie de mourir.

— N'empêche qu'il est mort.

— Pas par les mains de Willy Sparks.

— Et nous voilà revenus au point de départ. Ecoute, je vais aller passer quelques heures à la clinique, m'occuper des malades. Pendant ce temps-là, je penserai à autre chose.

— A ce propos, Jake s'est cassé une dent à midi. Je l'ai envoyé voir le dentiste à Bangor.

Il posa la main sur le bras d'Amara et le caressa.

— Je ne tiens pas à te savoir seule à la clinique.

Elle écarta son bras et partit vers la porte.

— Willy est morte, McVey. Et même si les morts pouvaient se réveiller, il faudrait qu'elle fasse du stop pour revenir ici me narguer. A ton avis, qu'avait-elle l'intention de me faire ?

Il se leva de son siège.

— On se fiche de ce qu'elle avait en tête. L'important c'est qu'elle n'ait pas réussi à exécuter son plan.

Amara poussa un profond soupir.

— Tout compte fait, je crois que j'aime assez la logique des policiers.

Elle se hissa sur la pointe des pieds et lui embrassa la joue.

— Je vais laisser Brigham jouer les chiens de garde. De toute manière, c'est ce qu'il fait depuis que nous sommes là.

— C'est l'avantage d'être accepté par les dresseurs de corbeaux.

Elle l'embrassa de nouveau.

— Je te retrouve avant la grande parade. J'ai un dossier concernant la grossesse de Megan et la sage-femme qui s'est occupée d'elle à examiner.

Quant à lui, il avait la responsabilité de maintenir l'ordre dans deux villes bondées de spectateurs. Et une affaire de meurtres sur les bras.

A l'institut médico-légal, on avait trouvé un taux d'alcool très élevé dans le sang de Hannah. Mais ni poison ni aspirine. Compte tenu de la position de son corps, il ne pouvait s'agir que d'un homicide.

Donc, était-ce le tueur au Luger qui l'avait abattue ou se trouvaient-ils face à deux meurtriers ?

Le chef du lieutenant Michaels l'avait appelé dans la matinée. Michaels avait été empoisonné par un dérivé de la ciguë, du nom savant de *conium*, une toxine habituellement injectée aux victimes sous forme liquide. Cela expliquait sans doute la feuille de ciguë tatouée sur le corps de Willy. Il avait suffi que Michaels absorbe une gorgée du liquide qu'elle avait empoisonné au préalable pour qu'il décède sur-le-champ. Westor et Willy, pour leur part, étaient morts de manière beaucoup plus évidente.

Le téléphone du poste sonna alors qu'il sortait les dossiers concernant Westor et les Sparks. Il jeta un coup d'œil au petit écran du combiné et ne put retenir un juron.

— Holà, beau gosse, dit une voix qu'il connaissait bien.

— Non, je ne peux pas t'accorder comme ça une licence pour vendre de l'alcool dans la rue, Yolanda.

— C'est pas sympa, McVey, gronda-t-elle. Tu sais bien que c'est l'occasion de l'année. Je disais, il y a un instant, à oncle Lazarus que ce serait très facile de monter une tente et d'installer des tables et des chaises à l'intérieur. Une espèce de fête de la bière. J'ai des réserves. La cave du Red Eye n'a pas brûlé.

Il faillit l'envoyer sur les roses mais se retint.

— D'accord, mais à une condition. Envoie-moi par e-mail un plan qui tienne debout. Je l'étudierai et te donnerai une licence pour demain.

— Ce sera trop tard, répliqua-t-elle d'un ton de plus en plus agressif. Les dresseurs de corbeaux auront déjà vendu leur bibine à plus de la moitié de la ville et les autres iront chez Two Toes Joe, à Raven's Cove. Je ne peux pas me permettre de perdre des clients.

McVey pianota sur son clavier d'ordinateur, ne releva rien d'intéressant et fit des ronds avec ses épaules pour se détendre car la tension montait en lui.

— Ecoute, je vais te donner un conseil, mais tu ne diras pas que ça vient de moi. Pourquoi tu ne demandes pas à Brigham de vendre le sang de corbeaux dans le Red Eye une fois qu'il sera reconstruit ? Mettez-vous d'accord, et les dresseurs de corbeaux te laisseront bien un ou deux tonneaux pour ton petit commerce temporaire. De cette façon, tes clients reviendront. Demain.

— Je n'aime pas les dresseurs de corbeaux, McVey. Mon frère dit qu'avec une seule bouteille de leur whisky on pourrait faire tomber tout un pan de la montagne de Bellam. Oui, il dit que ce serait même plus efficace que la nitroglycérine ! Il dit aussi que, si le malade qui a fait sauter mon bar avait été plus malin, il en aurait mis dans son cocktail Molotov. Pas besoin d'essence quand on a le whisky des dresseurs de corbeaux !

— Bon, envoie-moi ton plan.

— McVey…

Bon sang… Elle allait le lâcher, oui ou non ?

— Ecoute, Yolanda, je suis occupé. J'ai à faire.

— Tu sais qu'elle ne restera pas. De toute manière, tu ne serais pas heureux avec elle si elle restait. Je dis bien *si* parce qu'avec Jimmy Sparks à ses trousses… Tu sais qu'il veut la tuer…

Oh la langue de vipère ! se dit-il tout bas.

— Mon bar est parti en fumée à cause d'elle.

— Ton bar a brûlé parce que quelqu'un — qui n'est pas Amara — a disposé des explosifs à l'intérieur et lancé des bombes incendiaires dans les fenêtres. Parle avec Brigham pour le sang de corbeaux. Désolé, je dois te laisser, j'ai du travail.

Il lui coupa la parole alors qu'elle protestait, et se reprocha de ne pas être gentil avec elle, mais il n'avait pas le temps. Le dossier de la police sur Jimmy Sparks était plus important que son petit business de vin.

Il se plongea dans le travail jusqu'à ce que les jumeaux Harden passent leurs têtes par la porte.

— Un problème, chef.

— Blume, Bellam ou un dresseur de corbeaux ?

— Les dresseurs de corbeaux. Tous les six. Ils sont en train de devenir fous.

Et voilà, songea McVey. C'était pour cela qu'il était venu dans le Maine. Dans quel autre endroit du globe deux légendes, celle d'un humain mué en corbeau et celle d'une sorcière folle pouvaient-elles encore inciter des gens à en venir aux mains ? Nulle part ailleurs qu'entre ces deux villes, en ce lieu où ces légendes étaient nées.

Ce lieu où la personne qu'il avait été, un jour, était née elle aussi.

*
* *

Amara travailla à la clinique jusqu'à ce que Brigham commence à ronchonner. Il avait faim.

— Il y a une roulotte, un camion et deux wagons aménagés sur Main Street et devant la place. Marta fait des saucisses, avec des pommes de terre et des épices qui barbotent dans le jus. Ça sent bon à mourir.

Ils sortirent donc en ville, où l'agitation battait son plein.

— Humm, ça sent vraiment bon. Je meurs de faim, dit-il en reniflant les relents de graisse. Ça m'étonne après avoir vu un homme avec de la mycose aux doigts de pied.

Elle rit.

— Sais-tu si McVey est là ?

— Non, il est parti en voiture à Raven's Cove jeter un coup d'œil. Il délaisse son bureau, ces jours-ci.

— Merci. Tu cherches à me culpabiliser un peu plus ?

Il lui donna un coup si violent dans l'épaule qu'elle heurta un des wagons.

— Les gens de Raven's Cove sont surtout des Blume. Ils sont habitués à ne pas avoir de chef de la police. Raven's Hollow est beaucoup plus agité. Evidemment, ce sont des Bellam là-bas.

— Au risque de paraître mesquine, vous, les dresseurs de corbeaux, vous vivez surtout dans la montagne et profitez du festival pour descendre vous remplir les poches.

— Tu sens ? demanda-t-il en s'arrêtant. Attends-moi là. Je vais m'acheter une part de ragoût de ma cousine Imogène. Reste dans la lumière.

Rester dans la lumière ? faillit-elle répéter. A Bangor peut-être. Mais là, que ce soit à Raven's Cove ou à Raven's Hollow, les réverbères diffusaient une lumière chiche.

Attirée par une odeur de gâteaux chauds, elle s'approcha d'une voiture rouge et noire surmontée d'une collection de corbeaux articulés devant lesquels elle s'extasia. Ces objets, de vraies curiosités, conjuguaient à la fois qualités artistiques et ingéniosité. Soudain, son téléphone sonna.

McVey, pensa-t-elle tout de suite. Malheureusement...

— Bonjour, oncle Lazarus. Désolée, je n'ai pas pu m'occuper

des affaires de Hannah. Je les apporterai au motel dès que McVey reviendra de Raven's Cove.

Une sorte de râle sur la ligne l'inquiéta.

— Oncle Lazarus ?

— Amara… je… ça doit être mon cœur. J'ai… pris mon comprimé, mais…

McVey apparut alors. Il descendait de voiture et accourait déjà vers elle.

— Quand l'as-tu pris, oncle Lazarus ?

— Il y a cinq, dix minutes.

Il était essoufflé. Son cœur ?

— Respire aussi calmement que tu peux et essaie de ne pas bouger. Où est R.J. ?

— Il est allé à Raven's Cove… L'est toujours là-bas.

Amara fit signe à McVey de remonter dans son pick-up.

— Un problème ?

Elle posa la main sur l'appareil.

— C'est oncle Lazarus. J'ai peur qu'il ait une crise cardiaque.

— Motel ?

Elle fit oui de la tête et s'adressa de nouveau à son oncle.

— Tu restes en ligne. Ne bouge pas, détends-toi et respire doucement. Tu es assis ?

— Oui.

— Bien. Ne bouge surtout pas, et pas de gestes inconsidérés.

— Inconsi…

Il se tut.

McVey héla un des Harden. Le jeune adjoint opina et partit en courant. Amara monta dans la voiture et posa sa sacoche de médecin sur ses genoux.

— Oncle Lazarus, as-tu le numéro de portable de R.J. ?

— Je me… rappelle pas. Est enregistré dans mon téléphone.

— Bien. Je suis avec McVey. On arrive. Un quart d'heure et on est là.

— Un quart d'heure…

McVey brancha le gyrophare et la sirène. Amara appela police secours.

Le brouillard qui rasait le sol de Raven's Hollow quelques minutes plus tôt montait et les ralentissait. Des nuages bien noirs semblaient accrochés à la lune pour assombrir davantage encore la route. On était en mai, mais on se serait cru en octobre s'il n'y avait eu les feuilles vertes sur les arbres. Etonnée de penser temps et météo quand son oncle était sans doute victime d'un infarctus, elle hocha la tête.

— Il n'a pas dit qu'il avait mal. Mais il avait le souffle court. Cela arrive qu'on n'ait pas tous les symptômes à la fois. A ton avis, McVey, il faut combien de temps aux secours pour arriver ?

— Si on prend la vieille route, on peut gagner entre cinq et huit minutes.

— Ce serait bien.

Jamais de la vie elle n'aurait imaginé qu'un véhicule puisse naviguer au milieu de nids-de-poule assez profonds pour engloutir un homme tout entier. Et pourtant… Fallait-il que McVey soit un pilote émérite !

Quelques cahots et cinquante nids-de-poule plus loin, ils étaient presque arrivés au motel.

— Oncle Lazarus ? appela-t-elle dans son portable.

Pas de réponse.

Des picotements dans la nuque, elle observa les alentours.

— Quelque chose ne va pas, déclara McVey. Tu le sens ?

— Oui, mais ça n'a rien à voir avec mon oncle, enfin, pas totalement. C'est autre chose. J'examinais une patiente cet après-midi quand, brusquement, mon esprit s'est évadé. Cela ne m'arrive jamais. Je ne sais pas où il voulait aller, mais il n'est jamais arrivé. Je m'interroge : est-ce du stress ou la bizarrerie des lieux qui me rattrape ?

— C'est certain, tout est bizarre ici.

— Ce n'est pas exactement ce que… Oh !

Elle plaqua la main sur son cœur.

— Ça y est, nous y sommes.

Une lumière était allumée dans la chambre de son oncle. Prenant sa sacoche, elle descendit de voiture et courut à la porte. La main sur la poignée elle allait ouvrir quand, brusquement, le sol se déroba sous ses pieds. Manquant d'air, elle suffoqua et, sans comprendre comment, atterrit sur McVey dans la terre et les cailloux.

Incapable de parler, le souffle court, elle pouvait à peine respirer. De toute façon, McVey lui avait plaqué la main sur la bouche et roulait avec elle sur le côté.

— Il y a quelqu'un à l'intérieur.

Reprenant ses esprits, elle comprit la situation. Ils n'étaient pas seuls. Elle essaya de dégager son bras, mais McVey la tenait très serrée.

— Pas de bruit, chuchota-t-il, en la lâchant finalement.

Elle avala une bonne bouffée d'air. Il faisait frais et c'était bon. Elle avait les jambes en coton et le cœur battant à tout rompre, mais le sol ne se dérobait plus.

— As-tu vu oncle Lazarus ?

— Il est effondré sur la table.

Tout en parlant, McVey dégaina son Glock.

— J'ai une autre arme dans ma botte gauche. Prends-la et reste derrière moi, bien baissée.

Qui était à l'intérieur ? La question tournait dans la tête d'Amara. Sans doute était-ce la personne qui avait assassiné Hannah ?

Arrivé tout près de la fenêtre, McVey se releva légèrement et dirigea son arme vers le ciel.

Il y eut un craquement derrière le motel. Un craquement suivi d'un claquement et du ronflement d'un moteur qu'on lançait très fort.

Son Glock visant toujours le ciel, McVey cria.

— Entre. Portes fermées. Stores baissés. Lumière minimum.

Il lui lança ses clés.

— Prends ma voiture pour l'emmener si nécessaire.

— Oui… oui, d'accord. Fais attention à toi.

Elle donna un bon coup d'épaule dans la porte pour l'ouvrir.

— Oncle Lazarus ?

Elle mit le verrou, descendit les stores mais laissa la lumière dans la kitchenette. Il fallait qu'elle voie.

Elle posa l'arme de McVey et son portable, s'agenouilla auprès de son oncle et prit son pouls. Il était filant et trop rapide. Beaucoup trop rapide.

De sa main gauche, elle ouvrit sa sacoche et sortit son stéthoscope qu'elle posa sur la poitrine de son oncle.

Son cœur battait trop vite, mais il n'y avait pas d'autres signes inquiétants.

Elle lui souleva les paupières et réfléchit, assise sur ses talons.

Son oncle souffrait d'arythmie cardiaque et était soigné pour cela.

— Je veux voir tes médicaments, oncle Lazarus, marmonna-t-elle.

Elle éteignit dans la kitchenette et alluma en grand dans la salle de bains.

— Tu vis comme un ermite, mon cher oncle. Tu pourrais peut-être t'offrir une chambre moins spartiate.

Mais elle connaissait son oncle et savait ce qu'il aurait répondu, comment il aurait ri s'il l'avait entendue.

Son envie de sourire s'évanouit dès qu'elle ouvrit l'armoire à pharmacie. Elle poussa un cri en même temps que sa vue se brouillait.

17

Le moteur de la Dodge 1954 de Lazarus Blume continua à ronfler longtemps après avoir été arrêté. McVey, qui se tenait au volant, jeta un œil par la fenêtre arrière, vers le motel.

Il savait quand il y avait un piège. Il savait aussi distinguer quelque chose qui bougeait. Justement, quelque chose venait de se déplacer à l'angle du motel. Dans l'ombre. Cela n'aurait pas été ennuyeux s'il n'y avait eu une vingtaine de pick-up de dresseurs de corbeaux garés juste devant lui comme pour lui barrer la route.

Les gaz d'échappement noirs et nauséabonds du véhicule de Lazarus, ajoutés au brouillard qui flottait bas, empêchaient de voir ce qui se passait vraiment.

McVey sortit donc de la Dodge 1954 et se dissimula autant que possible. Au loin, quelqu'un longeait une roulotte. Apparemment, il cherchait quelque chose.

Ou quelqu'un, songea McVey.

L'arrêter ne présentait pas de difficultés.

Après s'être faufilé entre deux petits camions, il contourna un gros wagon et attendit. Comme il le pensait, l'individu déboucha devant la voiture. Sans hésiter, McVey lui sauta dessus et vissa son arme dans sa tempe.

— Alors, R.J., dit-il doucement. On joue les avions furtifs ?

Surpris, le neveu de Lazarus se pétrifia, mains en l'air.

— Ne tire pas, McVey. Je ne cherche pas la bagarre. Je suis venu ici, comme toi, c'est tout.

— Dans la voiture de ton oncle ?

— Non, avec la mienne. Elle est garée un peu plus loin,

devant la porte 10. Je suis venu ici voir ce qui se passait quand j'ai entendu la Dodge de mon oncle démarrer. Il n'a pas le droit de conduire la nuit.

— Il n'est pas là, lui apprit McVey. Il n'y a personne dans la voiture. Le pick-up est là comme leurre. Idem pour les lumières allumées à l'intérieur et pour le moteur qui est en route. Lazarus chouchoute son auto. Il ne la prête jamais à personne. Comme je te l'ai dit, je trouve tout cela bizarre.

— Je peux baisser les mains maintenant ? s'enquit R.J.

— Vas-y.

McVey observa le wagon puis le pick-up et enfin la caravane.

— As-tu vu quelqu'un ces cinq dernières minutes ?

— Non, personne. Mais un camion ne démarre pas tout seul et tu ne rôderais pas comme tu le fais avec une arme s'il ne se passait pas quelque chose dans les parages. Alors ?

— Je te dirai quand je saurai.

Il comprit, mais une seconde trop tard, et ne put esquiver. Une couleur bleue passa devant ses yeux, lui arrachant un juron contre lui-même. Comment avait-il pu ne pas deviner la trahison ? Le whisky des dresseurs de corbeaux enivrait trop vite et pouvait faire beaucoup plus de mal que des trous à l'estomac. Foutument plus !

Alors qu'une douleur violente lui vrillait la tête, il pensa à Amara. Elle était à l'intérieur du motel, dans la chambre de son oncle. Elle ne risquait plus rien de Willy Sparks, mais elle risquait le pire d'un tueur bien plus proche. Un tueur dont les motivations et les méthodes imitaient celles d'une sorcière complètement folle, morte depuis la nuit des temps.

— Oncle Lazarus !

Désespérée, Amara le secoua violemment. Elle fit le tour de la pièce des yeux.

— Réveille-toi ! Il faut que tu te réveilles, que l'on puisse sortir.

Elle se releva, le regard fixé sur le sol.

— Oncle Lazar…

Elle ne put terminer le mot. Dans le cadre accroché au mur, un reflet attira son attention : on bougeait, dehors. A peine. Elle n'eut que le temps de se baisser, une balle venait de traverser la fenêtre et se fichait dans le mur près du cadre.

Par réflexe, elle se cacha sous le plaid râpé qui recouvrait le canapé. Une deuxième balle la frôla. Ce n'était pas son oncle qui était visé.

C'était elle.

Il fallait à tout prix qu'elle sorte de là. Il devait y avoir une autre issue que l'entrée principale.

On ne panique pas, se dit-elle. *On reste calme et on réfléchit.*

Elle tourna la tête à droite puis à gauche. Eurêka ! Là, dans la kitchenette, il y avait une fenêtre. Si elle réussissait à l'ouvrir, elle se glisserait à l'extérieur. Elle serait sauvée.

Essayant de ne pas se faire voir, elle avança jusqu'à la fenêtre qu'elle manœuvra pour la faire coulisser.

Coup d'œil dehors. Apparemment rien, hormis le brouillard et les dizaines de voitures des dresseurs de corbeaux. Deux balles traversèrent encore la chambre. Elle escalada la fenêtre et sauta de l'autre côté. Elle avait envie de hurler, de courir, mais il valait mieux qu'elle se cache jusqu'à ce que le danger s'éloigne.

Se ressaisissant, elle s'accroupit sans faire de bruit et, comme tout tournait autour d'elle, respira à fond. Elle avait des frissons dans le dos, la chair de poule sur les bras et des griffes lui enserraient la tête.

La peur n'arrête pas le danger, se répéta-t-elle tout bas. *Pense à McVey.*

Son pick-up n'était pas loin. Si elle parvenait à aller jusque-là, elle pourrait… elle pourrait quoi ? Partir. Non.

Pour une raison simple : il s'agissait d'une vengeance — cela ne pouvait être que ça. On se vengeait d'elle pour ce qu'elle avait fait étant enfant.

Depuis son retour, elle avait échangé des mots aigres avec Yolanda. Avec Jake aussi.

Des araignées, se rappela-t-elle. Cela faisait longtemps. Yolanda avait voulu la terroriser. Jake et Larry, le frère de Yolanda, avaient rempli un pot de créatures ignobles et l'avaient mis dans son lit. Jake, surtout lui, avait beaucoup ri de la mauvaise blague qu'ils lui avaient faite !

Jake et Yolanda étaient-ils amis dans leur enfance ? Et Jake et Larry ? Probablement pas. Mais, dans ce cas, pourquoi Jake avait-il participé de si bon cœur au plan de Yolanda ? A cause de son jeune frère Jimbo ?

Pour Jake, cela pouvait tenir lieu de motif.

Mais Jake avait-il une raison de vouloir la mort de Hannah ? Avait-il fait sauter le Red Eye ? Il avait pu quitter le bar sans que personne ne remarque son départ. Mais pourquoi détruire un lieu qu'il aimait tant ?

A moins que son objectif n'ait été de la tuer, elle, et de camoufler son meurtre en tuant plein d'innocents en même temps. Etait-il capable de pareille monstruosité ? Existait-il une personne capable d'un geste aussi abject ?

Il devait y avoir autre chose.

Le « quelque chose » qu'elle avait mentionné à McVey se précisa dans son esprit. Au fait, où était McVey ? Et les secours ? Cela faisait une demi-heure au moins qu'elle avait appelé. Ils auraient dû être là.

Pourquoi donc avait-elle laissé l'arme de secours de McVey et son portable dans la chambre de son oncle ?

Assez, se dit-elle. Ce n'était pas dramatique. Elle avait les clés de McVey dans sa poche et il y avait une radio reliée à la police dans son pick-up. Elle allait appeler les jumeaux Harden à l'aide.

Elle attendit que des nuages cachent la lune et, prenant son courage à deux mains, partit en courant. Sans incident, elle atteignit la voiture, l'ouvrit et grimpa sur le marchepied. Des douzaines et des douzaines d'araignées couraient sur le siège.

Elle fit un bond en arrière comme si elle avait reçu une décharge électrique.

Des araignées dans la voiture de McVey. Des araignées dans

l'armoire à pharmacie de son oncle. Ça ne pouvait pas être Jake Il avait toujours été amer et méprisant à son égard, pour ne pas dire hostile, mais ce genre d'acte ne lui ressemblait pas. C'était une tête brûlée et les têtes brûlées, en général, étaient des réactifs primaires. Ces gens-là agissaient sous l'effet d'une pulsion et voulaient le résultat sur-le-champ.

Le « quelque chose » mal défini qu'elle avait cherché à identifier toute la journée lui sauta aux yeux alors qu'elle traversait le parking en sens inverse. Grâce à la barbe à papa rose dessinée sur l'une des baraques. Rose. Comme la marque d'un rouge à lèvres rose sur le verre dans la cuisine de Hannah. Un rose bonbon. Comme le rose du rouge à lèvres que portait Willy Sparks et…

— Encore un pas, Amara, et tu es morte.

La voix lui donna envie de réagir, mais Amara s'arrêta parce qu'elle savait. Ce n'était pas une menace en l'air. Pas quand trois personnes étaient mortes et qu'un bar avait été réduit en cendres.

Le gravier crissa sous des pas. Yolanda tenait un revolver, le visage bouffi de haine.

McVey luttait pour refaire surface. Hélas, pour reprendre pied, il fallait qu'il se débatte au milieu de marmites fumantes, de choses noires dégoulinantes et qu'il surmonte la terreur d'une petite fille qui, dégagée des bras d'une femme, s'enfuyait du grenier de Bellam Manor.

A travers les yeux de l'enfant, il monta des escaliers qui n'en finissaient pas tandis que le ciel était déchiré par des éclairs aveuglants.

Les falaises hautes lui faisaient signe d'approcher, mais il les fuyait, sautant par-dessus les rochers et les racines qui encombraient le sol pour gagner le pont.

Pourquoi avait-il choisi cette direction ? Il ne le savait pas mais, quand un corbeau se mit à voler au-dessus de lui, il comprit. L'oiseau le guidait. Vers la mort ou le contraire ? L'esprit trop embrouillé pour penser, il fit confiance au corbeau et le suivit avec l'espoir qu'il l'emmenait loin de la folle qui le poursuivait.

— Tu dois traverser le pont de Bellam, Annalee.

Le corbeau se tut. Mais depuis quand un corbeau parlait-il ? Ou bien, était-il devenu fou, lui, McVey ?

— Tu dois le traverser. Elle ne le peut pas.

Mais le pont avait été endommagé par les tempêtes successives et plus personne ne le traversait dorénavant, l'enfant qu'avait été McVey le savait.

— Cours, Annalee, insista le corbeau.

Il se posa sur un pieu vermoulu et battit des ailes.

— Tu dois le traverser. Tout de suite.

McVey se retourna : elle arrivait. Sarah, enragée, les bras tendus, les yeux fous.

— Vas-y, se décida-t-il.

Et il s'élança.

Le pont branlant tanguait, se balançait, craquait, faisait des bruits inquiétants qui dominaient le fracas du tonnerre, mais il ne céda pas, pas même quand McVey tomba lourdement sur les genoux et les mains.

— Cours, Annalee, répéta le corbeau. Je ne lui permettrai pas de quitter la montagne. Elle s'est construit une prison, elle y restera.

McVey trébucha une nouvelle fois mais se rattrapa à un pieu. Trop angoissé pour se retourner, il enjamba une planche cassée et atterrit les quatre fers en l'air, de l'autre côté.

Sarah hurla dans le vent.

— Il est à moi. Rien qu'à moi. De droit. Tu m'entends ? Il est à moi !

— Tu n'as plus rien à craindre, lui dit le corbeau calmement. Sois rassuré et sache que celle qui te voyait, qui nous voyait tous, restera à jamais cloîtrée dans son grenier. Elle ne verra plus rien d'autre que le monde qu'elle s'est créé.

* *
*

McVey n'en menait pas large pour autant. Inquiet, il se retourna : Sarah enjambait la première planche du pont.

Trois planches plus loin, celui-ci s'écroulait. Sarah tomba, mais dans sa chute réussit à saisir une poutre. Hurlant, jurant, elle appela à l'aide. Ses cris conjugués avec les bourrasques et le grondement du tonnerre sortirent McVey de son cauchemar.

— Amara !

Son nom vibra, tel un coup de tonnerre dans sa tête. Il se leva, titubant comme un homme après trois jours passés à boire.

Il se trouvait dans le motel. Par terre, près de lui, R.J. se tordait en geignant. Il avait du sang à l'épaule. Mais McVey devait suivre le pick-up de Lazarus qui filait vers la vieille route.

— Vas-y, McVey !

Haletant, R.J. se releva sur un coude.

— Je vais me débrouiller. Trouve le salaud qui a fait le coup et mets-lui une balle dans la tête de ma part.

McVey essuya le sang de sa joue.

— Pas lui. *Elle.* Veille sur ton oncle si tu peux. Je vais essayer de trouver Amara.

Furieux contre lui-même, il pesta de ne pas avoir compris plus tôt.

— Et Yolanda.

18

Les collines et les bois disparaissaient dans le brouillard. Le paysage avait quelque chose d'irréel. Malgré sa peur — qui avait culminé quand Yolanda avait pointé son revolver sur elle — Amara savait où elles allaient. A Bellam Mountain.

Les mains ligotées dans le dos, les chevilles attachées par une corde qui lui entamait les chairs, elle ne pouvait pas bouger.

— Qu'as-tu fait à oncle Lazarus ? demanda-t-elle.

Yolanda lui fit une grimace.

— Je lui ai mis un truc dans son lait, évidemment. Après que R.J. fut parti pour aller au bar de Joe. Le traître, il aime bien se rendre là-bas.

— C'est R.J. que tu appelles le traître ?

— Je l'appelle comme je le vois.

Amara essaya de bouger, ce qui fit ricaner sa cousine.

— Essaie pas de te débattre, Amara. J'ai volé ces menottes à Jake et t'es pas près de t'en dépêtrer.

— Yolanda, tu es folle de faire ça. Et d'ailleurs, pourquoi ?

— La ferme ! aboya sa cousine.

Un sourire ravi lui illuminait le visage.

— J'adore donner des ordres et qu'on m'obéisse. Surtout à toi. Maintenant, réponds. Selon toi, qui de moi, de Jake ou de Larry a mis les araignées dans la salle de bains d'oncle Lazarus. Allez, réponds. C'est lequel ?

— Jake.

— Pourquoi Jake ?

— Pour se venger. J'ai fait peur à son frère Jimbo quand

il était petit. Toi, je ne te crois pas capable d'aller aussi loin et Larry a d'autres chats à fouetter avec ses tics et ses tocs.

— Tu dis ça parce que mon frère se promène nu la nuit. Ça prouve quoi ?

— Qu'il a des tics et des tocs. Il a beau être un Bellam, j'ai toujours su que Larry n'avait aucun pouvoir, quoi qu'il en pense.

— Et Jake ?

— Jake est trop macho. Il pense qu'aucune femme ne lui arrive à la cheville.

— Je te crois pas. Tu penses que c'est Jake qui a mis les araignées dans la salle de bains de l'oncle et pas moi parce que Jake est un garçon et moi seulement une fille.

Yolanda tapa sur le volant de la voiture qui fit une embardée.

— Tu peux me dire pourquoi les gens s'imaginent qu'il n'y a que les hommes qui tuent avec des armes à feu ? Les femmes empoisonnent, c'est ce qu'on dit. D'accord, je ne lui ai peut-être pas tiré dessus, mais je l'ai cognée avec la crosse de mon Luger. Un coup et *boum*, par terre. Pas besoin d'être musclée. Elle était complètement assommée quand je l'ai emmenée dans la partie centrale du manoir.

— Quoi ? Tu l'as fait marcher ? Avec sa jambe malade ?

— Elle ne marchait pas, elle boitait. Elle trébuchait. Elle riait comme une dingue. Si t'avais vu ça, Amara ! Mais t'inquiète ! On avait bu le whisky des dresseurs de corbeaux et, après quelques gorgeons de ce truc, tu ne sais même plus si t'as des jambes ou pas ! Ha ha !

— Si je comprends bien, tu l'as soûlée pour pouvoir la tuer tranquillement.

— C'était une vieille poivrote. Elle a mis trois doigts de whisky dans son café sans avoir besoin que je la pousse. Je lui aurais dit d'en mettre plus si besoin, mais il n'y a pas eu besoin de l'encourager. Une poivrote, je te dis.

Amara réussit à se pousser contre la portière pour observer sa cousine de profil.

— Ecoute, Yolanda, tu vas me trouver idiote, mais je ne comprends toujours pas.

— C'est que t'es idiote, alors !

Sa cousine lui lança un regard de côté.

— Ça oui, pour être idiote t'es idiote. A bouffer du foin !
Et c'est pour ça qu'il y a tous ces problèmes.

— Problèmes ? Tu parles des meurtres ?

Amara essaya de frotter ses menottes l'une contre l'autre,
mais il ne se passa rien.

— Tu es folle, ma pauvre Yolanda ! Qu'est-ce qui t'est arrivé ?

— Et toi, t'es une saucisse ! Il y a des gens qui meurent
tous les jours. Soit de mort naturelle, soit on les aide. Perso,
je préfère la deuxième formule. Et concernant ce que je t'ai
dit tout à l'heure sur les femmes et les armes à feu, Hannah
n'est pas la seule que j'ai aidée à passer l'arme à gauche ! Je
me suis aussi occupée du mignon au poignard qui faisait du
gringue à la bimbo au lieu de s'intéresser à moi. Je reconnais
que cette nuit-là est un peu floue dans ma tête, mais je crois
que je l'ai tuée, elle, avant lui. Tu me croiras si tu veux, mais
cette saloperie m'a visée en même temps que je la visais.
Heureusement, j'ai tiré la première. J'ai eu chaud. N'empêche,
quelles coïncidences bizarres !

Curieux, songea Amara. Yolanda semblait ignorer qui elle
avait tué dans la ruelle.

Comme elle ne parvenait pas à se libérer de ses menottes,
Amara décida de s'attaquer à la corde qui lui liait les chevilles.

Le paysage défilait, toujours dans le brouillard. Yolanda
conduisait de plus en plus vite, ignorant nids-de-poule et grosses
racines en travers de la route, indifférente aux dégâts qu'elle
devait causer au bas de caisse de la voiture.

— Yolanda… Aïe, doucement !

— Ça va, la cousine. Tu te tais. Et dis-toi que tu seras
bientôt morte.

— Ça, j'ai compris. Ce que je ne comprends pas, en
revanche, c'est pourquoi ? Qu'est-ce que je t'ai fait pour que
tu me détestes à ce point ?

— Je te déteste. Je te méprise. Je t'ai jeté des sorts, mais
aucun n'a marché, malheureusement.

Yolanda haussa les épaules.

— Il n'y a rien à comprendre.

— Je suis d'accord, nous ne sommes pas amies. Je n'ai jamais aimé le frère de Jake, mais je pense que le tuer aurait été un peu excessif. Je suppose donc qu'il y a autre chose derrière ce que tu fais.

Yolanda passa sur une branche tombée à terre, ce qui secoua violemment le pick-up.

— L'argent, l'argent, l'argent. Je veux l'argent, ma belle. Quand le vieux crèvera.

D'abord stupéfaite, Amara attendit quelques secondes pour répondre.

— Tout ça pour ça ? De l'argent ?

— Oui, l'argent du vieux. Il est plein à craquer, celui-là. Il n'y a pas plus riche que lui à Raven's Hollow et Raven's Cove combinés.

Le dernier morceau du puzzle se mettait en place. Enfin. Se rappelant alors le contenu de l'armoire à pharmacie, Amara ne put se retenir.

— Du Sunitibit et de l'Evolimus. Le premier médicament se trouvait au fond de la petite armoire. Il était plus ancien. Oh !

— Tu dis *Oh* parce que tu te rends compte de ta nullité ? Eh bien, tu as raison ! Ce n'est pas moi qui dirai le contraire. Donc, notre cher oncle décline gentiment. Rapidement plutôt. Sa santé est comme une vieille horloge qui sonne les dernières minutes de l'heure terminale.

Amara se maudit. Elle avait eu les médicaments sous les yeux le soir où elle avait cherché un pansement gastrique. Elle avait remarqué mais n'avait pas compris.

— J'ai vu l'arbre, dit-elle en soupirant très fort. L'arbre qui cache la forêt.

Yolanda tapa une nouvelle fois sur son volant.

— Encore ton jargon de médecin, je suppose ? Tu veux dire que ton petit cerveau n'a pas vu ce qu'un étudiant en première année de médecine aurait constaté au premier coup d'œil.

— Ces médicaments sont prescrits dans les cancers du rein.

On prescrit le deuxième quand le premier n'agit plus. Sauf qu'ici le nouveau aussi était périmé, ou presque.

Elle se redressa contre la portière.

— Oncle Lazarus a un cancer du rein !

— Exact. Avec des métastases à la vésicule biliaire et, merci petit Jésus, au foie. Comment est-ce que je sais tout ça ? Tu dois te le demander compte tenu qu'il n'en a parlé à personne.

— Tu as fouillé dans son bureau ?

— Non. Un jour, R.J. est tombé malade et oncle Lazarus devait aller en consultation à Bangor. Je lui ai proposé de l'emmener. Je l'ai conduit là-bas, je suis sorti du cabinet du médecin par discrétion. Il faisait beau, je suis restée sous la fenêtre dans une petite impasse qui ressemblait comme une sœur à celle où j'ai descendu le nul et la bimbo, et j'ai écouté le médecin dire à l'oncle qu'il fallait faire des analyses. Evidemment, oncle Lazarus fait toujours ce qu'on lui dit, y compris aller dans un labo pour des prélèvements, s'il le faut. La suite, je l'ai inventée et je suis tombée juste.

— Il voulait voir les résultats de ses yeux, dit Amara. Alors le labo lui a adressé des photocopies dès qu'ils ont été prêts.

— Exactement. Les résultats sont arrivés. L'oncle a bu plus que de raison quand il les a vus et il a bourré le coursier de coups de poing quand il l'a revu chez Joe au Two Toes Bar.

Amara n'en croyait pas ses oreilles.

— Tu as vu les résultats ou les as-tu imaginés ?

— Pas besoin de les voir. La violence de l'oncle en disait assez. J'ai vite compris que ce que j'avais imaginé était vrai.

— Donc, toutes ces morts, tous ces meurtres pour de l'argent ?

— Des montagnes de blé, Amara. Est-ce que tu te rends compte ? Des pyramides !

— Est-ce toi aussi qui as tué la sœur de Lazarus ?

— Tu parles de tante Maureen ? J'ai pas eu besoin. C'est la cigarette qui l'a tuée. Merci, tante Mau. Mais, je l'avoue, c'est sa mort qui m'a donné l'idée pour la suite. Ça a germé dans ma tête. Je me suis dit : dis donc, Yolanda, le vieux, il doit avoir un testament. Alors j'ai rôdé autour de chez lui, je me suis cachée et puis je me suis dit « la barbe ! » Un après-midi où je savais que R.J. et lui étaient à Bangor, j'ai fait ce que tu viens de dire, j'ai fouillé son bureau. Et là, jackpot !

Elle évita de justesse un daim et continua en pestant contre l'animal.

Elle regardait souvent dans son rétroviseur, remarqua Amara. Il n'y avait pourtant pas de phares derrière elles. Yolanda avait-elle vu McVey dans la soirée ? Vu et… Non, non et non, elle refusait de penser à une chose pareille.

— Evidemment, il t'a couchée dans son testament, reprit Amara.

— J'arrive en quatrième position. Notre vieil oncle pense que je serai aux anges si j'hérite du Red Eye. L'idiot ! Toi, t'es la deuxième sur les rangs, tu devais au départ recevoir Bellam Manor et une grosse somme d'argent. Pour Hannah, je ne me rappelle pas — elle était numéro trois dans l'ordre de succession. Le gros lot, c'était pour tante Maureen. Je vais te dire maintenant pourquoi j'ai fait ça. Dans son testament, oncle Lazarus a écrit : « si un des héritiers vient à décéder avant les autres, quelle que soit sa part d'héritage, celui ou celle qui arrive après lui dans l'ordre de la succession recevra la part du défunt ». C'est pas cool, ça ?

— Très cool, en effet.

Partagée entre dégoût et incrédulité, Amara ferma les yeux.

— Ainsi donc, tante Maureen étant morte, je suis devenue numéro un sur la liste. Et si je mourais, tout allait à Hannah.

— Moi et Hannah mortes, tu gagnais le gros lot.

— Gros ? Enorme, Amara. Enorme ! Mais je partagerai avec mon frère, bien qu'il soit très heureux de sa vie, là-bas dans les Rocheuses. Ça lui plaît de déclencher des avalanches en hiver et de s'occuper de sa sœur au printemps et en été. C'est une Bellam et elle est un peu bizarre, elle aussi. Je ne suis pas sûre qu'elle raisonne juste.

— En tout cas, dans l'ordre des langues de vipère, tu arrives des kilomètres avant moi.

— Merci, ma cousine.

— Non, ce n'était pas un compliment.

— Ah ? J'ai cru. Tant pis pour toi, je vais te faire souffrir deux fois plus avant de te tuer. Ça t'apprendra.

Elle poussa un soupir.

— McVey n'aura plus qu'à partir une fois que je t'aurai fait la peau.

McVey était donc en vie, pensa Amara. McVey était vivant !

— Tu es une sorcière, Yolanda. Tu es pire que le diable.

— Peut-être, mais je suis un diable intelligent. Tu veux savoir comment j'ai mis McVey KO ?

Elle souffla sur ses ongles rose bonbon et les essuya sur le revers de sa veste.

— Je l'ai attaqué avec la canne que l'oncle garde dans son pick-up. Fallait que je m'occupe de R.J. d'abord, évidemment. Que je le matraque mais pas complètement, juste assez pour le mettre hors d'état de nuire. Je sais, je sais, j'aurais dû viser McVey dans la foulée, mais j'ai vraiment essayé de régler tout ça sans faire trop de dégâts. Je veux dire — ça me tue, ha ha ! — de penser à tout ce gâchis. Le type est canon. Je n'arrive pas à me faire à l'idée qu'il est flic, malheureusement. Et quel flic !

— Et toi, une tueuse. Mais, dans ton domaine, tu ne lui arrives pas à la cheville.

— Je m'améliore, mais je suis encore loin d'être une championne.

— Parce que c'est ton objectif, Yolanda ? Etre championne de tir ?

— Oui, pour le fric, cousine. Une fois que tu as tué, c'est terminé. Si J.R. ne me reconnaît pas, il vivra. Il est couché sur le testament, mais il est plus bas sur la liste.

Elle écarquilla curieusement les yeux.

— Je n'ai pas besoin de tout, de presque tout seulement.

Amara hocha la tête, mais elle ne pensait qu'à une chose : Yolanda n'avait pas tué McVey. Elle l'avait assommé, mais il était vivant.

Et ils approchaient du pont de Bellam.

Elle fit semblant de ne pas voir le regard mauvais que Yolanda lui lançait, mais elle mourait de peur. Sa cousine ne changerait rien à son plan et les menottes de Jake refusaient de lâcher.

— Je t'ai observée le lendemain du jour où tu es arrivée, déclara soudain Yolanda. J'avais des jumelles et le vieux pistolet de Larry et j'étais dans un arbre près de la maison de Nana. A un moment, j'ai eu envie de vous tuer tous — oncle Lazarus, McVey et toi — très exactement quand vous étiez dans la cuisine. Mais j'ai réfléchi : si je vous ratais, surtout McVey, j'étais fichue. Et puis, c'est quand même un superbeau mec, ce type. Et un superbon flic.

— Il faudra que je me souvienne de le remercier de m'avoir sauvé la vie.

— Tu ne diras merci à personne, Amara. Parce que tu n'as plus que quelques petits jours devant toi. C'est tout ce que je t'accorde, quelques petits jours pendant lesquels je vais te faire crever de peur.

Elle attendit un court instant et reprit d'un ton sarcastique.

— Dis-moi — pardon d'être aussi curieuse — le mignon qui tenait un couteau, c'était un gars de Jimmy Sparks ?

— Non, c'était un ancien ennemi des gars de McVey.

— Je te ferais bien dire à McVey que je l'accueillerais avec plaisir chez moi mais, malheureusement…

Sans crier gare, elle se dressa et, appuyant des deux pieds sur la pédale de frein, stoppa net la voiture. Amara sauta et faillit traverser le pare-brise.

En riant, elle relâcha la pédale.

— La route s'arrête ici, Amara. Maintenant, on va marcher un peu.

Elle planta le canon de son Luger dans la tempe d'Amara qui se força à sourire.

— Dans mon cas, je vais plutôt sautiller.

Yolanda sourit elle aussi.

— Quand tu verras où on va, tu sauteras en effet !

— On ne va pas à Bellam Manor ?

— Ce serait trop cliché, cousine. Non, je connais trop bien le mauvais état du pont. Quant à comprendre pourquoi tu as voulu le traverser — et réussi — personne n'a jamais compris, ni à Raven's Hollow, ni à Raven's Cove. Mais tu vas recommencer.

Les yeux brillants, fous, elle enchaîna :

— Et, cette fois, tu vas tomber et tu mourras. Une mort tragique, dira-t-on.

McVey ne demanda à Brigham ni pourquoi ni comment il était venu au motel. Pas le temps. Il n'avait qu'une chose en tête : ramener Amara avant que Yolanda ne lui fasse du mal.

D'un revers de main, le dresseur de corbeaux chassa les araignées qui couraient sur les sièges et s'installa à la place du passager.

— On y va, dit-il empoignant le volant d'une main. Par là.

McVey avait beau vouloir l'ignorer, l'homme dominait la situation.

— Elle est des nôtres, McVey. Et je connais cette montagne mieux que personne.

Agacé, McVey laissa échapper une bordée de jurons.

— Le salaud, je lui ferai la peau.

— Demi-tour toute ! lança Brigham.

Bizarre ! Ils partaient en sens inverse de Yolanda. Si le dresseur de corbeaux se trompait, ou les fourvoyait volontairement, McVey ne donnait pas cher de sa vie.

Yolanda n'obligea pas Amara à sauter. Elle défit la corde qui lui enserrait les chevilles mais la noua autour de ses poignets. Elle enroula ensuite l'autre extrémité autour de sa propre main. Comme un toutou en laisse, pensa Amara.

— Au cas où il te viendrait à l'idée de vouloir t'échapper, crut nécessaire d'expliquer sa cousine.

Amara, qui s'était promis de ne pas paniquer, ne broncha pas. Sa cousine était tout simplement folle. Mais elle avait trop confiance en elle-même. Et les deux conjugués risquaient de la conduire à la faute.

Ne restait qu'à l'espérer.

Alors qu'elles approchaient du pont, le vent forcit. Pas assez pour chasser le brouillard mais suffisamment pour le déchirer par endroits.

— A ta place, je n'essaierais pas de crier, déclara Yolanda. McVey doit encore être KO vu le coup de canne que je lui ai flanqué sur la tête !

Amara scruta le pont.

— Qui cherches-tu à convaincre, Yolanda ? Toi ou moi ?

— J'ai une arme. Je t'ai avec moi. Si jamais McVey se pointe, je me charge aussi de lui. Jake dirigera le poste jusqu'au retour de Tyler de voyage de noces. Et alors… Tant pis, je m'abaisserai à dire à Jake que j'en pince pour lui depuis des années. Qu'en penses-tu ?

— Je n'en sais rien, je ne me suis jamais trouvée dans cette situation.

— Mauvaise ! Tu n'es qu'une teigne !

Pour se venger, Yolanda tira violemment sur la corde qui scia les poignets d'Amara.

— Ah. Parfait ! Voilà le pont de Bellam. Quelle ruine !

Yolanda planta un doigt entre les omoplates d'Amara, comme pour la pousser.

— Je fais le pari qu'avant dix pas tu seras tombée, lança-t-elle.

Puis elle leva les yeux au ciel.

— Oh mince ! Il n'y a plus de lune. Pas grave, j'ai ma lampe de poche. Pas question que je rate le final. Encore que… le vrai bouquet final, ce sera McVey et, s'il le faut, R.J.

Amara était incapable de détacher les yeux des planches vermoulues du pont.

— Ta conscience est-elle morte le jour où tu as tué Hannah ? demanda-t-elle à sa cousine.

La question laissa d'abord Yolanda pantoise puis elle déclara :

— J'ai tué Hanna *la nuit*.

De nouveau, elle piqua un doigt dans le dos d'Amara.

— Allez, avance !

— Tu tiens à ce que je meure avec des menottes ? A mon

avis, ça fera louche, même pour un policier limité intellectuel-
lement comme Jake.

— Tu sais que je vais prendre mon pied à te regarder tomber,
ricana sa cousine. Ce sera Noël en mai.

De sa main gauche, elle planta son Luger dans le dos
d'Amara et, de la droite, sortit d'une poche une petite clé et
ouvrit les menottes.

Celles-ci tombèrent. Yolanda détacha la corde des poignets
d'Amara et enfonça le canon de son arme plus profondément
dans son dos.

— Bon voyage, cousine.

Elle poussa Amara tellement fort qu'elle tomba à genoux
en se blessant.

Sans faire de bruit, un corbeau traversa alors le brouillard et,
toutes griffes dehors, agrippa le sommet de la tête de Yolanda.
Profitant de ce que sa cousine s'agitait en maudissant l'oiseau,
Amara fit un roulé-boulé.

Le corbeau repassa au-dessus d'elles mais, cette fois, Yolanda
le frappa avec son arme. L'oiseau lança un cri rauque, déploya
ses ailes et, bec ouvert, piqua vers le sol.

Furieuse, Yolanda fit pivoter son arme dans sa main et balaya
les arbres comme si elle avait tenu une torche. Prenant son
élan, Amara se précipita sur sa cousine et l'attrapa aux genoux.

Si le pont avait été sensible aux vibrations, songea Amara,
les hurlements de Yolanda l'auraient sûrement fait s'écrouler.

Couchée sur le côté, elle cisaillait l'air de coups de pied
rageurs. Finalement, elle réussit à agripper Amara et lui asséna
un coup avec le talon de sa botte.

Un voile de brouillard poussé par le vent vint les séparer
brusquement. C'était le moment d'en profiter pour fuir. Hélas,
pour ne pas être vue, Amara ne pouvait se sauver que dans
une direction. Si elle voulait échapper à la folle, elle avait le
pont de Bellam à traverser.

Yolanda, derrière elle, tira plusieurs coups de feu.

— Où es-tu ? appela-t-elle.

Elle tira encore une balle. Et encore une autre.

— J'ai des tonnes de munitions, cousine. Montre-toi ou je continue à tirer dans le brouillard.

Amara s'accroupit derrière un des piliers. Le pont n'était pas engageant. Allait-elle essayer de le franchir ou valait-il mieux prendre au large et essayer de le contourner ?

Une balle lui frôla l'oreille et alla se ficher dans le pilier déjà très déglingué. Le danger se précisant, Amara se décida pour le pont. Avec un peu de chance, le brouillard continuerait de la cacher.

A quatre pattes, elle commença la traversée. Elle avait peur. Elle tremblait.

Un cri rauque déchira l'air. Elle leva à peine les yeux : un corbeau descendait en piqué. Plusieurs mètres derrière elle, Yolanda poussa un hurlement. Profitant de l'incident, Amara poursuivit. Les planches étaient branlantes et faisaient des craquements sinistres.

Mais, pour l'instant, elles tenaient.

Elle claquait des dents, avait des éclats dans les doigts et des clous lui avaient arraché la peau d'un genou.

De nouveaux cris d'oiseaux lui vrillèrent les oreilles. Des croassements mais pas seulement. Soudain, il y eut un son sourd, comme le bruit d'une botte sur du bois.

Son cœur s'affola. Elle ferma les yeux. Yolanda marchait sur le pont.

Il fallait qu'elle se sauve. Qu'elle se dépêche. Qu'elle avance. Pas le temps de choisir les planches les moins vermoulues.

Les yeux plissés, à la faveur d'une trouée dans le brouillard, elle distingua une pile sur laquelle était posé un corbeau. A l'inverse des autres, il ne prit pas son envol pour descendre en piqué. Il était là, immobile, et surveillait.

Un gardien, pensa-t-elle.

Se rappelant alors le respect de Brigham pour les corbeaux, elle murmura :

— J'espère que tu veilles sur la bonne personne.

— Il s'est pris les griffes dans mes cheveux, hurla Yolanda.

Ils viennent d'où, ces imbéciles d'oiseaux ? Ils me tirent les cheveux.

Elle n'était pas loin, réalisa Amara.

A cet instant, une main lui saisit une cheville. Essayant de se dégager, Amara donna des coups de pied. Une des planches grinça, grinça, grinça et finalement se brisa. Yolanda poussa un cri, entre sanglot et hurlement, et tenta d'agripper la planche cassée. Telles des griffes, ses doigts s'enfoncèrent dans le bois, mais la planche était vermoulue et céda sous son poids. Les doigts glissèrent… disparurent… et il ne resta plus que des lambeaux de brouillard.

Pendant quelques secondes, Amara, hagarde, fixa l'espace laissé vide par la chute de sa cousine. Puis elle se tourna vers le corbeau, toujours campé sur ses deux pattes. Il poussa alors un croassement saisissant et s'envola.

Elle leva la tête pour le suivre des yeux, mais la planche gémit sous elle. Effrayée à la pensée de tomber à son tour, elle empoigna une poutrelle, mais le métal était rouillé et la barre trop peu solide pour s'y accrocher.

Au-dessus de sa tête, le corbeau, qui était revenu, croassa. Et crossa encore, de plus en plus fort, de plus en plus rauque. Quand il s'arrêta, une main lui saisit fermement le poignet.

— Je te tiens, Chaperon rouge.

C'était McVey, accroché à une poutrelle au-dessus d'elle.

— Tiens bon et ne regarde pas en bas.

Une foule de sentiments se bouscula dans sa tête, mais un surtout dominait. Yolanda n'avait pas menti, McVey était vivant.

La fin de la traversée sembla interminable. Quand ses genoux touchèrent enfin la terre ferme, elle se releva. McVey était là, descendu de sa poutrelle métallique, et il lui tendait les bras. Bouleversée, épuisée, elle se jeta à son cou.

— Tu es venu, dit-elle entre deux baisers. Comment as-tu su où j'étais ?

Prenant son visage dans ses mains, il plongea son regard dans le sien.

— Quand j'ai compris que le tueur ne pouvait être qu'elle,

j'ai tout de suite pensé au manoir. Nous avons pris un chemin détourné.

— Qui nous ?

— Brigham et moi. Il est venu avec ses corbeaux et…

Un cri perça le brouillard qui s'était reformé.

— Je viens d'apercevoir Yolanda ! s'exclama Brigham. Apparemment, la corde qu'elle tient s'est enroulée autour d'un pilier. Je remonte la sorcière ou on la laisse là nourrir les pissenlits par la racine ?

McVey se pencha vers Amara.

— A toi de décider. On peut lui régler son sort maintenant.

Amara ne réfléchit pas longtemps. Les cris de sa cousine, appels désespérés et invectives, parvenaient d'en bas.

— Remonte-la, Brigham, dit-elle. C'est une malade mentale. J'aurai peut-être pitié d'elle, un jour. Mais pour l'heure je ne ressens rien pour elle. C'est une sorcière, et les sorcières, on les brûle.

19

Pour McVey, c'était simple. Tout crime méritait châtiment. Les choses ne se déroulaient pas toujours de la sorte mais, lorsqu'elles se passaient ainsi, il en ressentait une immense satisfaction.

Cinq longues heures après avoir secouru Amara sur le pont de Bellam, il s'arrêta à la demande de celle-ci dans Main Street, à Raven's Hollow.

— Comment peux-tu être heureux de ce qui s'est passé ce soir, McVey ? Oncle Lazarus est hospitalisé à Bangor...

— Il y est bien, Chaperon rouge. Il se repose.

Il fit un signe au dresseur de corbeaux qui s'affairait derrière un bar installé, illégalement, sur un trottoir.

— Tu as parlé à son médecin. La santé de ton oncle, c'est au jour le jour. Cela dure depuis un certain temps.

— Apparemment, tu le savais et moi pas.

— C'est lui qui me l'a dit le jour où je l'ai arrêté pour avoir agressé le coursier. Il m'a demandé de n'en parler à personne.

— Je suis sa nièce, McVey. Et médecin. J'aurais pu...

— Quoi ? Oui, je sais, lui prescrire de la morphine ou je ne sais quoi. Il n'en voulait pas.

— Et puis zut ! Je lui en veux de ne m'avoir rien dit et à toi d'avoir respecté son souhait. Et à Yolanda d'être... comment dire... de vouloir tout pour elle.

McVey accepta de la main du dresseur deux verres de sang de corbeaux et en tendit un à Amara.

— Tu sais que son avocat va plaider l'irresponsabilité pour maladie mentale.

— Ça ne sera pas difficile parce que c'est la pure vérité. En plus, chez elle, ça se voit.

Des corbeaux articulés volaient puis descendaient en piqué sur les promeneurs.

— Finalement, je me demande si, petite, elle n'était pas déjà dérangée. Quant à Larry, son frère, je le trouve borderline.

— A mon avis, un homme qui manipule des explosifs comme lui est limite.

Il passa le bras autour de ses épaules et l'attira à lui.

— J'aimerais te poser quelques questions, McVey.

— Est-ce que nous pourrons faire l'amour quand je t'aurai répondu ?

Elle rit.

— Je me rends compte que j'avais raison, chef McVey. Vous êtes une bête. Je sens chez vous un instinct et un appétit de loup... Dans cette vie, en tout cas.

Elle passa la main dans ses cheveux et les ébouriffa.

— Je savais que cela arriverait, répliqua-t-il. Tu vas me rappeler que j'ai du sang Bellam dans les veines, c'est ça ?

— Tu le sais, non ? Je n'ai pas besoin de te le rappeler. Quand Nola Bellam a épousé Ezéchias Blume, elle avait déjà un enfant, une fille. Dans la légende Bellam, c'est la fille de Nola, Annalee, qui a fait enfermer Sarah dans le grenier de Bellam Manor. Dans ton rêve, Sarah est passée à travers une planche vermoulue et, comme Yolanda, elle n'est pas tombée au fond du gouffre.

— Annalee était une sorcière ?

— Personne ne sait. Aidée, peut-être par les corbeaux, elle a rayé Sarah du tableau.

Amara pencha la tête.

— Un peu ce que tu as fait avec Yolanda, ce soir. C'en est angoissant.

— Oui, mais je n'étais pas seul sur le pont. Il y avait Brigham.

— Mon idée, c'est qu'Annalee a plus d'un descendant. Et chaque dresseur de corbeaux a deux parents.

— Je ne suis pas sûr que Brigham apprécie ton idée.

— Il devrait, pourtant. Le mélange des sangs explique sans doute qu'il soit si doué. Un, pour dresser des corbeaux vivants. Deux, pour en créer des articulés. Ce qui m'amène à la question de fond…

— Comment t'avons-nous trouvée ? dit-il à sa place.

— Je sais. Tu as compris que Yolanda voudrait me tuer dans ou autour de Bellam Manor, et quelle meilleure façon d'y parvenir qu'en utilisant le pont comme arme du crime ? Non, ma grande question est la suivante : pourquoi le pont est-il subitement devenu traversable après que Yolanda et moi sommes passées à travers ?

— Yolanda et toi, vous ne saviez pas où marcher. Brigham, lui, savait. Les dresseurs de corbeaux n'aiment pas les intrus. Ils bricolent le pont pour empêcher les autres de passer. De cette façon, ils font tranquillement leurs petites affaires et, pour les autres, c'est quitte ou double.

— Ça ne semble pas très légal.

— Non, mais la terre des deux côtés du pont appartient à ton oncle Lazarus. Il est la seule personne qui peut, légalement, porter plainte contre eux.

— Ce qu'il ne fera pas, car il est ravi de savoir que la personne qui a tué Hannah a été attrapée par l'un d'eux.

McVey leva son verre.

— A notre santé ! Ta cousine était peut-être couchée sur le testament de ton oncle, mais elle n'a jamais été sa chouchoute. Il m'a raconté, ce soir, qu'il avait aimé sa mère et que, pour cette raison, il la supportait.

— La mère de Yolanda est morte dans un accident de voiture quand j'étais en sixième.

Elle s'arrêta face à un vol de corbeaux.

— Brigham nous a rendu un grand service avec ses corbeaux articulés. L'un d'eux s'est pris dans les cheveux de Yolanda. Elle a paniqué. Si j'avais eu moins peur, cela m'aurait amusée de la voir terrorisée. Elle a de la chance que Brigham ait pu la remonter.

— Elle a surtout eu de la chance que la corde qu'elle tenait se soit enroulée autour d'un des piliers.

Amara sourit.

— Je ne pense pas qu'elle voie cela de cet œil.

Elle s'arrêta puis reprit.

— C'est le rouge à lèvres rose qui m'a mise sur la piste. Quand j'en ai vu sur le bord du verre dans la cuisine de Hannah, j'ai compris qu'il y avait un bug. On a vérifié dans les affaires de Hannah, elle ne mettait pas de rouge à lèvres.

— Et Willy Sparks n'avait aucune raison de vouloir la tuer.

— Ça ne pouvait donc être que Yolanda. Et toi ? Qu'est-ce qui t'a mis sur la piste ?

— Son frère manie les explosifs. Elle devait donc savoir poser des charges. Quant au cocktail Molotov, n'importe qui peut en fabriquer.

Amara plissa le nez.

— Sait-on pourquoi elle a fait sauter le bar ? A part espérer me tuer, évidemment. Ce qui était sa raison numéro un. Mais détruire son outil de travail ? Bizarre, non ?

— Je pense qu'elle voulait faire passer un message.

— Oncle Lazarus lui laissait le Red Eye, je suppose qu'elle voulait faire comprendre que ça ne lui convenait pas.

— J'ai aussi vu le rouge à lèvres rose sur elle avant qu'elle ne m'assomme avec la canne de ton oncle.

— Quelle journée ! conclut Amara. Qui dira encore qu'il ne se passe rien à Raven's Hollow ?

— J'ai reçu un coup de fil du chef du lieutenant Michaels. Jimmy Sparks est mourant.

— Décidément ! On meurt beaucoup par ici.

— C'est sa sœur qui prend la relève. Il paraîtrait qu'elle est moins vindicative que son frère.

— J'espère que c'est vrai.

Amara leva son verre à l'intention d'un corbeau qui se posait sur une des baraques.

— Cet oiseau me suit partout depuis que nous sommes en

ville. Je suis sûre que c'est toujours le même, je le reconnais à sa tache blanche sur la tête.

McVey sourit.

— Au risque de me répéter, les corbeaux mâles ont très bon goût dans la région !

— Je me demande si c'est celui que j'ai vu sur le pont.

— Tu as vu un corbeau sur le pont ?

— Oui, et toi aussi, d'ailleurs. Tu n'as pas pu ne pas le voir. Il était posé juste au-dessus de toi.

— C'était un vrai, tu en es sûre ?

— Sûre et certaine. Les dresseurs sont doués mais quand même ! Le corbeau me fixait, comme celui-ci. Si je me réfère à la légende, il est possible qu'il ait veillé sur moi à la demande de quelqu'un.

— Qui serait ?

— Pas le frère de Yolanda. Pas Jake. Je dirais oncle Lazarus, si ce n'est qu'il n'y croit pas.

— C'est ce que tu imagines.

Amara pouffa de rire.

— Mon oncle est un homme rationnel. Les gens rationnels ne croient pas aux légendes.

— Encore une fois, c'est ce que tu crois.

— Exact.

Elle se tourna vers McVey en riant et passa les bras autour de son cou.

— OK, oublions le corbeau, bien que ce soit difficile. Qu'est-ce que cela nous apporte ?

Il lui ébouriffa les cheveux.

— C'est à toi de répondre. Tu seras bientôt une femme riche. Tu pourras aller et venir selon ton bon plaisir. Ou ne pas bouger. A ta guise.

Elle battit des cils deux ou trois fois de suite.

— Je ne sais pas... Je suis tiraillée... Je crois tout de même que j'ai une préférence.

Le corbeau croassa plusieurs fois. On aurait dit qu'il était fâché.

— Arrête de me faire peur, corbeau, lui lança Amara. On dirait oncle Lazarus quand il n'est pas d'accord ! Ce qui me fait penser que je commence à croire ce que racontent nos légendes puisque… Que voulait Sarah Bellam finalement ?

— La fortune d'Ezéchias, répondit McVey sans hésiter.

— Exactement. Et comment a-t-elle résolu son problème quand elle a découvert qu'elle attendait un enfant d'Ezéchiel ? Elle a décidé d'éliminer tous ceux qui risquaient de réclamer cette fortune. Ajouté à cela le fait que c'était une sorcière méchante et que son amant désirait sa sœur plus qu'elle, tous les ingrédients sont réunis pour faire d'elle une meurtrière. Deux Blume et un Bellam dans le cas de Sarah.

— Yolanda avait l'intention de reproduire le même schéma, on dirait.

McVey caressa ses lèvres.

— Te tuer, cela faisait une Bellam. Tuer Hannah, cela faisait une Blume. Et attendre tranquillement que Lazarus, également un Blume, veuille bien s'éteindre.

— Deux Blume et un Bellam, conclut Amara. Et tu as contrarié ces plans dans tes deux vies. Joli score, Annalee.

Le corbeau battit des ailes et McVey sourit.

— *No comment.*

Amara finit son verre de vin.

— Un petit oiseau — pas celui-là — m'a dit que Tyler et Molly ont décidé de partir vivre en Floride. Il m'a aussi confié que, cet après-midi, on t'a proposé le poste de Tyler, ici, à Raven's Hollow. Un chef, deux villes et… peut-être… un prétexte pour être médecin à la clinique ? Est-ce que je pose la bonne question ?

— Si tu veux savoir quand on va faire l'amour, je peux te répondre.

Elle ondula contre lui.

— Réponds plutôt à cette question. Veux-tu que je reste ?

Il soutint son regard. Il semblait grave.

— Oui.

— Alors, je reste.

— Bonne réponse, Chaperon rouge.

Comme il baissait la tête vers elle, le corbeau déploya une nouvelle fois ses ailes. Il les fixa encore un moment, puis s'envola sans tapage.

Retrouvez ce mois-ci
dans votre collection

BLACK ROSE

Amour + suspense = Black Rose

HARLEQUIN
www.harlequin.fr

OFFRE DE BIENVENUE

Vous êtes fan de la collection Black Rose ?
Pour prolonger le plaisir, recevez gratuitement

◆ 2 romans Black Rose gratuits ◆
et 2 cadeaux surprise !

Une fois votre colis de bienvenue reçu, si vous souhaitez continuer à recevoir nos romans Black Rose, cela se fera automatiquement. Vous recevrez alors chaque mois 3 volumes doubles inédits de cette collection au tarif unitaire de 7,40€ (Frais de port France : 1,95€ - Frais de port Belgique : 3,95€).

➡ **ET AUSSI DES AVANTAGES EXCLUSIFS :**

➡ **LES BONNES RAISONS DE S'ABONNER :**

Des cadeaux tout au long de l'année.
◆
Des réductions sur vos romans par le biais de nombreuses promotions.
◆
Des romans exclusivement réédités notamment des sagas à succès.
◆
L'abonnement systématique et gratuit à notre magazine d'actu ROMANCE.
◆
Des points fidélité échangeables contre des livres ou des cadeaux.

Aucun engagement de durée ni de minimum d'achat.
◆
Aucune adhésion à un club.
◆
Vos romans en avant-première.
◆
La livraison à domicile.

➡ **REJOIGNEZ-NOUS VITE EN COMPLÉTANT ET EN NOUS RENVOYANT LE BULLETIN !**

✂

N° d'abonnée (si vous en avez un) ⎵⎵⎵⎵⎵⎵⎵⎵⎵⎵⎵   IZ5F09 IZ5FB1

Mme ☐ Mlle ☐ Nom : .... Prénom : ....

Adresse : ....

CP : ⎵⎵⎵⎵⎵ Ville : ....

Pays : .... Téléphone : ⎵⎵⎵⎵⎵⎵⎵⎵⎵⎵

E-mail : ....

Date de naissance : ⎵⎵ ⎵⎵ ⎵⎵⎵⎵
☐ Oui, je souhaite être tenue informée par e-mail de l'actualité d'Harlequin.
☐ Oui, je souhaite bénéficier par e-mail des offres promotionnelles des partenaires d'Harlequin.

Renvoyez cette page à : Service Lectrices Harlequin – BP 20008 – 59718 Lille Cedex 9 - France

Date limite : **31 décembre 2015**. Vous recevrez votre colis environ 20 jours après réception de ce bon. Offre soumise à acceptation et réservée aux personnes majeures, résidant en France métropolitaine et Belgique. Prix susceptibles de modification en cours d'année. Conformément à la loi Informatique et libertés du 6 janvier 1978, vous disposez d'un droit d'accès et de rectification aux données personnelles vous concernant. Il vous suffit de nous écrire en nous indiquant vos nom, prénom et adresse à : Service Lectrices Harlequin - BP 20008 - 59718 LILLE Cedex 9. Harlequin® est une marque déposée du groupe Harlequin. Harlequin SA – 83/85, Bd Vincent Auriol – 75646 Paris cedex 13. Tél : 01 45 82 47 47. SA au capital de 1 120 000€ - R.C. Paris. Siret 31867159100069/APES811Z.

OFFRE DÉCOUVERTE !

Vous souhaitez découvrir nos collections ? Recevez **2 romans gratuits*** et **2 cadeaux surprise** ! Une fois votre colis de bienvenue reçu, si vous souhaitez continuer à recevoir nos romans, cela se fera automatiquement. Vous recevrez alors chaque mois vos romans inédits en avant première.

Vous n'avez aucune obligation d'achat et cette offre est sans engagement de durée !

*1 roman gratuit pour les collections Nocturne et Best-sellers suspense. Pour les collections Sagas et Sexy, le 1er envoi est payant avec un cadeau offert

☛ COCHEZ la collection choisie et renvoyez cette page au
Service Lectrices Harlequin – BP 20008 – 59718 Lille Cedex 9 – France

Collections	Références	Prix colis France* / Belgique*
❏ **AZUR**	ZZ5F56/ZZ5FB2	6 romans par mois 27,25€ / 29,25€
❏ **BLANCHE**	BZ5F53/BZ5FB2	3 volumes doubles par mois 22,84€ / 24,84€
❏ **LES HISTORIQUES**	HZ5F52/HZ5FB2	2 romans par mois 16,25€ / 18,25€
❏ **BEST SELLERS**	EZ5F54/EZ5FB2	4 romans tous les deux mois 31,59€ / 33,59€
❏ **BEST SUSPENSE**	XZ5F53/XZ5FB2	3 romans tous les deux mois 24,45€ / 26,45€
❏ **MAXI****	CZ5F54/CZ5FB2	4 volumes triples tous les deux mois 30,49€ / 32,49€
❏ **PASSIONS**	RZ5F53/RZ5FB2	3 volumes doubles par mois 24,04€ / 26,04€
❏ **NOCTURNE**	TZ5F52/TZ5FB2	2 romans tous les deux mois 16,25€ / 18,25€
❏ **BLACK ROSE**	IZ5F53/IZ5FB2	3 volumes doubles par mois 24,15€ / 26,15€
❏ **SEXY**	KZ5F52/KZ5FB2	2 romans tous les deux mois 16,19€ / 18,19€
❏ **SAGAS**	NZ5F54/NZ5FB2	4 romans tous les deux mois 29,29€ / 31,29€

*Frais d'envoi inclus

**L'abonnement Maxi est composé de 2 volumes Edition spéciale et de 2 volumes thématiques

N° d'abonnée Harlequin (si vous en avez un) ⎵⎵⎵⎵⎵⎵⎵⎵⎵⎵

Mme ❏ Mlle ❏   Nom : _____

Prénom : _____   Adresse : _____

Code Postal : ⎵⎵⎵⎵⎵   Ville : _____

Pays : _____   Tél. : ⎵⎵⎵⎵⎵⎵⎵⎵⎵⎵

E-mail : _____

Date de naissance : _____

❏ Oui, je souhaite recevoir par e-mail les offres promotionnelles des éditions Harlequin.
❏ Oui, je souhaite recevoir par e-mail les offres promotionnelles des partenaires des éditions Harlequin.

Date limite : 31 décembre 2015. Vous recevrez votre colis environ 20 jours après réception de ce bon. Offre soumise à acceptation et réservée aux personnes majeures, résidant en France métropolitaine et Belgique, dans la limite des stocks disponibles. Prix susceptibles de modification en cours d'année. Conformément à la loi Informatique et libertés du 6 janvier 1978, vous disposez d'un droit d'accès et de rectification aux données personnelles vous concernant. Par notre intermédiaire, vous pouvez être amenée à recevoir des propositions d'autres entreprises. Si vous ne le souhaitez pas, il vous suffit de nous écrire en nous indiquant vos nom, prénom et adresse à : Service Lectrices Harlequin BP 20008 59718 LILLE Cedex 9. Service Lectrices disponible du lundi au vendredi de 8h à 17h : 01 45 82 47 47 ou 33 1 45 82 47 47 pour la Belgique.

Harlequin® est une marque déposée du groupe Harlequin. Harlequin SA – 83/85, Bd Vincent Auriol – 75646 Paris cedex 13. SA au capital de 1 120 000€ – R.C. Paris. Siret 318675159100069/APE5811Z

Composé et édité par HARLEQUIN

Achevé d'imprimer en Italie (Milan)
par Rotolito Lombarda
en août 2015

Dépôt légal en septembre 2015